Averia

Seki | Tome 1

Averia

Seki | Tome 1

PATRICE CAZEAULT

Éditeur : François Doucet
Révision linguistique : Daniel Picard
Correction d'épreuves : Nancy Coulombe, Katherine Lacombe
Conception de la couverture : Tho Quan
Photo de la couverture : © Thinkstock
Mise en pages : Sébastien Michaud
ISBN papier 978-2-89667-548-7
ISBN PDF numérique 978-2-89683-344-3
ISBN ePub 978-2-89683-345-0
Première impression : 2012
Dépôt légal : 2012
Bibliothèque et Archives nationales du Québec
Bibliothèque Nationale du Canada

Éditions AdA Inc.
1385, boul. Lionel-Boulet
Varennes, Québec, Canada, J3X 1P7
Téléphone : 450-929-0296
Télécopieur : 450-929-0220
www.ada-inc.com
info@ada-inc.com

Diffusion

Canada :	Éditions AdA Inc.
France :	D.G. Diffusion Z.I. des Bogues 31750 Escalquens — France Téléphone : 05.61.00.09.99
Suisse :	Transat — 23.42.77.40
Belgique :	D.G. Diffusion — 05.61.00.09.99

Imprimé au Canada

Participation de la SODEC.
Nous reconnaissons l'aide financière du gouvernement du Canada par l'entremise du Programme d'aide au développement de l'industrie de l'édition (PADIÉ) pour nos activités d'édition.
Gouvernement du Québec — Programme de crédit d'impôt pour l'édition de livres — Gestion SODEC.

Catalogage avant publication de Bibliothèque et Archives nationales du Québec et Bibliothèque et Archives Canada

Cazeault, Patrice, 1985-

Averia
Sommaire : t. 1. Seki.
ISBN 978-2-89667-548-7 (v. 1)
I. Titre. II. Titre : Seki.

PS8605.A985A97 2012 C843'.6 C2011-942705-2

Note de l'auteur

Averia est une double-série qui raconte, tour à tour, ce que vivent deux groupes de personnages.

D'un côté, le récit s'intéresse aux épreuves de Seki, une jeune humaine prisonnière de sa carapace, et de sa sœur, Myr, captive de ses blessures qu'elle ne cesse d'entailler plus profondément. Ensemble, elles affrontent la réalité de l'occupation que subit leur sol natal, Averia.

De l'autre côté, dans le tome qui suit celui-ci, l'histoire nous transporte auprès d'Annika Aralia, sur Tharisia, l'arrogante capitale du peuple contre lequel les humains ont mené la guerre il y a vingt ans. Annika, une Tharisienne impulsive et déterminée, mène sa lutte personnelle, au grand désespoir de ses compagnons, contre son gouvernement, ses semblables et, surtout, contre elle-même.

À leur insu, la trajectoire de ces personnages les mène vers une éclatante collision, leurs actions s'entremêlant, les forçant à commettre des gestes aux conséquences qui secoueront la galaxie tout entière.

À commencer par Averia, minuscule colonie occupée par une force étrangère…

À Julie,
qui m'inspire les plus belles histoires

Première partie

Je saisis mes bandelettes, devenues rugueuses par l'usage, et une bouteille d'eau tiède que je fourrai dans mon sac à dos. Me penchant à nouveau sur mon lit étroit, je ramassai une chemise grise et un pantalon noir.

— Tu sais, fit une voix dans mon dos, lorsque l'insurrection débutera, ce ne seront pas des arts martiaux dont nous aurons besoin, mais bien de désintégrateurs.

Je pivotai sur moi-même et trouvai Myr appuyée contre le cadre de ma porte, les bras croisés. Elle plissait légèrement les yeux pour se protéger de la lumière chaude qui traversait la grande fenêtre de ma chambre et qui se perdait tout juste à la pointe de son abondante chevelure noire.

— Je n'ai pas l'intention de désintégrer qui que ce soit, lui répondis-je en terminant de remplir mon sac.

Je me faufilai entre le cadre et elle, entreprenant de descendre les escaliers qui menaient au rez-de-chaussée. Ce faisant, j'attrapai un vieil élastique au fond de mes poches et attachai mes longs cheveux bruns derrière ma tête, geste automatique et détaché.

— Sais-tu ce qui s'est passé aujourd'hui à l'Assemblée ? demanda ma jeune soeur.

— Non.

Je m'en fiche un peu, eus-je envie de répondre.

— Eh bien, figure-toi donc que le Gouverneur a encore une fois utilisé son veto pour entraver le projet de libre circulation entre la Colonie et le Haut-Plateau.

J'atteins le palier, toujours talonnée par Myr, et j'allai jusqu'au réfrigérateur, déposant mon sac au passage sur le comptoir.

– Et comment crois-tu que nos représentants ont réagi ? insista-t-elle, vraisemblablement désespérée d'obtenir une réaction de ma part.

– Je l'ignore, Myr.

– Ils n'ont rien fait ! Pas même un cri de protestation indigné ! Ce ne sont que des pantins. Ils se contentent de ramper devant les Tharisiens et de… de… Dis, tu m'écoutes ?

Je pianotai quelques touches sur le panneau du réfrigérateur, sélectionnant les items que je souhaitais apporter avec moi pour souper.

– Il n'y a plus de lait ?

Le visage de Myr vira au cramoisi. Elle serra les dents et les poings avant de tourner les talons et de remonter bruyamment les marches. J'hésitai, la main toujours sur la porte du frigo et une pointe de culpabilité dans l'âme. Myr, quatorze ans, était une élève brillante. Elle décrochait aisément les meilleures notes de sa classe, et ce, sans étudier, car, à la maison, elle occupait tous ses temps libres à éplucher les bulletins de nouvelles sur le réseau et à nous prédire, à mon père et à moi, que nous devrions bientôt nous soulever contre l'oppresseur.

Le souper que j'avais commandé ne m'inspirait plus rien. Je ramassai une pomme, ignorant cette petite voix qui ne manquait pas de me rappeler à quel point mon estomac grondait à la suite de mes séances d'arts martiaux. Je haussai les épaules. Myr savait que ses histoires de politiques ne m'intéressaient pas.

J'enfilai les ganses de mon sac à dos et je traversai le salon silencieux et vide pour atteindre la porte. Une fois dehors, je fus accueillie par les rayons déclinants du soleil couchant. Ceux-ci filtraient à travers le feuillage des grands arbres qui bordaient la rue, m'éblouissant par intermittence. Plaçant une main devant mes yeux pour les protéger, je trouvai mon père agenouillé dans ses plates-bandes, un peu sur ma gauche. Quand il me vit passer, il déposa sa vieille truelle et essuya la sueur qui perlait sur son front.

— Seki, appela-t-il. N'oublie pas ton quart de travail à l'usine ce soir.

— Oui, papa. Je n'oublierai pas.

Il me suivit des yeux alors que je m'éloignais vers la rue.

— Ton superviseur m'a encore convoqué hier soir au sujet de tes nombreux retards.

— Je lui ai expliqué un millier de fois déjà. Mes cours à l'université se terminent parfois plus tard que prévu. Et l'usine n'est franchement pas la porte d'à côté.

Mon père déplia les jambes et massa ses genoux couverts de terre noire.

— Prends un taxi, Seki. Je peux te donner un peu d'argent pour tes déplacements.

Nous ne manquions de rien à la maison, mais c'était tout juste. J'avais beau travailler près de trente heures par semaine chez Averia Composante, mes études universitaires accaparaient une part importante du budget familial. Comme Myr poursuivrait elle aussi ses études, nous devions mettre de l'argent de côté pour elle également. Si, comme mon père me le suggérait, je devais me payer le luxe d'épargner mes pauvres petites jambes, je devinais aisément qui se priverait davantage.

— Non merci, lui répondis-je en atteignant le trottoir. Je préfère marcher, mais je me dépêcherai, c'est promis !

Je ne laissai pas le temps à mon père de protester et je m'élançai dans la rue. Le soleil me chauffait les épaules, mais une agréable brise caressait mes mollets, emportant avec elle les odeurs familières de mon voisinage. L'herbe fraîche et les effluves des feuillus cohabitaient avec la cité cosmopolite qui s'agitait à quelques pâtés de maisons à peine de mon chez-moi.

Activant le rythme de mes pas, je quittai mon quartier et me retrouvai à longer la voie rapide, l'artère principale de la colonie, que dominait le tramway magnétique qui passait justement à toute vitesse dans un sifflement surréaliste. J'eus le temps de remarquer qu'il était pratiquement vide. À cette heure et dans cette direction, c'était tout à fait normal. Le train filait depuis les zones d'agriculture vers les districts culturels et industriels de la ville. Après quoi, les wagons amorceraient leur ascension vers la région du Haut-Plateau et y déverseraient le peu de Tharisiens qui travaillaient dans l'enceinte d'Averia.

Le tramway, bien que ridiculement rapide, ne constituait pas le mode de transport préféré des habitants d'Averia. La plupart, tout comme moi, privilégiait la marche pour leurs déplacements. Malgré les rares voitures et les artères dégagées, la colonie avait été conçue de manière à ce que tout soit accessible aux piétons. Ainsi, nous avions beau nous amasser en un tas de 500 000 âmes, notre cité ne connaissait ni les embouteillages ni les dangers de la circulation. En comparaison, certains reportages que j'avais visionnés de la Terre me fichaient le mal de crâne. Vues du ciel, leurs agglomérations ressemblaient à de vieux organismes malades, pompant un sang gris, nerveux et sale à travers des artères bouchées.

Averia, m'avait-on dit, avait été planifiée et construite par les plus brillants esprits de l'aérospatiale. Quand ils ont commencé à comprendre que les colons répétaient sur leurs nouvelles planètes les mêmes erreurs que sur la Terre, les gouvernements se sont attelés à la tâche de mettre sur pied la colonie parfaite. Averia devait servir de modèle. Nous devions être le joyau des étoiles.

Dans les rues qui se remplissaient peu à peu des travailleurs qui terminaient leur journée, je laissai mes yeux suivre la silhouette du train magnétique qui s'éloignait vers l'est, en direction du Haut-Plateau et de ses miroitantes structures ouvragées.

Ouais, pensai-je. Mais tout ça, c'était avant la guerre…

* * *

Mon arrivée à l'université concordait avec la fin des classes. Un torrent d'élèves se déversait dans les corridors aux vieux murs vert sombre. Réseaux à la main, la plupart n'accordaient pas la moindre attention à leurs trajectoires erratiques et je devais lutter pour préserver l'intégrité de ma bulle personnelle. Tentant de me frayer un chemin à travers la cohue, j'esquivai de justesse l'épaule bondissante d'une jeune étudiante avant de me plaquer durement contre la poitrine d'un type costaud qui pianotait sur l'écran de son réseau.

– Hé ! Fais attention ! fit-il en se retournant sur mon passage.

Je me retins de lui envoyer quelques gestes disgracieux par-dessus l'épaule lorsqu'une main me saisit le poignet.

– Qu'est-ce que...

Elle appartenait à une fille au grand visage encadré de cheveux blonds très minces et lisses. Elle m'était vaguement familière. Le contact de sa main froide sur mon bras me rendit mal à l'aise.

– Tiens, souffla-t-elle en me glissant un feuillet entre les doigts.

Je me défis de son emprise et m'éloignai lentement, sans heurter qui que ce soit. Un vrai miracle. Je jetai un oeil sur le bout de papier qu'elle m'avait tendu. En grands caractères, on pouvait lire : « La révolution est à nos portes. Nous invitons nos frères et soeurs humains à s'unir contre l'oppresseur. »

Le reste du feuillet donnait des indications sur la réunion prochaine d'un groupe qui s'était autoproclamé le Front de Libération d'Averia.

Oh, pensai-je distraitement. Un autre...

Pivotant sur moi-même, j'observai l'étudiante qui, dans une veste verte à l'allure vaguement militaire, se hâtait de distribuer aux passants ses pamphlets incriminants. Quelle idiote… Elle se mettait en danger. Si elle se faisait prendre à répandre ce genre de trucs à l'université, non seulement elle risquait la prison, mais elle donnerait aux Tharisiens d'autres excuses pour resserrer leur étau autour de nos libertés.

D'un mouvement brusque, je chiffonnai l'invitation et je laissai tomber l'appel à la révolution dans la poubelle la plus proche.

***

Le cours d'arts martiaux tirait à sa fin. Agenouillée, en position de prière, je tâchai d'étirer mes membres et de délier mes muscles. Le maître compta jusqu'à 15 puis je m'allongeai dans l'autre sens, ressentant une intense sensation de brûlure dans mes cuisses. Après un autre décompte, je changeai une nouvelle fois de position, m'assoyant directement contre le tapis de plastique usé qui recouvrait le sol de ce dojo improvisé. J'agrippai aisément mes orteils et, pliée en deux, je respirai profondément.

Une zone de la grosseur d'un poing pulsait d'une douleur lancinante sur ma joue gauche. À coup sûr, une vilaine ecchymose allait colorer mon visage, ce qui ne manquerait pas d'agacer mon père et d'attiser les moqueries de mes collègues, ce soir. Alors que je tâchai de me concentrer sur ma respiration, le responsable de cette contusion ne cessait de me chuchoter ses excuses.

— Hé, Seki, vraiment, je suis désolé, répéta-t-il pour une énième fois.

— Ça va, le chassai-je. C'était un accident.

Notre maître ne nous apprenait que rarement des techniques de combat à proprement parler. Il préférait nous soumettre à d'exténuants exercices d'endurance et exiger de nous des efforts surhumains, sans doute pour éviter ce genre de maladresses.

— Je m'excuse, reprit Braï.

Je l'ignorai et m'agenouillai de nouveau tandis que le maître passait en revue ce que nous avions appris aujourd'hui. À l'aide d'un volontaire, il illustra à nouveau comment il était facile d'utiliser la force et le poids de l'adversaire pour le faire basculer. Alors que l'étudiant s'effondrait au sol, gentiment retenu dans son mouvement par le vieil homme, le professeur d'arts martiaux rappela l'importance de la souplesse par rapport à la puissance, la fluidité contre la dureté.

— Je vous apprends à être forts, continua-t-il. À plier sans casser.

Il promena son regard ridé sur nous. Le maître, d'un caractère taciturne, nous avait habitués à ne pas nous étendre inutilement en paroles. En général, une fois la leçon apprise et le cours terminé, il nous congédiait sans grande cérémonie. Mais ce soir, il hésitait. Ses mains allaient de sa ceinture, blanche et plusieurs fois enroulée autour de sa taille, à son dos.

— La véritable puissance réside dans la sagesse. Ne pas fléchir, ni répliquer coup pour coup avec l'adversaire.

Il donnait l'impression de vouloir poursuivre son discours improvisé, mais se ravisa. D'un geste las, il nous invita à quitter la classe. Je dépliai avec lourdeur mes jambes et me précipitai à la suite de mes camarades vers les vestiaires qui bordaient la salle. Certains, aussitôt débarrassés de leurs vêtements souillés, se jetèrent dans les douches, embrumant la pièce d'une humidité épaisse. Par contre, en ce qui me concernait, je n'aurais pas le temps de me doucher avant de devoir filer à l'usine pour mon quart du soir.

Je retirai avec délectation les bandages qui me couvraient les mains. Il s'agissait, à n'en point douter, de mon moment favori de ces séances d'exercices, lorsque, finalement, l'air frais entrait à nouveau en contact avec ma peau. Je me sentais vivante, désencombrée d'une épaisse pelure humide. Je me tortillai pour échapper à mon chandail blanc, trempé et lourd de sueur, et enfilai la chemise grise que j'avais prise avec moi avant de quitter la maison.

— Vous croyez que le maître faisait référence à notre situation? demanda un étudiant en serviette qui attendait qu'une place se libère dans les douches.

— Tu veux parler de l'occupation tharisienne? L'esclavage de notre race?

— Esclavage? s'exclama la cadette du groupe. Tu étudies pourtant les arts à l'université. Tu en connais beaucoup d'esclaves, toi, qui ont cette chance?

Encore cette conversation, pensai-je en roulant des yeux. Tous les étudiants à l'université se livraient au même débat depuis la conquête et, à ce que je sache, ils n'avaient toujours rien changé. J'attrapai ma bouteille d'eau et, malgré sa tiédeur, m'en désaltérai goulûment.

— Pfff, railla l'apprenti artiste. Tu avales ces sornettes? Ce n'est que de la propagande tharisienne. Ils nous donnent l'illusion du choix alors que le vrai savoir, ils le gardent pour eux.

Braï, qui sortait tout juste de la douche, s'ébouriffa les cheveux avant de pointer le menton vers moi.

— Je n'en suis pas si sûr. Tiens, prends Seki par exemple.

Je tiquai en entendant mon nom. Alors que je refermais mon sac, tous les regards se posèrent sur moi.

— Quoi? fis-je, tout à coup tendue.

— Bah, tu étudies bien en sciences, non? Crois-tu qu'on nous cache des choses?

J'ouvris la bouche mais je ne sus quoi répondre. Je restai la main accrochée à mon casier, incapable de trouver quoi que ce soit d'intelligent à leur proposer. «Oui! C'est une conspiration! Les théories scientifiques qu'on nous apprend dans nos cours ne collent pas à la réalité.» Certes, certaines me semblaient farfelues, mais de là à…

— Oh, laisse tomber, insista l'étudiant en art. Elle ira probablement travailler sur le Haut-Plateau de toute façon.

Refermant brusquement la porte de mon casier dans un bruit de tôles qu'on griffe, je maîtrisai tant bien que mal mon envie folle de tester, malgré l'interdiction formelle de mon maître, quelques techniques de combat à main nue. J'inspirai l'air humide du vestiaire. Heureusement, l'attention de mes camarades portait déjà ailleurs.

— Alors, s'il parlait vraiment de l'occupation tharisienne, reprit l'instigateur du débat, notre maître souhaiterait que nous résistions davantage, c'est ça ?

— Mais non, il a parlé de ne pas répliquer coup pour coup…

Je réussis à quitter la pièce avant de m'emporter contre quelqu'un. Après quelques zigzags à travers les corridors du bâtiment qui abritait le dojo, je retrouvai la brise du soir.

— Quel abruti, murmurai-je pour moi-même.

Je gravis la colline par laquelle j'étais passée plus tôt en après-midi et préférai piquer à travers le campus, piétinant l'herbe qui, déjà, se couvrait de fraîcheur.

Ma joue gauche irradiait de douleur et j'y portai la main. Comme je m'y attendais, une bosse se formait sur ma pommette. Le problème, pensai-je, était que cet imbécile d'artiste n'avait pas tout à fait tort. La plupart des finissants de mon programme se voyaient ensuite offrir un poste sur le Haut-Plateau. Ce qui, évidemment, ne manquait pas d'attiser la colère de nos concitoyens sur Averia. Alors que la reconstruction de la colonie n'était pas encore achevée, les infrastructures des quartiers tharisiens rivalisaient de beauté avec les images holographiques qui nous parvenaient de la Terre.

Je pivotai pour observer le pavillon des sciences qui trônait au-dessus des autres bâtiments du campus. Large et courbé comme une demi-lune, il s'agissait de l'édifice le plus imposant de l'université. Autrefois, c'était également le plus prestigieux. D'éminents experts de la Terre étaient venus y enseigner. Aujourd'hui, la faculté des sciences était identifiée comme un nid de vipères, un repaire de collaborateurs. Une cible pour les innombrables mouvements révolutionnaires qui s'improvisaient entre les murs de l'université.

Franchement, pensai-je en m'attardant sur les quelques fenêtres encore illuminées qui parsemaient la façade de l'édifice, si, à la fin de mes études, on me proposait d'aller travailler chez les Tharisiens, je n'étais pas tout à fait certaine de ma réponse.

Je faillis tomber à la renverse en éclatant de rire. Non, bien sûr, Myr me zigouillerait bien avant que j'aie le temps de terminer de lui annoncer ma décision.

Penser à ma petite soeur ramena mon attention sur le présent : si je ne me dépêchais pas plus, j'arriverais encore en retard à l'usine. Je quittai la pelouse et m'élançai sur la voie bétonnée, mes souliers crissant sous mes pas le temps que la fraîcheur de l'herbe se soit évaporée. Même épuisée après mon cours d'arts martiaux, je me forçai à tenir le rythme d'un jogging léger. Cela me faisait du bien, me calmait les nerfs.

Je continuai de remonter l'artère principale. À cette heure tardive, les restaurants cossus se vidaient de leurs clients et les tavernes se remplissaient d'étudiants. Un décor qui ne laissait rien deviner des terribles tragédies qui s'étaient déroulées ici, il y a vingt ans. Plus de traces des bombardements orbitaux et des combats de rues qui s'y étaient livrés. Au-dessus de ma tête glissait à nouveau le monorail. En sens inverse, cette fois, mais tout aussi désert que lorsque je l'avais croisé cet après-midi.

J'atteignais maintenant les limites du quartier culturel de la cité. Les blocs d'appartements ternes remplaçaient les cafés et théâtres de la vieille ville. Ici, les stigmates de la guerre se faisaient plus évidents. À ma gauche, la façade d'un bâtiment présentait encore la trace d'une longue brûlure. De l'autre côté de la rue s'ouvrait une ruelle au bout de laquelle traînaient toujours les débris d'un mur qui s'était écroulé lors du siège de la colonie.

Accélérant le pas, je me couvris instinctivement le nez. Certaines industries du coin dégageaient une odeur âcre et coriace qui ne manquait pas de me faire toussoter si je ne prenais pas garde. Je quittai l'artère principale et empruntai une voie transversale. Je dépassai, sur ma gauche, un petit attroupement qui traînassait autour d'une vieille table à pique-nique, derrière une porte de métal rouillée maintenue entrouverte par un morceau de bois. Depuis les fenêtres me parvenait le martelage incessant de pièces de machinerie lourde qu'on aurait oublié d'entretenir pendant quelques années. Alors que les types en pause me regardaient passer, le nez collé à ma chemise, je m'estimai chanceuse de travailler pour Averia Composante.

Je bifurquai dans une nouvelle rue et courus sous une passerelle qui reliait deux usines désaffectées dont on avait reconverti les zones les plus sécuritaires en appartements. Les étages jugés dangereux, de toute façon, avaient depuis longtemps été soufflés lorsque des trafiquants avaient tenté de les transformer en laboratoire de mercuro-sable…

– Hé ! Vous là-bas, stop !

Je m'arrêtai net. Je pivotai pour découvrir qui me hélait ainsi. Dans ce genre de quartiers, ça ne m'inspirait rien qui vaille.

Depuis le coin de la rue progressait vers moi une patrouille de Tharisiens. Je sentis la panique m'envahir et me chatouiller la nuque d'un picotement désagréable. Des gardes tharisiens… Voilà qui était potentiellement pire que des truands de quartier.

À mesure qu'ils approchaient, je vis que l'un des deux soldats en uniforme était un Humain. Je me souvenais que Myr m'avait déjà raconté, probablement en criant qu'il s'agissait de la pire des trahisons, que les Tharisiens entraînaient maintenant des hommes et des femmes pour les enrôler dans les forces de maintien de la paix. Je n'en avais encore jamais vu en service.

Les bottes du Tharisien résonnaient sur le bitume craquelé alors qu'il arrivait à ma hauteur, sans se presser. Il tendit la main, exigea mon réseau et le balaya à l'aide du sien. Lisant les informations qui s'affichaient sur l'écran de sa tablette électronique, il s'adressa à moi sans me regarder.

– Où alliez-vous ainsi, mademoiselle Jones ?

Sa voix, éraillée, me fit frissonner malgré moi.

– Je me rendais à l'usine Averia Composante pour mon quart de soir.

– Hum hum…

L'autre, l'Humain, évitait mon regard. Il portait le même uniforme gris que son collègue extra-terrestre, mais son collet affichait des insignes moins ouvragés et plus discrets.

— Et d'où veniez-vous ?

— J'arrive de l'université.

Cette réplique le fit tiquer aussitôt.

— Fouille-la, ordonna-t-il à son collègue.

Celui-ci me dévisagea et hésita une fraction de seconde de trop, éveillant les soupçons de son supérieur. Le Tharisien se tourna vers l'Humain et le toisa durement. D'un moment à l'autre, il allait soit le frapper, soit le réprimander sévèrement. Pour apaiser la tension, je tendis mon sac, me félicitant au passage de ne pas avoir conservé le pamphlet que m'avait passé l'étudiante cet après-midi. Le subordonné le saisit sèchement, d'un geste qu'il espérait sans doute autoritaire. L'officier maintint encore un peu son regard avant de retourner à l'étude de mon dossier qui défilait sur son réseau.

Quant à moi, j'en profitai pour le détailler. Mes yeux remontèrent depuis ses grandes bottes noires, d'une propreté surprenante malgré le quartier qu'il patrouillait, et s'attardèrent longuement sur le désintégrateur qui trônait dans un étui métallique à sa ceinture. Ce Tharisien, comme la plupart des représentants de sa race, me dominait presque d'une tête.

Un craquement dans mon dos me fit me retourner à moitié. Quelque chose venait de bouger depuis la passerelle qui reliait les deux bâtiments désaffectés. Quelqu'un m'observait-il depuis les carreaux brisés qui surplombaient la rue ?

— L'université est un lieu dangereux, mademoiselle Jones, reprit l'officier qui, vraisemblablement, n'avait pas capté le bruit qui attirait mon attention. Il s'agit d'un terreau fertile pour les regroupements extrémistes. Les agitateurs y foisonnent et ne reculent devant rien pour recruter de nouveaux éléments dans leurs brigades d'insurgés.

Je hochai la tête, ne pouvant tout à coup détacher mon regard du visage sec et jaune de mon interlocuteur. C'était, à coup sûr, ce qui nous différenciait le plus des Tharisiens. Un épiderme dur et rugueux les recouvrait des pieds à la tête, telle une armure crevassée, usée par les tempêtes et l'érosion. Une armure qui, toutefois, ne masquait en rien leurs expressions faciales. Le regard de celui qui m'interrogeait, justement, laissait transparaître toute la suspicion qu'il éprouvait à mon égard.

— Je vous le répète, Humaine, à votre place, je m'assurerais de choisir prudemment mes fréquentations au sein de cet établissement. Je vous conseille également de vous limiter strictement aux activités prescrites par votre cursus académique.

— Je comprends.

Il n'y avait pas autre chose à faire. Acquiescer et attendre. L'an dernier, Myr et moi avions été interceptées par une patrouille semblable alors que nous revenions des champs, des paniers de baies rouges pleins les bras. Ma soeur s'était mise à invectiver le soldat tharisien qui, rieur, s'était permis de gober l'un de nos fruits à notre passage. D'abord amusé par la colère soudaine de cette gamine, l'officier avait fini par se fâcher. Qui ne le deviendrait pas à force de se faire traiter « de sangsue impérialiste, de pourriture et d'ordure immonde » ?

Sous un éclatant soleil de fin de saison, au beau milieu d'une foule figée, un commando tharisien criait sur deux gamines, dont l'une appuyait de toutes ses forces sur les orteils de sa jeune soeur pour la faire taire.

Myr n'avait pas goûté une seule baie de notre récolte, ni ne m'avait adressé la parole tant que les plats ne furent pas abandonnés à la poubelle.

— Ce ne sont que des effets personnels, confirma le garde qui fouillait mon sac, me tirant abruptement de mes pensées.

— Hum…

Son supérieur hiérarchique lui arracha mon sac des mains et y jeta un oeil avant de me le rendre sans pourtant me congédier. Il ne cessait de me dévisager. Mal à l'aise, je basculai mon poids d'une jambe à l'autre.

— D'où provient cette ecchymose ? demanda-t-il.

Je portai instinctivement la main à ma joue et constatai que la vilaine contusion empirait.

— Ce n'est rien. Un accident pendant mon cours d'arts martiaux.

Le silence se prolongea sans que le Tharisien ne me libère. Qu'attendait-il ? Je n'avais commis aucun crime et, même si j'étudiais à l'université, cela ne constituait pas un motif suffisant pour me retenir davantage. Rassemblant mon courage, j'osai intervenir.

— Puis-je y aller maintenant ? Je risque d'être en retard au travail.

L'officier rangea son réseau dans un étui à cet effet et lança son regard à la ronde avant de me chasser du menton.

— Bien sûr. Soyez prudente, mademoiselle Seki Jones.

Sans trop réfléchir, je m'inclinai avant de m'éclipser en remontant la rue. En passant les ganses de mon sac par-dessus mes épaules, je constatai que le dos de ma chemise était trempé. Avec cet air humide et lourd, impossible qu'elle sèche avant le début de mon quart à l'usine. Je me retournai pour m'assurer d'avoir mis suffisamment de distance entre la patrouille et moi, mais les gardes avaient déjà disparu. La rue, juste sous la passerelle, demeurait déserte. Muette. Les deux grands bâtiments sombres me semblèrent tout à coup menaçants, comme si une myriade d'yeux, dans l'obscurité, s'y tapissaient et m'observaient silencieusement.

Je pivotai de nouveau et repris ma course, allongeant maintenant mes foulées davantage par obligation que par plaisir. Averia Composante n'était plus très loin, mais ce contretemps avec les forces de l'ordre m'avait coûté de précieuses minutes. Si j'arrivais encore en retard, mon père ne manquerait pas de me le rappeler.

Après avoir traversé quelques voies transversales supplémentaires, je vis finalement apparaître le profil plat de l'usine. Siégeant au bout d'un long terrain couvert d'herbe jaunâtre, Averia Composante occupait le bâtiment principal de l'ancien spatioport de la colonie. Au lendemain de la conquête, les Tharisiens en avaient démantelé la majeure partie afin de le transplanter sur le Haut-Plateau. Des anciennes installations jadis bourdonnantes d'activités ne subsistaient plus que quelques hangars vides et la structure principale de ce qui constituait autrefois le cœur du complexe aérospatial.

Je franchis le hall vitré au pas de course et saluai à la hâte le vieux gardien dans son uniforme défraîchi. Les corridors, violemment éclairés de néons blafards, se montraient désespérément vides. Vides de collègues qui traînent et bavardent avant de rejoindre leurs postes respectifs. Manquant de l'échapper en fouillant dans mon sac, je saisis mon réseau et en consultai l'heure.

Deux minutes de retard. Deux ridicules minutes. Personne ne se rendrait compte d'un retard aussi insignifiant, n'est-ce pas ?

Mais, en tournant le coin, comme je caressais l'idée de me faufiler discrètement jusqu'à ma chaîne de montage, j'aperçus mon superviseur qui attendait patiemment à l'entrée de mon secteur.

La prochaine fois, pensai-je, je trouverai une excuse pour que les Tharisiens m'emprisonnent…

* * *

J'étais finalement seule à la maison. Papa venait de quitter pour se rendre chez Averia Composante et Seki irait le rejoindre une fois son cours d'arts martiaux terminé. Elle arriverait probablement en retard. Je n'osais imaginer le nombre de fois où mon père avait dû plaider auprès de son patron pour qu'elle conserve son emploi.

Tout en prenant une autre bouchée du sandwich que j'avais préparé, j'allai dans la chambre de papa. Celle-ci se situait au rez-de-chaussée et était très spacieuse. Les nôtres, à Seki et à moi, étaient à l'étage et bien étroites comparées à la sienne. C'est sûr qu'à une époque, ils avaient été deux à partager cette chambre, pensai-je.

Tout en finissant d'avaler mon repas, j'ouvris la garde-robe. De fines particules de poussière envahirent la chambre et me forcèrent à reculer. Il s'agissait de toute évidence d'un placard que mon père n'utilisait pas souvent. Les quelques morceaux qu'il portait gisaient sur son bureau, jetés en un tas négligé plutôt que rangés sur un support, mais, puisque j'étais responsable de la lessive familiale, ses chemises étaient pliées avec soin.

Je secouai la tête en retournant à la garde-robe. Papa devait bien avoir quelque part un classeur où il gardait ses documents de papier. Je fouillai encore un moment avant de tomber sur une pile de vêtements minutieusement rangés dans un sac. Il s'agissait de tenues féminines. Le classeur se trouvait juste en dessous.

— Bon, me dis-je après une longue hésitation. Oui, ils appartiennent sans doute à maman. Et alors? Est-ce un sacrilège de les déplacer un tout petit peu?

Malgré mes tentatives d'encouragement, il me fallut encore presque une minute pour me décider à bouger la pile de vêtements. Tirant un trait sur la lointaine émotion qui semblait vouloir monter en moi par vagues diffuses, je soulevai le sac avec d'infinies précautions. Le déposant par terre, je ne pus m'empêcher de jeter un coup d'œil à l'intérieur.

J'empoignai ce qui me semblait être le tissu d'une jolie petite robe de soleil et l'approchai de mon nez. J'en reniflai les effluves dans une lente inspiration, mais je ne pus percevoir aucune odeur familière.

— Je suis si ridicule, fis-je à voix haute avant de replacer soigneusement la robe avec les autres vêtements.

Je retournai à l'exploration de la garde-robe. J'ouvris le classeur et le fouillai de fond en comble. Il me fallait dénicher un document où figurait la signature de mon père. Ce serait difficile à trouver. La plupart des documents officiels transitaient par le réseau.

Je sortis de ma poche la version imprimée du devoir que j'avais remis à Mlle Cyns, ma professeure d'écriture. Après l'avoir lu, elle avait décidé que mon père devait le voir avant qu'elle ne puisse lui décerner une note. D'après elle, mon texte, bien que rédigé dans une langue irréprochable, pouvait être considéré comme haineux et, en ce sens, contrevenait à la politique de l'école. Ce n'est qu'en promettant de le faire signer par mon père que je pus empêcher qu'elle ne le soumette au psychothérapeute et au directeur de l'établissement. Autrement, je risquais l'expulsion.

Je jetai un coup d'œil au titre de mon devoir : *Pourquoi nous ne pouvons cohabiter avec les Tharisiens.* Je trouvais bien drôle que mon texte suscite tant l'indignation de Mlle Cyns alors que ces quelques mots étaient en ce moment même encensés à travers le réseau. Je l'avais effectivement mis en ligne la veille de façon anonyme et il faisait maintenant fureur. Les gens se le relayaient sans relâche. S'ils savaient qu'une gamine de quatorze ans l'avait écrit dans le cadre d'un devoir pour l'école…

En continuant mon investigation, je tombai sur ce que je cherchais : une facture fripée qu'avait autrefois signée mon père. Parfait ! Il ne me restait plus qu'à en tracer la signature. Avec de la chance, l'enseignante n'y verrait que du feu.

* * *

Appuyée contre une colonne de briques blanches, j'attendais patiemment que mon père me rejoigne. Je l'apercevais, à travers le hall vitré, discuter avec d'autres collègues. Les mains dans les poches, la conversation qu'ils entretenaient ne semblait ni sérieuse ni très entraînante. Quelques hochements de tête, un ou deux sourires, rien qui ne me permette de deviner l'objet de leur discussion.

Je me frictionnai les bras, pensive. La nuit était fraîche même si une brise chaude soufflait au ras du sol. Quelques types de l'équipe de nuit passèrent devant moi et me saluèrent distraitement. Leur superviseur se montrait probablement moins intransigeant envers les retards que le mien, car ceux-ci arrivaient au moins dix minutes trop tard.

Un grondement dans les airs me fit lever la tête et scruter l'obscurité étoilée, mais je n'y discernai pas la source du bruit. Le ciel, sans nuages, demeurait vide.

Mon regard dévia sur mon père, de l'autre côté de la vitre. À trente-huit ans, il paraissait entre deux âges. Ni jeune ni vieux. Je l'avais toujours trouvé très beau, comme une fille aime son père, mais j'étais forcée d'admettre qu'une certaine lourdeur pesait parfois sur ses traits, pressant un poids invisible sur ses épaules. Une noirceur que partageaient la plupart des hommes et des femmes de sa génération. La génération qui avait traversé la guerre avec les Tharisiens il y a vingt ans.

Entre eux, les survivants tiraient une fierté des épreuves surmontées. Après tout, ils avaient fait d'Averia une forteresse imprenable et avaient résisté plus que tout autre bastion face aux assauts de l'Armada. Mais devant nous, les jeunes qui étaient nés après ce conflit, nos parents éprouvaient la honte. Ils portaient le fardeau de nous laisser un monde brisé, vidé de ses promesses. Averia, joyau des étoiles, pillée et soumise.

Ou du moins, c'était l'opinion que partageaient Myr et l'opposition officielle à l'Assemblée.

Un collègue de mon père qui avait combattu à ses côtés dans la milice coloniale lors de la guerre m'avait dit, lorsque je venais d'être engagée chez Averia Composante : « C'est si dommage qu'une perle comme toi soit née à notre époque ».

Je me souvenais lui avoir dit que nous ne vivions pas si mal que ça. Nous avions un gouvernement, du travail, de quoi nous nourrir et nous loger. L'université, quelques semaines plus tôt, venait d'accepter mon inscription au programme de science et l'avenir, tout à coup, ne m'apparaissait pas si sombre. M'écoutant religieusement, mon nouveau collègue m'avait longuement contemplée et, après un profond silence, s'était contenté d'ajouter : « Oui, mais ce n'est rien en comparaison de ce que vous auriez dû avoir, ta soeur et toi. »

Derrière la vitre, mon père salua ses camarades et vint me rejoindre. En sortant, il déboutonna son long manteau brun et le posa sur mes épaules.

— Tu n'as rien amené pour te couvrir, me reprocha-t-il. Les nuits sont encore fraîches, Seki.

— Je sais. J'étais pressée.

S'il avait eu vent de mon retard, il n'en laissa rien paraître.

* * *

Comme je m'apprêtais à entrer dans ma chambre, j'aperçus une lueur sous la porte de Myr. Mon réseau affichait minuit et douze minutes. Ma soeur devait se lever tôt demain et aurait dû être au lit depuis longtemps. Doucement, j'entrouvris et jetai un oeil à l'intérieur.

Myr, allongée à plat ventre sur son lit, regardait l'écran de verre qui siégeait sur sa commode. C'était un miracle, pensai-je, que sa vue soit toujours intacte alors qu'elle passait le clair de son temps le nez collé au réseau.

Je ne discernais pas son visage, mais je l'imaginais baigné de lumière. Le reste de sa chambre était plongé dans l'obscurité et il y régnait une odeur sucrée. Un bol de crème glacée, dont la moitié, fondue, gisait au fond du récipient noir, tenait en équilibre entre l'oreiller et le coin du mur.

L'écran avec lequel Myr avait synchronisé son réseau présentait les images d'une journaliste tharisienne. Celle-ci, le visage peint en blanc, s'adressait directement à la caméra depuis un décor synthétique.

...s'est rapidement organisée suite au veto imposé par le gouverneur. Celui-ci, joint dans la matinée, aurait prétendu ne pas s'inquiéter outre mesure de la réaction des Humains.

L'image montrait à présent un Tharisien, qui, vêtu d'un veston gris clair, traversait une foule bruyante.

Il n'y a rien à tirer de cette frange de la population d'Averia. Engager le dialogue avec ces éléments ostracisés et primitifs de la société humaine de la colonie constituerait une outrageante perte de temps. Au contraire, je suis très satisfait de l'accueil que la vaste majorité des représentants à l'Assemblée ont réservé à mon appel au progrès.

À nouveau, la présentatrice apparut à l'écran.

Des membres de son cabinet ont pourtant révélé à nos journalistes qu'il y a lieu de s'inquiéter de la recrudescence et de la radicalisation des rassemblements populaires dans la colonie. Nous avons envoyé ce matin notre chroniqueur Charal Assaldion sur les lieux de la plus récente manifestation humaine. Écoutons son reportage.

– Encore ce crétin… murmura Myr pour elle-même.

Je me retins de rire pour ne pas révéler ma présence.

À l'écran, le champ de la caméra s'attarda sur la tête d'une imposante statue de bronze à l'effigie d'un amiral triomphant avant de s'abaisser sur la masse de contestataires.

Comme vous pouvez le constater, près de 2000 Humains se sont rassemblés ce matin sur la place des Amiraux pour protester contre l'ingérence politique du gouverneur Jassal dans les affaires de la colonie.

Un Tharisien se glissa à l'intérieur du cadre et défila devant la foule agitée, mais facilement retenue en place par un mince cordon de soldats en uniforme.

Si vous le voulez bien, nous allons nous approcher davantage des émeutiers afin de mieux comprendre la nature de leurs revendications.

Le journaliste, qui évita de justesse une bouteille en vitre qu'on entendit s'écraser derrière lui, se faufila entre deux gardes et interpella un homme à la barbe hirsute.

– *Excusez-moi ! Qu'avez-vous à déclarer à la presse tharisienne ?*

L'homme, le regard hagard, scandait un slogan bruyant et brandissait son poing vers la caméra. Il ne semblait pas avoir remarqué le journaliste. Celui-ci insista de nouveau.

– *Monsieur ! Ici Charal Assaldion de* Tharisia Press, *j'aimerais que vous m'informiez : Quelle est la raison de cette manifestation ?*

L'homme prit finalement conscience de la présence du Tharisien. Il bredouilla quelques mots incompréhensibles.

– *Pardon monsieur. Pouvez-vous répéter ?* demanda Charal.

– *Euh… Quelle est votre question ?* s'enquit l'Humain, apparemment décontenancé.

– *Nous voulons comprendre le pourquoi de votre présence ici,* répéta patiemment le journaliste.

– *Eh bien c'est… c'est le Gouverneur, il… il ne se mêle pas de ses affaires.*

Il n'en ajouta pas plus. Pendant un instant, seul le bruit de la manifestation emplissait l'écran.

– *Et quel est votre sentiment face à vos représentants élus qui estiment qu'il est du devoir du Gouverneur Jassal de faire usage de son droit de veto lorsque le développement pacifique de nos deux peuples est compromis par le travail de l'Assemblée ?*

L'homme resta apathique pendant quelques secondes avant de reprendre un peu ses esprits.

– *Ouais bien moi je ne suis pas du tout d'accord avec ça !*

J'en avais suffisamment entendu.

– Myr, ça suffit. Éteins ton réseau.

Elle sursauta et se retourna sur son lit, manquant de renverser le bol à ses pieds.

– As-tu vu ça ? me demanda-t-elle en pointant l'écran. Il y a des membres de l'opposition dans cette assemblée. Des gens lettrés et articulés. Mais bien sûr, ils ne montrent que des images de péquenots incohérents pour nous représenter.

J'allai m'asseoir à ses côtés, me dégageant un coin de lit en poussant ses grosses couvertures rouge sombre. À l'écran, l'homme avait retrouvé toute son ardeur et s'était remis à scander ses slogans violents.

— Tu ne trouves pas que tu es un peu jeune pour t'intéresser à ce genre de trucs, Myr ? Tu n'as que quatorze ans. Tu prends tout ça beaucoup trop au sérieux.

Ma soeur se redressa et, d'une pression sur son réseau, réduisit le journaliste et ses émeutiers au silence.

— Trop au sérieux ? demanda-t-elle platement.

Je me retins de lever les yeux au ciel. Encore la même conversation qui recommençait.

— C'est toi qui ne prends pas ça suffisamment au sérieux, reprit-elle. Tu ne saisis pas l'horreur de notre situation ?

— L'horreur ? répétai-je. Tu exagères, Myr. Nous ne vivons pas si mal.

Myr se leva d'un trait en pointant l'écran muet derrière elle. Ses joues s'empourprèrent.

— Les Tharisiens prouvent chaque jour qu'ils ne cherchent qu'à entraver notre développement. L'occupation est permanente, Seki. Si nous ne recouvrons pas notre liberté, nous nous éteindrons.

— Il ne s'agit plus d'une occupation, répliquai-je avec calme, comme si je m'adressais à un enfant turbulent. C'est une coexistence. Le gouverneur Jassal n'a pas tort lorsqu'il dit qu'il faut laisser notre passé de côté et construire notre avenir.

— Notre avenir, nous le construirons en nous débarrassant des Tharisiens, pas autrement.

D'accord, pensai-je. J'abandonne. Ma soeur se montrait toujours obstinée et obtuse lorsqu'il s'agissait des Tharisiens. Me levant à mon tour, je soupirai bruyamment.

— Parfois, je me demande d'où tu sors toutes ces idées. Ça ne vient certainement pas de papa ou de moi.

— Non, fit-elle. Sûrement pas.

Était-ce du dégoût que je percevais dans sa voix ? Myr, les mains sur les hanches, me dévisageait, le menton relevé en guise de défi. Sa silhouette se découpait contre les images vives qui défilaient sur l'écran. Je clignai quelques fois des yeux, me forçant à bien peser mes mots. Une syllabe de trop et je risquais de la relancer dans une de ses fameuses colères.

— J'espère que ça finira par te passer, tout ça, soupirai-je en lui tournant le dos et en quittant sa chambre.

Myr ne répondit rien, mais je l'imaginai grimacer derrière moi. Pauvre petite rebelle, pensai-je.

* * *

Assise sur l'un des larges bancs de granit qui entouraient la fontaine, je croquai dans une pomme. Situé en plein cœur du campus de l'université, cet endroit était généralement très achalandé. À toute heure, des étudiants s'y prélassaient, discutant entre amis, pianotant nerveusement sur leur réseau ou révisant attentivement leurs notes de cours. Quant à moi, je préférais évidemment visiter ce lieu pendant que tout ce beau monde dormait paisiblement.

Comme Myr. À cette heure-ci, elle traînait certainement encore au lit. Étant toujours en pleine croissance, elle éprouvait plus de difficultés que moi à écourter ses heures de sommeil. Je l'imaginai en train de ronfler, étalée de tout son long dans ses couvertures et cela me fit rire. La gamine aux idées révolutionnaires qui roupille tranquillement.

Le vent envoya mes cheveux traîner derrière ma nuque et humecta mon visage de gouttelettes. Je levai la tête vers le ciel, incapable de déterminer s'il s'agissait d'un début de pluie fine ou si ce n'était que les jets de la fontaine qui s'étaient pris dans la brise. Je me levai, laissant mon chandail rouge et mon réseau sur le banc. Je ne risquais pas de me le faire dérober. Par ce temps maussade, l'endroit était désert.

Longeant le socle de la fontaine, je laissai courir mes doigts sur la surface effritée du bassin. De vagues relents d'algue me rappelèrent pourquoi il était défendu de se baigner dans cette eau. Le résidu verdâtre qui s'accumulait sur les rebords raviva en moi le souvenir de la jeune cohorte d'étudiants qui passa la première semaine de cours à soigner de vilaines éruptions cutanées.

Mes doigts décelèrent dans le socle une anfractuosité. Je fronçai les sourcils et m'agenouillai pour en étudier le relief.

Il s'agissait de la gravure d'une date, probablement une trace laissée lors de la fondation de l'université. Toutefois, je n'arrivais pas à discerner les chiffres. Elle avait dû être soufflée en partie lors du bombardement orbital qu'avait subi la colonie vingt ans auparavant. D'autres gouttes se mirent à tomber et je compris maintenant qu'il s'agissait bien des nuages qui menaçaient de crever au-dessus de ma tête.

Je rattrapai mes affaires et enfilai mon chandail rouge par-dessus ma chemise blanche. Je gravis les marches, m'éloignant de la fontaine et gagnai le campus verdoyant. À peine eus-je le temps de me réfugier sous un arbre qu'une pluie battante se mit à fouetter l'herbe et le paysage autour de moi. Elle tambourinait violemment contre les larges fenêtres du bâtiment près duquel je tentais tant bien que mal de rester au sec.

Une odeur de terre mouillée monta à mes narines tandis que j'attendais, le capuchon de ma veste rabattu sur mon crâne, que la pluie diminue d'intensité. À travers les grosses gouttes qui se faufilaient entre les branches du feuillu contre lequel je me tenais, j'observais avec amusement les quelques étudiants qui, comme moi, s'étaient fait surprendre par ce déluge soudain.

Mon sourire se figea lorsque, de l'autre côté de la voie piétonnière, un groupe attira mon attention. Une dizaine d'étudiants se hâtaient vers le pavillon des sciences. Je ne les reconnaissais pas. Vêtus de couleurs sombres et de longs trench-coats en cuir, ils marchaient en rangs serrés, se pressant telle une brigade s'adonnant à une rafle dans un quartier encore endormi.

Ça ne m'inspirait rien de bon. La faculté des sciences était régulièrement la cible d'attaques de la part d'une frange plus radicale de la population étudiante. Les vieux murs verts de notre pavillon se voyaient souvent recouvrir de graffitis haineux et certains professeurs assistaient, impuissants, au saccage de leur bureau. De plus, plusieurs de nos collègues devaient endurer une campagne d'intimidation à peine voilée.

En plein le genre de fréquentations contre lesquelles m'avait mise en garde le policier tharisien la veille.

La bande grimpa les marches et se hissa sur l'esplanade de marbre qui donnait sur le hall principal de ma faculté. À travers les arbres, je ne distinguais plus que leur leader qui tenait conciliabule avec les membres de son gang. Son visage aux traits durs et anguleux me rappelait vaguement quelqu'un, mais je n'aurais pu dire qui. Celui-ci passa une main sur son crâne rasé et cracha par terre avant de s'engouffrer à l'intérieur, tirant sur la porte vitrée d'un coup sec.

La pluie continuait de tambouriner dans un claquement ininterrompu sur les fenêtres derrière moi. Je pris conscience que mon cœur battait au même rythme. J'ignorais ce que ces imbéciles s'apprêtaient à faire exactement, mais ça me remplissait de colère. Mes doigts démangeaient et j'éprouvais la nette envie de secouer quelqu'un à bout de bras. Je devais ressembler à Myr lorsqu'elle s'empourprait et s'énervait contre moi quand nous discutions de l'occupation tharisienne.

Les mains raides le long du corps, j'inspirai avec lenteur, incapable de me calmer. Tous ces abrutis de révolutionnaires en herbe s'imaginaient défendre le sort de l'humanité tout entière en s'en prenant à leurs semblables. Quand allaient-ils nous laisser tranquilles ?

Je fis un pas sur l'herbe détrempée. Je peux aller voir, pensai-je. Ne pas intervenir, mais jeter un oeil. Emmagasiner les images et remettre ça sous le nez de Myr lorsqu'elle s'emporterait contre les Tharisiens et ceux qui ne se dressent pas contre eux. Tiens, lui dirais-je. Voilà comment agissent les gens qui pensent comme toi.

Décidée, je rabattis le capuchon de mon chandail sur ma tête et je traversai en courant l'espace qui me séparait du pavillon des sciences. Je n'avais que quelques dizaines de mètres à parcourir, mais déjà lorsque j'atteignis les premiers paliers de marbre, mes chaussures émettaient un chuintement humide. Les vieilles espadrilles que je portais du matin au soir, que ce soit pour suivre les cours à l'université ou pour exécuter les exercices exténuants de mon maître d'arts martiaux, prenaient l'eau. Je me dépêchai d'entrer. Frissonnant dans le hall désert, je pris quelques instants pour essuyer mon visage couvert de pluie.

À cette heure, les corridors restaient vides, les étudiants s'apprêtant à peine à terminer leur premier cours. Aucune trace, à première vue, de la bande d'agitateurs potentiels que j'avais vus s'infiltrer il y a une minute à peine. Quelques empreintes humides subsistaient sur le tapis qui gisait à l'entrée, mais elles ne me permettaient pas de les suivre au-delà du hall. Au hasard, j'empruntai un couloir.

Après quelques minutes d'errance, je jetai un oeil sur l'heure de mon réseau, tout à coup beaucoup plus lasse qu'en colère. À quoi ça pouvait bien servir de toute façon? Mon cours allait bientôt commencer. Mieux valait rejoindre ma classe et penser à autre chose. Après tout…

Comme je revenais sur mes pas, une clameur inhabituelle attira mon oreille depuis l'autre bout du corridor. Le son d'une altercation étouffé par la distance, mais révélé par les murs minces de la faculté. Je m'approchai. La porte entrouverte d'une salle de classe laissait filtrer l'agitation qui régnait dans la pièce. Je passai un oeil discret par l'ouverture.

À l'intérieur, le type au crâne rasé que j'avais aperçu plus tôt se tenait debout sur le bureau du professeur. Il s'adressait aux étudiants. J'arrivais à peine à saisir ses paroles, car sa voix s'apparentait au murmure. Ses sbires, tout autour, formaient une muraille humaine dans la pièce.

Je m'inclinai davantage dans le cadre de porte.

Quelque chose clochait. Les étudiants semblaient terrorisés, pressés contre leurs tables de travail, mais ils ne regardaient pas directement le leader. Comme si quelque chose d'autre retenait leur attention. Je suivis leur regard et...

Par terre gisait un homme, son visage dissimulé derrière ses mains ensanglantées. Recroquevillé sur lui-même sur les carreaux gris de la classe, il hoquetait doucement de douleur, luttant pour se faire le plus discret possible. Du sang s'égouttait depuis ses doigts et tachait son short bleu. Il s'agissait vraisemblablement d'un étudiant qui avait tenté de s'interposer lorsque ces imbéciles étaient venus perturber le cours.

Réagissant par instinct, ma main glissa aussitôt vers mon réseau dans ma poche et le braqua sur la scène en mode enregistrement. Au même moment, l'agitateur sur le bureau reprit son discours d'une voix plus forte.

— Vous comprenez, je n'en doute pas, que le serment que vous venez de prononcer ne doit pas être pris à la légère.

D'une flexion de la cheville, il fit crisser l'une de ses grosses bottes noires sur la surface plane. Le bruit fit sursauter l'une des élèves au fond de la classe.

— Lorsque viendra l'heure de l'insurrection, nous saurons qui aura honoré son serment. Ceux qui combattront à nos côtés auront une place parmi les Humains libérés d'Averia. Tandis qu'à ceux qui, dans leur inaction, auront collaboré avec l'ennemi, nous réserverons le même sort qu'aux Tharisiens qui n'auront pas fui notre planète.

Je filmais la scène, alternant entre l'étudiant brutalisé qu'on laissait à lui-même sur le sol et le leader qui s'adressait à ses camarades comme s'il sermonnait une masse de fidèles qui craignaient sa colère divine. Regarde Myr, pensai-je en ajustant le zoom intégré sur mon réseau, voilà le genre de personnages que tu appuies.

Alors que je m'apprêtais à tourner les talons, l'un des sbires au fond de la pièce pointa un doigt vers moi.

— Hé, Kodos ! Là-bas !

Bon sang ! On m'avait repérée. Le type au crâne rasé se retourna vers moi une seconde avant de bondir gracieusement au sol, tel un fauve urbain. J'aurais pu facilement détaler, refermer brusquement la porte et les semer dans le dédale de corridors de la faculté des sciences, mais mes jambes se verrouillèrent obstinément sur place. Malgré le flot d'adrénaline qui m'envahissait, je restai immobile. J'eus au moins la présence d'esprit d'abaisser mon bras armé de la caméra.

Celui qu'ils avaient appelé Kodos avançait sur moi sans se presser, comme s'il savait que je ne fuirais pas. Il s'avérait un tantinet plus grand que moi, mais son ample trench-coat dissimulait sa musculature. Un courant d'air envoya vers moi un effluve fort et épicé.

C'était idiot, pensai-je, de remarquer l'odeur d'un type qui se préparait sans doute à me cogner. Par contre, l'avertis-je mentalement, j'aimerais bien te voir essayer de m'étaler aussi facilement que l'autre étudiant qui gisait dans la classe.

D'instinct, je serrai les poings lorsqu'il se planta devant moi. Les bras croisés, il ne dit rien. Il se contentait de m'observer en silence. D'autres de ses suivants s'étaient approchés.

Si je lui balance mon pied dans les genoux, estimai-je, j'ai peut-être une chance de…

Kodos pointa du menton ma main qui tentait de camoufler mon réseau.

— Tu as tout filmé ? demanda-t-il d'une voix grave.

Je soupirai intérieurement. Je n'éprouvais pas tout à fait l'envie d'agir comme avec le garde tharisien, d'acquiescer et d'attendre. Un désir de provocation me brûlait la langue.

— Ouais, fis-je en redressant le menton.

L'image me rappelait Myr quand elle se mettait en tête de nous défier, papa et moi.

Kodos renifla dans un demi-sourire et m'écarta du revers de la main. Surprise, je reculai.

— Parfait. Publie ça, veux-tu, ça me rendrait un grand service.

Il s'éloigna, suivi de ses laquais, et disparut au détour d'un corridor. Je restai là, les bras ballants, pendant un long moment. Sur la classe pesait toujours un silence tendu. Personne n'osait émettre de commentaires sur ce qui venait de se dérouler. Timidement, quelques étudiants se levèrent pour porter secours au seul d'entre eux qui s'était montré suffisamment courageux pour s'opposer à ces brutes épaisses.

Mon regard se porta à nouveau sur le corridor par lequel Kodos et sa bande venaient de s'éclipser. Sans m'en rendre compte, mes épaules se relâchèrent en même temps que mon souffle.

Sans pouvoir l'expliquer vraiment, la sensation confuse d'avoir échappé à un danger sournois s'imprégna lentement en moi.

* * *

« Tu n'as que quatorze ans, Myr. Tu prends tout ça beaucoup trop au sérieux. »

Je crachai dans l'évier de la salle de bain. Bravo Seki, pensais-je. Comme je ne suis qu'une gamine, je ne devrais pas me soucier de notre sort ou m'indigner des injustices que commettent les Tharisiens à l'égard de notre peuple. Tu as raison, je suis bien trop jeune et je devrais plutôt confier l'avenir d'Averia entre les mains d'*adultes*, comme papa et toi, qui êtes de véritables modèles de citoyens revendicateurs. J'ai vraiment confiance. Nous améliorerons notre situation en suivant votre exemple.

J'aspirai un peu d'eau depuis le robinet, me gargarisai et crachai à nouveau. Devant le miroir, j'étirai la bouche. Mes gencives, douloureuses, étaient d'un rouge trop vif. J'avais probablement brossé trop fort. C'était immanquable, mes disputes avec Seki me laissaient toujours dans cet état. Ce matin encore, je me sentais fébrile et nerveuse. Si seulement elle pouvait se montrer moins indifférente...

J'attrapai ma brosse et entrepris de mettre un peu d'ordre dans ma tignasse noire. Démêlant les noeuds agressivement, je descendis jusqu'en bas où, surprise, mon père m'attendait.

— Déjà debout ? fis-je.

Il acquiesça, le nez dans son réseau. Un effluve d'œuf collé se faufila jusqu'à moi alors qu'une mèche entremêlée m'arrachait une autre grimace. Sur la cuisinière traînait un poêlon rempli d'une omelette aux légumes fumante.

— Et j'imagine que c'est mon déjeuner ?

Mon père ouvrit deux yeux ronds sur moi avant de se lever précipitamment, manquant de renverser sa chaise au passage. À l'aide d'une spatule, il gratta énergiquement le fond de la sauteuse jusqu'à que l'omelette consente à dégringoler dans l'assiette qui m'était destinée.

— Désolé, s'excusa-t-il. J'avais la tête ailleurs.

— Mais non. C'est gentil de me préparer à déjeuner.

La tête ailleurs, pensai-je. Une demi-attention pour sa fille cadette. Ça ne me surprenait qu'à moitié.

Je troquai la brosse pour une fourchette et me découpai un morceau de la galette jaunâtre qui gisait devant moi. Trop cuite, évidemment. Je me forçai tout de même à en engloutir au moins la moitié.

— Pourquoi es-tu debout si tôt? demandai-je en finissant ma dernière bouchée.

— Oh, je n'avais plus sommeil. C'est tout.

Son regard allait du réseau qu'il tenait dans sa main droite à la fenêtre de la cuisine qui donnait sur la rue. Dehors, les nuages déversaient bruyamment des torrents d'eau sur la pelouse. La vitre, entrouverte, laissait passer un courant d'air humide.

Doucement, je repoussai mon assiette.

— Merci beaucoup papa. L'omelette était succulente, mentis-je. Mais maintenant je dois partir si je ne veux pas arriver en retard à mes cours.

Mon père se leva en même temps que moi.

— Je vais te reconduire.

Je trouvai cela infiniment louche. Mon père ne se levait jamais si tôt et avait abandonné depuis longtemps l'idée de m'accompagner jusqu'à l'école. Je devais bien avoir dix ans la dernière fois. Je l'imitai néanmoins et j'enfilai mon manteau et mes bottes noires qui traînaient dans l'entrée.

Une fois dehors, mon père déploya un large parapluie au-dessus de nos têtes.

– Vraiment, insistai-je. Ce n'est pas nécessaire.

Je n'arrivais pas à comprendre. Mon père traînait habituellement au lit jusqu'à midi, se levait, mangeait puis perdait son temps autour de la maison jusqu'à son départ pour Averia Composante.

Tout à coup, le devoir à moitié froissé dans ma poche se manifesta à mon esprit. Le fameux texte portant la signature contrefaite de mon père. En avait-il eu vent ? Est-ce que mon professeur l'avait contacté à mon insu ?

– Ne te préoccupe pas de ça, fit-il distraitement. Ça me fait plaisir. D'ailleurs, j'ai à faire en ville ce matin.

Je devais marcher contre lui pour éviter d'être douchée par la pluie qui rebondissait contre le bitume au sol. À nous voir aller, on aurait pu croire voir défiler un père aimant et sa petite fille modèle dans la rue. Sauf que le reste du trajet se fit dans un silence encombrant.

En arrivant dans le quartier des marchands, la pluie avait à peu près cessé. Quelques gouttelettes seulement picotaient la toile foncée du parapluie que tenait mon père. J'en profitai pour m'éloigner un peu. Autour de nous, les commerçants déployaient lentement leurs étals et leurs marchandises, surveillant le ciel d'un œil douteux.

Mon père secoua son parapluie et le rangea sous son bras gauche.

– C'est ici que nos chemins se séparent, commença-t-il. Passe une belle journée, Myr.

– D'accord, répondis-je, distraite.

En plein milieu de la place centrale, mon père tourna à droite, évita quelques comptoirs ambulants et disparut dans une ruelle. Je m'arrêtai, les sourcils froncés. Il venait de prendre la direction des quartiers pauvres. Là où les citoyens les moins aisés, Humains et Tharisiens confondus, survivaient dans les immeubles délabrés, dans les ruines laissées à elles-mêmes au lendemain de la conquête.

Qu'est-ce qu'il faisait là-bas ? Il risquait seulement d'être pris en tenaille par les guerres de gangs que se livraient nos truands et les revendeurs de mercuro-sable tharisiens. À moins que mon père n'ait repris ses anciennes activités...

Non, c'était impossible. Pas depuis l'incident.

Un cri depuis le fond de la plaza me fit me retourner. L'agitation provenait des tables tharisiennes. Je m'y faufilai prestement, évitant les curieux et les rares clients déjà sur place.

— Ne bouge plus, sale voleur !

Un jeune garçon, le menton plaqué sur sa poitrine, était retenu d'une main osseuse, sèche et jaune. Mes yeux s'attardèrent sur les vieilles sandales usées du captif, plantées dans la grande flaque d'eau qui s'étalait juste au pied d'un comptoir couvert de pâtisseries. De l'autre main, le Tharisien saisit son réseau et appuya sur quelques boutons.

— C'est la dernière fois que je t'avertis, continua-t-il d'une voix éraillée.

Une miche de pain glissa des mains du garçon et s'échoua dans la mare grise. Celle-ci s'imbiba d'eau au même moment où mon cœur se gonflait d'acide. Derrière le boulanger, la porte de la boutique s'ouvrit sur une Tharisienne d'un certain âge. Une odeur de blé aux accents métalliques filtra à travers l'ouverture.

— Laisse-le tranquille, à la fin. Ce n'est qu'un gamin.

— Qu'il aille piller les marchés de sa propre espèce ! Ça fait longtemps que je l'observe. Il ne s'en prend qu'à mes étalages.

Je passai mon chemin, traversant la zone qui s'était dégagée devant la « scène du crime », marchant dans l'eau sale. Mes yeux s'accrochèrent au visage du garçon. Il ne devait pas avoir plus de dix ans. Je le contemplai, les genoux fléchis, le dos voûté, écrasé par la poigne du Tharisien. Mon regard erra sur la foule qui, muette, subissait en silence l'humiliation d'un de leurs semblables.

Bande d'imbéciles, crachai-je intérieurement.

Alors que les deux Tharisiens se disputaient, je serrai les dents avec rage et envoyai un grand coup de botte dans la table couverte de brioches. L'une des pattes du meuble se décrocha et la table chuta lentement, renversant les miches et les baguettes dans la mare, éclaboussant le boulanger, sa femme et leur otage.

– Mais qu'est-ce que...?

– Je vous déteste ! hurlai-je sans réfléchir. Quittez notre planète !

La foule se dispersa en un éclair tandis que deux agents tharisiens remontaient la place centrale, une main sur l'étui abritant leur désintégrateur.

Oups, pensai-je.

Le garçon prisonnier réagit avant moi et détala à toute vitesse. Je m'élançai à mon tour dans une direction différente.

– Suivez la fille ! entendis-je crier derrière mon épaule.

* * *

Je traînais sur le réseau, affalée contre mon bureau en attendant que le cours commence. Je basculais d'un fil de nouvelles à l'autre, suivant tour à tour les actualités moches, puis les exigences que mon professeur d'astronomie venait de publier en ligne pour l'étude que nous devions lui remettre d'ici deux semaines.

Fatiguée, même si l'heure du dîner approchait, je retins un bâillement avec ma main droite. Du même mouvement, je déposai le réseau que ma main avait couvert de sueur et entrepris de me frotter les yeux.

Je sentis une présence à mes côtés.

— Salut, fit une voix à ma gauche.

À cette heure, les places étaient pratiquement encore toutes libres dans la salle. Je me retournai et reconnus la fille qui m'avait remis le pamphlet la veille. Qu'est-ce que tu me veux ? pensai-je.

— Moi c'est Laïka, reprit-elle d'un ton inexplicablement enjoué.

Je lui répondis poliment tandis qu'elle s'installait à ma droite.

— Écoute Seki, je ne vais pas passer par quatre chemins. Je t'ai vue, l'autre jour, jeter le feuillet que je t'ai donné. Pourquoi as-tu fait ça ?

Je lui lançai un regard noir.

— C'est que je ne veux tout simplement pas être mêlée à ça, lui dis-je en retournant mon attention vers le réseau.

Laïka demeura silencieuse. Son regard pesait sur moi. Je compris qu'elle n'avait pas l'intention d'en rester là.

– Pourquoi ? finit-elle par me demander, presque candidement.

– J'ai vu comment vous agissiez, tes copains et toi. Vous croyez que c'est en utilisant la violence que vous convaincrez les autres de se joindre à vous.

– On ne cherche qu'à réveiller la masse.

Je soupirai.

– Pour faire quoi ensuite ?

– Pour que le peuple se libère de l'oppression tharisienne, répondit-elle, pas le moindrement gênée de l'absurdité de ses paroles.

Ça ne servait à rien de poursuivre cette discussion, alors je tentai d'y mettre fin.

– Ne le prends pas mal, Laïka, mais tes histoires ne m'intéressent pas. Tout simplement. Ne perds pas ton temps.

– Tu ne crois pas que le peuple humain a le droit de déterminer lui-même son sort ? me dit-elle en penchant légèrement la tête de côté.

Elle m'énervait avec ses manières douces et ingénues alors qu'elle m'accusait sans aucune subtilité de ne pas être assez patriotique à son goût. Je n'aimais pas engager la conversation avec une inconnue, alors imaginez lorsqu'on me parlait de ces stupides histoires de libération.

– Oui ! Bien sûr ! répondis-je, agacée. Mais que veux-tu que nous fassions ? Je ne sais pas si tu es au courant, mais nous sommes désarmés. Si nous vous écoutions, tes amis et toi, nous pousserions le peuple humain tout droit vers le massacre. Vous n'avez que la violence comme solution.

Laïka secoua la tête, faisant valser ses cheveux blonds et fins sur ses épaules.

— La violence s'avère être la réponse adéquate à l'invasion que nous avons subie il y a vingt ans. Les Tharisiens ne nous laisseront jamais être complètement libres. Le soulèvement constitue le seul moyen pour y arriver.

— Et quelle sera la réponse tharisienne? Ce sera la violence. Il n'y a pas de fin à ce que tu proposes, tranchai-je, les yeux de nouveaux rivés sur l'écran de mon réseau personnel.

Discuter avec Laïka était presque plus épuisant que d'écouter Myr me sortir les mêmes âneries. Au moins, Myr me divertissait. Elle devenait toute rouge et se mettait en colère. Laïka, elle, abordait le même sujet avec désinvolture. Alors que ma soeur semblait vibrer de rage, Laïka déclarait tranquillement que la violence était la seule issue possible.

Autour de nous, la classe se remplissait peu à peu. La salle bourdonnait des conversations banales qu'entretenaient entre eux les élèves. À mes côtés, Laïka donnait l'impression de réfléchir un peu à mes paroles. Je la vis observer distraitement mes mains alors que je pianotais sur mon réseau. Le professeur, M. Herv, un grand homme barbu qu'on aurait davantage cru taillé pour travailler dans la forêt que pour enseigner les sciences, préparait le matériel pour son cours. Je posai le menton au creux de ma main et lâchai un faible soupir.

Laïka toucha doucement mon avant-bras. Je sursautai légèrement à ce contact imprévu.

— J'aimerais croire moi aussi, Seki, qu'il existe une autre solution.

* * *

Je déboulai dans la classe, les poumons incendiés et le visage pourpre. Mlle Cyns interrompit son exposé, son pointeur laser suspendu sur un bout de texte affiché au tableau. Elle me regardait avec ses grands yeux comme si j'étais une apparition spectrale.

— Vous êtes en retard, mademoiselle Jones, fit-elle stupidement.

Incapable de dire quoi que ce soit, je me traînai jusqu'à son bureau, y déposai la copie signée de mon devoir et gagnai ma place, ciblée par les points d'interrogation dans les regards de mes camarades de classe. Mes bottes laissèrent une longue piste de boue jusqu'à ma table.

— Il s'agit de votre troisième absence ce mois-ci, remarqua l'enseignante.

Je hochai la tête, me retenant de lancer les yeux en l'air. Péniblement, je me défis de mon manteau noir. Mon sang, toujours en ébullition, colorait mon cou et ma nuque. Après une autre hésitation, Mlle Cyns se racla la gorge et consentit à reprendre son cours. Je fermai les yeux un moment, histoire de retrouver mon souffle. Des motifs colorés s'agitaient derrière mes paupières closes, s'élargissant au rythme de mes pulsations cardiaques.

C'était moins une. Si je n'avais pas escaladé le muret, traversé le jardin d'un vieil homme à l'air plutôt surpris, zigzagué dans les ruelles et couru à m'en arracher les poumons, les Tharisiens m'auraient probablement mis la main dessus.

Merde ! Ils avaient même tiré. Avec leurs désintégrateurs. J'ignore s'ils voulaient simplement m'effrayer ou s'ils essayaient réellement de transpercer ma chair. Bon sang… tout cela pour quelques miches de pain mouillées.

Je jetai un oeil vers mes voisins pour découvrir sur quoi travaillaient mes camarades. Le nez dans leur réseau, ceux-ci suivaient en temps réel les annotations qu'apportait Mlle Cyns au texte qui était présenté en exemple au tableau. Pour des raisons évidentes, mon devoir n'avait pas été sélectionné pour la correction en groupe.

J'étalai ma tablette électronique contre mon bureau et soupirai, à peu près maître de ma respiration à nouveau. Abandonnant rapidement l'idée de suivre les explications que prodiguait l'enseignante, j'ouvris un nouveau document sur mon réseau. La page blanche se remplissait lentement dans ma tête alors que mes doigts glissaient sur les touches. La discrétion était de mise. Je ne souhaitais pas attirer inutilement l'attention de Mlle Cyns en pianotant à toute vitesse sur mon miniclavier.

...de l'universalité de la responsabilité humaine. Que vous soyez jeune ou vieux, homme ou femme, que vous soyez étudiant, travailleur, architecte, scientifique ou je ne sais quoi encore, pour moi, cela ne fait aucune différence. Vous partagez tous la même responsabilité : améliorer le sort des Humains d'Averia. Ce destin tient entre nos mains et il est inconcevable que nous n'engagions pas toutes nos ressources dans ce même but commun : nous libérer de l'occupation tharisienne...

Un silence prolongé dans la classe me fit dresser l'oreille. Je vis les autres étudiants noter quelque chose puis l'enseignante poursuivit le cours de son exposé. Parfait. J'avais eu peur d'être prise en flagrant délit d'inattention. Soulagée, je replongeai vers le réseau. Avec de la chance, j'aurais le temps de terminer ce texte improvisé pendant le cours et de le poster sur les forums de la résistance. Je pourrais récolter les réactions ce soir après le souper, quand je serai seule à la maison.

Encore deux paragraphes dans le même genre furent jetés sur la page avant qu'un autre son vienne à nouveau me déconcentrer. L'empreinte du bruit qu'émettaient au moins deux paires de bottes dans le corridor. Des bottes qui claquent, qui dirigent, qui ordonnent. Je sursautai lorsque de violents coups furent frappés à la porte de notre classe. Mlle Cyns interrompit son discours, le regard soudain rond. Elle ouvrit et s'écarta aussitôt à la vue des deux soldats tharisiens qui se pressèrent dans la pièce.

— Puis-je vous aider ? demanda-t-elle d'une voix friable.

Les gardes fouillèrent la classe des yeux, me paralysant chaque fois que leur regard passait sur mon visage.

— Nous sommes à la recherche d'une étudiante de cette école, déclara l'un d'eux alors que ses pupilles opaques scrutaient mes camarades qui, manifestement, se retenaient de me dévisager.

— Une Humaine ayant fui la scène d'un crime sur la place centrale, continua son collègue.

Mon manteau gisait derrière ma chaise. Les Tharisiens qui me poursuivaient ne pouvaient avoir détaillé mon visage avec précision. Pas pendant notre course effrénée. À moins qu'on ne me dénonce, il leur était impossible de me reconnaître. L'un des Tharisiens traversa la classe, se positionnant juste devant le tableau tandis que l'autre se penchait vers Mlle Cyns. Celle-ci se raidit et se retint de glisser à l'écart.

— Avez-vous noté l'absence d'un de vos élèves, enseignante ? L'un d'entre eux est-il arrivé en retard ?

Ne tique pas, pensai-je. Je t'en supplie. Une oeillade, un micromouvement de la paupière et je suis cuite.

— Non, monsieur.

Pas assez convaincant, estimai-je.

Le Tharisien chassa nonchalamment la poussière qui imprégnait son uniforme gris et reposa la même question.

— En êtes-vous bien certaine, enseignante ? Le crime qui a été commis ce matin ne mérite pas qu'on s'en rende complice.

Mes mains s'enfoncèrent dans la chair de mes cuisses. Du coin de l'oeil, je surprenais quelques visages qui espionnaient dans ma direction. Cessez de me regarder, bande d'imbéciles !

— Je... je tiens scrupuleusement la liste des présences, monsieur. Il s'agit d'une politique de notre établissement.

Le soldat hocha lentement le menton, soutenant — non — dominant le regard de mon institutrice.

— Très bien. Je vous en félicite.

Il haussa les épaules.

— Puis-je consulter cette liste ? ajouta-t-il.

Je baissai la tête, envoyant devant mes yeux la frange encore humide de sueur de mes cheveux. Quel était le châtiment réservé pour vandalisme envers les biens tharisiens, déjà ? En tant que mineure, j'éviterai probablement le fouet. Mais après l'incident avec mon père, j'allais sans doute être fichée à jamais dans leurs dossiers...

Mlle Cyns s'anima tout à coup.

— Corrigez-moi si je m'abuse, monsieur, mais il me semble que vous êtes tenu d'après la loi d'interagir avec le directeur de l'école dans ce genre d'affaires, le contact direct avec les étudiants pendant les heures de cours étant prohibé.

— C'est exact, confirma le garde. Sauf en cas de situation d'urgence.

— Situation d'urgence que vous aurez le plaisir de définir avec notre directeur.

D'un geste nerveux qu'elle espérait probablement autoritaire, l'enseignante attrapa le réseau sur son bureau et y pianota quelques touches. Le Tharisien plissa les yeux, parcourut du regard la cohorte muette devant lui, avant de hocher la tête à nouveau.

— Soit.

Il s'adressa sèchement à son compagnon.

— De ton côté ?

— Ils se ressemblent tous… marmonna-t-il.

Je serrai les dents, me retenant de me jeter sur eux et d'abreuver d'insultes leur grand visage sec et jaune. Alors que les soldats retraitaient vers la porte, un élément auquel je n'avais pas porté attention s'accrocha à mes pupilles et bondit dans mon champ de vision. Sur le plancher carrelé s'étalaient de longues traînées de boue, preuves tangibles qui s'étiraient jusque sous mon pupitre, sous mes bottes noires tâchées d'ocre et encore luisantes de pluie.

Oups…

Dans l'embrasure, le chef des gardiens se retournait juste au moment où Mlle Cyns lui fermait la porte au nez. Se précipitant vers son bureau, elle en sortit une petite serviette avec laquelle elle essuya rapidement mes empreintes par terre.

— Myr est arrivée à l'heure, commença-t-elle d'un timbre trop aigu. Elle figure sur la liste des présences et vous en êtes tous témoins.

Elle chiffonna frénétiquement le plancher jusqu'à mon bureau. Se redressant devant moi, elle porta le linge sale jusqu'à sa poitrine. Ses mains tremblaient. Je soupirai, dissipant la tension qui me picotait les membres de la tête aux pieds. Mlle Cyns s'était montrée courageuse. Elle avait chassé les Tharisiens plutôt que de me dénoncer et…

— Toi… fit-elle, les yeux étrangement rouges.

La serviette tachée claqua dans mon visage. La surprise, davantage que la douleur, me fit reculer sur ma chaise.

— Toi, reprit-elle en criant presque. Ne me fais plus jamais ça. C'est la première et la dernière fois que je te protège.

Elle releva la tête et désigna la classe du menton.

— Et ça vaut pour chacun d'entre vous !

Ses mains, toujours tremblantes et humides d'émotion, se posèrent sèchement sur mon bureau.

— Tu imagines ce qu'ils feront de moi s'ils découvrent que je t'ai cachée ? Tu crois qu'ils se contenteront de supprimer ma licence d'enseignement ?

La chaleur envahissait la joue qu'elle avait atteinte avec la serviette. Je pinçai les lèvres, résolue à me taire.

— Il ne faut PAS s'opposer aux Tharisiens, Myr. Le comprends-tu ? C'est dangereux. Pour chacun d'entre nous.

***

Tout juste avant la pause, la porte de la classe s'ouvrit brusquement et s'écrasa contre le mur dans un grand fracas. Le même type que j'avais suivi ce matin, celui qu'ils appelaient Kodos, fit irruption dans la salle. Il s'approcha avec nonchalance du bureau de M. Herv alors que ses sbires se précipitaient à l'intérieur. En montant sur le meuble, le leader de cette petite bande balaya la surface avec son pied, envoyant s'écraser par terre le matériel de notre professeur.

— Chers étudiants et confrères humains, entonna-t-il l'air presque indifférent. J'ai un message de la plus haute importance à vous transmettre.

Il nous considéra longtemps, soulevant le menton. L'eau ruisselait doucement sur ses tempes depuis son crâne rasé, signe qu'il était retourné sous la pluie depuis notre altercation.

— Sachez-le, la révolution est imminente. Le combat qui mettra un terme à l'esclavage que nous subissons est sur le point de débuter.

Il ouvrit subitement les bras, dans un geste théâtral, envoyant les pans de son trench-coat valser derrière lui.

— Frères et sœurs humains, il est grand temps que nous nous levions et que nous passions un message clair aux envahisseurs : Partez ! Rendez-nous notre liberté ou vous en subirez les conséquences !

M. Herv qui, habitué à ce genre de spectacle, avait laissé sa place à ce cirque ambulant, s'impatienta.

— J'en ai assez. Vous avez suffisamment perturbé mon cours. Nous sommes dans une université sérieuse. Quittez ma classe et cessez d'importuner mes élèves.

Mais le leader n'obéit pas. Il baissa lentement les bras et se retourna, créant une tension palpable dans l'air.

– Qui êtes-vous pour oser m'interrompre ainsi ? articula-t-il avec soin.

M. Herv bomba le torse, résolu à ne pas se laisser impressionner.

– Je suis le professeur et la seule autorité dans cette salle. Je vous suggère fortement de décliner votre identité et de quitter ces lieux, jeune homme.

L'autre sourit.

– Mais bien sûr, monsieur l'éminent professeur de sciences. Je me nomme Kodos Ivaron et je suis le leader du Front de Libération d'Averia. Il me fera plaisir de quitter votre classe dès que j'aurai terminé de livrer le message qui est destiné à vos étudiants.

Le professeur Herv s'avança, mais le dénommé Kodos, déjà, s'était retourné vers nous.

– J'allais vous signaler, chers frères et soeurs, que notre mouvement ne s'arrêtera devant rien pour chasser les Tharisiens d'Averia…

Son ton se fit plus menaçant, sa voix, plus sifflante.

– Ainsi que tous ceux qu'ils ont corrompus.

Le professeur, se sentant attaqué, répliqua.

– Qu'insinuez-vous, jeune homme ?

Kodos se tourna à moitié et, de sa botte, tira une chaise, la poussant juste devant l'imposant M. Herv. Il y sauta à pieds joints et se pencha sur l'enseignant.

– Nous savons, monsieur le prestigieux professeur de sciences, que vous travaillez dans un laboratoire tharisien du Haut-Plateau. Vous collaborez avec l'ennemi !

– Je suis un scientifique de haut niveau ! s'insurgea M. Herv. J'œuvre à l'avancement de la science.

— Et ce faisant, vous contribuez à maintenir l'humanité dans l'étau tharisien. Vous vous associez à nos ennemis et vous encouragez vos étudiants à faire de même, dit-il en nous pointant.

— C'est absolument faux !

M. Herv rougit sous sa grosse barbe. Son visage rond se couvrit de sueur. Quelque part en mon for intérieur, je commençais moi aussi à me mettre en colère, mais autour de moi, personne ne semblait vouloir s'interposer.

— Nous en savons beaucoup sur vous, reprit Kodos. Où votre femme travaille, par exemple. Et où vos fils…

Je ne pouvais en supporter davantage.

Je ramassai mes affaires et me levai d'un bond. Laïka essaya de me retenir, mais je réussis facilement à me défaire de son étreinte. Je descendis les marches de l'atrium et me dirigeai vers la porte en ignorant les agitateurs. Tous les regards étaient tournés vers moi. Kodos m'apostropha, sa voix résonnant dans le vaste espace au-dessus de nos têtes.

— Hé ! Où crois-tu aller comme ça ?

— Je vais chercher un endroit plus calme. Pour étudier. Parce que je croyais que nous étions dans une université, et non dans un centre de recrutement de chair à canon.

Je lui offris mon plus beau sourire et fis quelques pas de plus. Comme j'allais quitter la salle, l'un des étudiants vint se poster devant moi pour me barrer la route.

— Toi, lui dis-je, tu ferais bien de t'enlever de mon chemin…

Le jeune homme au crâne rasé m'adressa encore la parole.

— Ainsi, tu ne crois pas à la cause de ta race ?

— Je ne crois pas en vos méthodes. De plus, je ne veux pas être mêlée à ça, lançai-je par-dessus mon épaule.

Du coin de l'oeil, je le vis sauter en bas de la chaise et se diriger vers moi.

— Kodos, non!

C'était Laïka. Depuis le fond de la classe, elle avait interpellé le leader du Front de Libération d'Averia. Surpris, celui-ci fouilla la salle des yeux. J'en profitai pour me retourner vers l'individu qui me bloquait le passage.

— Dernière chance pour te pousser de là, lui dis-je.

Il ne s'enleva pas assez rapidement à mon goût. Tant pis, pensai-je. Ignorant les leçons de mon maître au sujet des méfaits de la violence, je lui décochai un coup sec dans le côté du genou. Maintenant déséquilibré, il alla s'écraser au sol dans un grand bruit sourd lorsque je le poussai sans ménagement. Avec seulement un soupçon de culpabilité pour le genou du pauvre type que je venais d'étaler par terre, je quittai la salle de classe.

***

— Allez Seki, n'abandonne pas.

Je n'écoutais pas les encouragements un peu forcés de mes camarades du cours d'arts martiaux. Je tentais plutôt de me concentrer sur l'exercice à accomplir. Suspendue à une barre, j'effectuais lentement les dernières tractions que mon corps pouvait supporter. Les muscles de mes bras faiblissaient tandis que mes jointures, blanches d'avoir trop serré la barre, risquaient de lâcher prise d'un moment à l'autre. Presque tous les autres élèves avaient déjà abandonné, exténués par cette difficile épreuve physique. Il ne restait plus que Braï, un type un peu lourd qui, vraisemblablement, aimait bien la compétition.

J'inspirai quelques fois pour me motiver, mais mes bras refusèrent de soulever à nouveau mon poids. Les cheveux collés sur le front, je cherchai désespérément à rassembler les quelques forces encore dispersées dans mon corps. Un bref regard vers Braï m'informa qu'il se trouvait plus ou moins dans la même position que moi. Les bras verrouillés à mi-chemin de la barre, il semblait lutter de toutes ses forces. Surtout du visage, en fait. Je ne savais plus combien de répétitions nous avions effectuées, mais j'avais conscience d'avoir franchi un cap important.

Autour de moi, les encouragements fusaient modérément. Les gars criaient à Braï de ne pas lâcher, tandis que les filles m'appuyaient plus ou moins. Et pourtant, je tentais seulement de me dépasser. J'avais l'étrange conviction que j'accomplirais quelque chose d'important si j'arrivais à me surpasser. Je sentais sur moi le regard de mon maître et j'étais persuadée qu'il comprenait que je menais un combat contre moi-même, et non pas contre un quelconque compétiteur.

Je pris une nouvelle inspiration, me concentrant sur mes muscles fatigués. Je savais que ma volonté lâcherait en premier. Lentement, je sentis chacune des fibres de mes biceps se tordre pour fournir l'ultime effort de me soulever une dernière fois. En me hissant désespérément, j'avais l'impression que ma conscience s'était détachée furtivement de mon corps pour guider mes muscles de l'extérieur. Dans un dernier sursaut, je passai mon menton par-dessus la barre. J'avalai l'air goulûment. Comme un plongeur en apnée qui surgit des profondeurs aquatiques.

Les exclamations fusèrent lorsque je me laissai choir sur les vieux tatamis usés de notre dojo, mais je ne leur portai pas attention. Sans même attendre de voir si Braï relèverait le défi, je quittai pour les vestiaires.

J'enlevai avec délectation mes vêtements trempés de sueur et me précipitai sous la douche. L'eau chaude coula longtemps sur ma peau avant que je n'ose agiter mes membres fatigués pour me savonner.

Dans le vestiaire, je devinai rapidement qu'on parlait des événements qui s'étaient déroulés plus tôt à l'université. Ma classe n'avait pas été la seule visitée par Kodos et ses sympathiques membres du Front de Libération d'Averia. Apparemment, il y avait eu du grabuge dans certaines classes et une unité des forces d'occupation tharisienne était intervenue sur le campus. Ils avaient dû opérer assez silencieusement, car je n'en avais pas eu connaissance. Mais encore, les terrains de l'université étaient si vastes.

Ils en parleraient assurément aux actualités ce soir. Myr s'étoufferait dans son assiette, se mettrait à engueuler Charal Assaldion devant son écran miniature et tâcherait de me prendre à témoin. Je soupirai d'avance à l'idée...

Délaissant son casier, Braï fit mine d'avancer vers moi, mais je l'ignorai du mieux que je pus. Je ramassai mes vêtements, maintenant lourds et froids, et les fourrai dans mon sac.

– J'ai réussi deux autres tractions après que tu sois partie, me dit-il tout de même.

– Bravo, lui répondis-je avec un enthousiasme évidemment faussé.

– Mais tu n'étais pas mal non plus, tu sais.

Je continuai à me préparer pour quitter le vestiaire.

– Venant de toi, ça me réchauffe le cœur, mentis-je.

Il me regardait, les bras ballants alors que je marchais vers la sortie.

– Je ne te comprends pas, Seki Jones. Pourquoi ne te mêles-tu jamais aux autres ?

J'haussai les épaules. Il eut un geste d'abandon que je traduisis par « à quoi bon... » et il me laissa partir.

À l'extérieur, le soleil s'était déjà couché. Des lanternes projetaient une longue lumière blanche sur les bâtiments principaux de l'université. À cette heure tardive, le campus était muet et désert. Seuls quelques oiseaux nocturnes piaillaient discrètement en traversant le ciel sombre. Ne travaillant pas ce soir à l'usine, j'avais tout le loisir de flâner et de profiter de la rare quiétude des lieux.

Je commençai à gravir la colline sur laquelle étaient construits la majorité des bâtiments de l'université. Le dojo de mon maître gisait au pied, tout près d'une rivière tranquille, tandis que la faculté des sciences trônait au sommet. Entre les deux s'étalaient les autres pavillons : les arts, les lettres, les politiques... La plupart d'entre elles liguées contre les « traîtres » comme moi qui étudiaient en haut de la colline.

L'herbe mouillée rendait l'ascension glissante. Une lourdeur dans mes membres ramena mon attention sur le cours d'arts martiaux qui venait de se terminer. Je me rappelai la question de Braï et je dus me rendre à l'évidence : il avait raison. Je ne me mêlais jamais aux autres. J'entretenais une distance. Je conservais une bulle autour de moi. Je ne laissais personne approcher.

Pourquoi ?

Pour me protéger, pensai-je. En y réfléchissant bien, j'avais systématiquement repoussé tous ceux qui m'avaient abordée pendant ma jeunesse. Pour être tout à fait honnête, j'avais conscience d'être jolie. Ayant toujours été très active, j'avais un corps athlétique et, il me semblait, des formes agréables. En m'observant dans le miroir, je pouvais comprendre que, d'un point de vue esthétique, mon minois avait un petit quelque chose. Je possédais un visage un peu plus long que celui de ma soeur, mais j'avais les mêmes pommettes saillantes. Mes cheveux, qui me tombaient délicatement sur les épaules, étaient généralement attachés par commodité. Je n'en rassemblais souvent que la moitié sur le côté droit de ma tête pendant mes cours d'arts martiaux. Ça me rajeunissait légèrement, mais lorsque je laissais mes cheveux libres, je pouvais admettre que cela faisait son effet.

Malgré cela, je ne m'étais jamais sentie à l'aise lorsqu'on essayait de m'aborder. Je n'avais pas mauvaise conscience de repousser les types comme Braï, mais je ne comprenais pas pourquoi je m'abritais sous ma carapace même lorsqu'il s'agissait de garçons plus subtils qui s'intéressaient à moi.

Me protéger, mais me protéger de quoi, bon sang?

Quelqu'un interrompit le cours de mes pensées en me hélant. Je me retournai et aperçus Laïka dans l'embrasure d'une porte. La moitié de son visage se perdait dans l'ombre. Retenant un soupir de découragement, je m'approchai pour découvrir ce qu'elle me voulait. Sa posture, un peu raide, avait quelque chose d'artificiel. Elle avait l'air de quelqu'un qui cherchait à cacher sa nervosité.

— Salut Laïka, fis-je avec peu d'enthousiasme. Merci d'avoir retenu ce fou furieux tout à l'heure.

— Kodos? demanda-t-elle. Ce n'est rien. J'ai réagi par instinct.

Elle ne souriait pas. Ses grands yeux gris semblaient lointains.

— Je veux te montrer quelque chose. Tu peux venir?

Quelque chose en moi me pressait de refuser cette offre. Le pressentiment lugubre qu'une ombre titanesque se projetait sur moi. Les nuages, invisibles dans le ciel opaque, déversèrent une fine pluie qui s'abattit sur mon visage. Distraitement, je ramenai le capuchon de ma veste rouge sur mon crâne.

— Où allons-nous?

Laïka me prit la main et m'amena à sa suite, m'empêchant de protester.

— Attends, Laïka, je n'ai pas dit que…

Son air sérieux me fit taire. Sans prononcer un mot de plus, elle tira sur la lourde porte et m'entraîna à l'intérieur de ce pavillon que je n'avais jamais visité avant. Une faculté « ennemie », ne pus-je m'empêcher de penser. L'endroit était désert, mais je restais inconfortable. Ici, on n'aimait pas les gens comme moi.

Laïka lâcha ma main, mais se retourna vers moi, m'encourageant à la suivre silencieusement. Quelque chose dans son regard me glaça le sang. Elle avançait, la tête à moitié tournée vers moi, ses fins cheveux blonds effleurant à peine le col de sa veste kaki. Ses yeux versaient sur mon visage une déception voilée. Elle me regardait comme on contemple quelqu'un qui vient de commettre une très grosse bêtise. Comme un ami qui nous a trahis.

Qu'est-ce que tu me veux, Laïka ? pensai-je. Qu'ai-je fait ?

Elle détacha son regard du mien et continua de s'engouffrer dans le dédale de corridors qui m'était m'inconnu. La plupart des locaux étaient éteints, conférant au labyrinthe que nous empruntions un air résolument abandonné.

— Laïka, tentai-je. Je ne suis pas très à l'aise. Je préférerais rentrer.

Pendant un long moment, seul le bruit de nos pas saccadés résonnait dans le couloir.

— Je suis désolée que tu ne te sentes pas à l'aise, Seki, finit-elle par prononcer d'une voix que je n'arrivais pas à cerner.

Ce sont des paroles pour me retenir, estimai-je, ne pouvant chasser la panique qui montait en moi. Tout juste comme j'allais tourner les talons et détaler dans l'autre direction, Laïka s'arrêta devant un local, en vérifia le numéro, puis en ouvrit la porte. Du menton, elle m'invita à entrer. Sans la lâcher du regard, je longeai lentement le mur vert sombre. À peine eus-je risqué un oeil par le cadre de la porte que deux paires de mains m'agrippèrent les épaules, m'arrachant un cri de surprise. Les mains me jetèrent au centre de la pièce, une classe dont on avait évacué presque toutes les tables de travail. Seules quelques-unes subsistaient, poussées tout au fond de la salle, d'où perchaient des étudiants en trench-coats ou en vêtements paramilitaires du même genre que celui que portait Laïka.

Je me tournai vers celle-ci et la jaugeai d'un air sévère.

– Qu'est-ce que tout ça signifie ?

Les bras croisés sur son torse, elle se contentait de m'observer avec le même air que je lui avais surpris plus tôt. Un mélange de dégoût et de déception s'échappait de ses traits.

Deux bottes claquèrent dans mon dos. Je pivotai pour trouver Kodos qui avançait vers moi, les mains dans les poches de son long manteau sombre. Un unique néon jetait une lumière clignotante dans la pièce, amplifiant les traits durs et anguleux du leader au crâne rasé.

– Seki Jones ? commença-t-il, l'air enchanté de faire ma connaissance.

Je fouillai la pénombre des yeux. Une trentaine d'étudiants m'encerclaient, appuyés contre les murs, la mine un brin menaçante. Malgré les fenêtres ouvertes par lesquelles s'infiltrait un sifflement lugubre, l'air dans la pièce était vicié.

– J'ai l'honneur de te présenter l'entièreté des membres du Front de Libération d'Averia, enchaîna Kodos en ouvrant les bras. Plus de trente activistes dévoués à la cause de la race humaine. Trente étudiants qui ont compris qu'ils avaient un devoir à accomplir, qui sont prêts à tout pour libérer Averia du joug des Tharisiens.

Les dents serrées, je verrouillai finalement mon regard sur leur chef.

— J'ai dit que tous les membres étaient réunis. Mais hélas c'est faux. Trois de nos valeureux éléments ne sont pas présents parmi nous aujourd'hui. As-tu une idée de la raison de cette absence, Seki ?

Kodos semblait attendre une réaction de ma part. Je jetai un coup d'œil à Laïka, mais celle-ci évitait mon regard. J'estimai que la meilleure stratégie était de continuer d'avoir l'air ennuyée par son discours.

— Il y a une limite à ne pas franchir, Seki Jones. C'est une chose d'être indifférente au destin de ton peuple, à l'esclavage de tes frères et sœurs, mais c'en est une autre de les trahir.

— De quoi parles-tu ? intervins-je finalement.

C'est Laïka qui me répondit, la voix accusatrice.

— Seki, les Tharisiens ont arrêté trois de nos membres pendant la rafle d'aujourd'hui. Trois des membres qui étaient avec Kodos, ce matin, lorsqu'ils ont confronté le professeur Herv.

— Et qu'est-ce que j'ai à voir dans tout ça ? m'emportai-je.

— Nous savons que c'est toi qui nous as dénoncés, reprit Kodos.

Il ne m'accusait pas, il énonçait une évidence. La bouche grande ouverte, je tentai de me défendre.

— Mais… non, je…

— C'est ce que tu es allée faire lorsque tu as quitté la réunion ce matin. Tu nous as vendus aux Tharisiens.

— Réunion ? demandai-je, incrédule. C'est le nom que vous donnez à vos séances d'intimidation ?

La lumière blafarde vacilla à deux reprises.

— Je savais qu'il existait des gens de ton espèce, siffla Kodos. Des individus insensibles au destin du genre humain. Cependant, j'ignorais que tu étais de ceux qui oeuvraient sciemment contre tes semblables.

Je n'avais rien à lui prouver. Cela ne mènerait à rien d'essayer de raisonner cet illuminé.

— Écoute, je n'ai rien à voir avec cette histoire. Je n'ai pas vendu qui que ce soit et, de toute façon, je ne veux pas être mêlée à vos affaires. Alors, si ça ne te fait rien, je vais vous laisser à votre petite *réunion*.

Je fis mine de me retourner, mais des membres du Front de Libération étaient passés derrière moi pour me bloquer le chemin. Je doutais de pouvoir m'ouvrir un passage par la force, cette fois-ci. Kodos laissa échapper un petit rire moqueur. De nouveau face à lui, je lui montrai par mon regard que je n'entendais plus à rire.

— Je n'ai *rien* à voir avec ça.

Kodos fit quelques pas à droite, donnant l'impression qu'il allait se mettre à tourner autour de moi.

— Nous sommes à l'aube du soulèvement, Seki Jones. Lorsque ce sera la révolution, il serait malheureux que nous confondions nos amis et nos ennemis. N'aimerais-tu pas nous aider à clarifier ta situation ?

— Je ne veux pas être mêlée à ça, laissai-je passer entre mes mâchoires serrées. Je ne suis pas votre ennemie.

— Pourtant, si tu ne travailles pas avec nous pour libérer Averia, je me demande bien à quel camp tu appartiens… commenta Kodos avec sarcasme.

Laïka fit un pas vers moi.

— Seki ! Je ne comprends pas pourquoi tu ne soutiens pas la Cause.

— Parce que... parce qu'il n'y a rien à soutenir dans votre cause ! tentai-je.

Je fis mine de vouloir partir à nouveau, mais c'était impossible, aucune issue accessible. Je devais rester plantée là et affronter ce tribunal improvisé.

— Tu n'as donc aucun espoir en l'avenir du genre humain sur Averia. Pour toi, nous sommes condamnés à demeurer des esclaves pour toujours, constata Kodos.

— Non ! Je... Écoute, je ne suis vraiment pas la bonne personne pour vous. Vous ne me convaincrez pas, et je suis loin de pouvoir défendre mon point de vue. Alors toute cette discussion ne mène à rien.

La panique s'emparait de moi. J'étais coincée. Ils me demandaient de rendre des comptes, mais je n'avais aucune explication à fournir. Sous la lumière clignotante, je reculai d'un pas lorsque Kodos avança à nouveau vers moi.

— Tu es consciente que si tu ne prends pas part au combat révolutionnaire, tu n'es pas des nôtres. Par ton inaction, tu sers les desseins des Tharisiens.

— Le combat révolutionnaire ? Quelle idée ridicule, laissai-je échapper.

— Une idée ridicule ? s'insurgea Kodos. C'est par la force de notre nombre et par la force de notre détermination que nous ferons tomber l'occupation tharisienne.

Ils en voulaient des explications ? J'allais leur en donner.

— Ce n'est pas la solution. Comment voulez-vous vous soulever contre un occupant mieux armé et organisé que vous ? Vos petites menaces et vos tentatives d'intimidation ne font que discréditer votre cause ! L'évolution de la situation des Humains passe par le dialogue avec les Tharisiens. Lorsqu'ils comprendront qu'ils ont devant eux un peuple civilisé, culturellement et scientifiquement avancé, ils cesseront de se comporter en impérialistes.

Kodos accueillit mes paroles avec dérision.

– C'est faux. Leur mentalité ne pourra jamais changer.

– C'est parce que tu es toi-même enfermé dans ton mode de pensée barbare, Kodos, répliquai-je. Il faut réclamer au Gouverneur le droit d'être traité d'égal à égal. Ça ne sert à rien de leur lancer des roches et d'exiger qu'ils quittent Averia. Leur mentalité a sans doute changé puisqu'ils nous ont accordé le droit d'élire un gouvernement autonome.

– Pff, ce gouvernement n'est qu'un pantin pour les Tharisiens. Les représentants ne servent à rien et sont trop lâches pour se dresser contre le veto du Gouverneur. Ce n'est qu'une illusion. Des marionnettes qu'ils agitent pour endormir les gens de ton espèce, railla-t-il.

Poussée par l'adrénaline, je continuai à improviser.

– Mais c'est pourtant par là qu'il faut concentrer nos efforts ! Les Tharisiens ont mis à notre disposition un outil légal pour améliorer le sort de notre peuple. C'est en transformant notre gouvernement que nous pourrons rétablir un équilibre de force avec les Tharisiens. Pas en déclenchant une guerre que nous sommes sûrs de perdre !

– Notre détermination et..., tenta de poursuivre Kodos.

– Votre détermination ne pourra rien contre leurs désintégrateurs, le coupai-je.

Kodos se tut. Ses mains s'ouvraient et se fermaient lentement le long de son corps. Je pris une profonde inspiration avant de me rendre compte que plusieurs membres du Front de Libération d'Averia murmuraient entre eux. Laïka imposa le silence.

– Et si..., commença-t-elle. Et si Seki avait raison ?

Kodos s'approcha d'elle, grondant.

— Qu'est-ce que tu racontes ?

Laïka évita son regard un moment, ses grands yeux gris cherchant un endroit où se poser.

— Peut-être que nous n'arriverons à rien en utilisant seulement la force…

— Qu'est-ce qui te prend ? cracha Kodos. Tu comptes tout abandonner ?

Il avançait encore sur Laïka, serrant les poings et les mâchoires. Les traits de son visage, déjà très durs, étaient amplifiés par une colère à peine contenue.

— Non ! tenta-t-elle. Mais l'idée de Seki est intéressante. Je crois que ça vaut le coup d'essayer.

Kodos pointa un doigt vers moi et je reculai d'instinct.

— Quelle idée ? Cette fille n'a pas d'idées. Elle a la trouille, c'est tout. Elle est trop lâche pour s'engager.

J'ouvris la bouche pour répondre, mais Laïka commença à s'animer.

— Tenter une approche politique ne veut pas dire abandonner le combat, Kodos. Essaie de comprendre. C'est sans doute une excellente idée pour notre mouvement. Une façon de nous construire une légitimité.

Le leader du Front de Libération d'Averia balaya cet argument du revers de la main.

— Foutaise. Notre légitimité, nous la brandissons déjà comme étendard : notre haine des Tharisiens. Notre désir de délivrer Averia…

— Mais ouvre les yeux, plaida-t-elle. Ça peut être un moyen de nous donner une visibilité. Et tant pis si ça ne fonctionne pas. Imagine que le Gouverneur refuse de nous considérer. Qu'il rejette la main que nous lui tendons. Ce sera le prétexte idéal pour rallier la population à notre bannière. La démonstration concrète que les Tharisiens ne désirent pas traiter avec les Humains.

– Ce n'est qu'une perte de temps. Nous savons d'ores et déjà qu'ils ne souhaitent que nous écraser.

Mais autour de lui, les gens murmuraient à nouveau. Je jetai un oeil aux troupes de Kodos. Il était palpable que cette nouvelle proposition divisait le groupe. Leur leader s'en rendait compte lui aussi. Il était tendu, courbé. Comme un prédateur séparé de ses partenaires de chasse et acculé au mur par un troupeau d'herbivores.

– Et depuis quand es-tu censé décider de tout ? demanda Laïka, plus bas.

Elle tentait de le dissimuler, mais elle tremblait légèrement. Ce devait être la première fois qu'elle osait se dresser contre Kodos, estimai-je. Celui-ci, pendant un instant, donna l'impression qu'il allait s'exclamer « mais j'ai *toujours* décidé de tout ! »

– Tu crois peut-être avoir besoin d'un vote ? Tu penses que cette lâche a réussi à convaincre qui que ce soit que notre combat ne sert à rien ?

Je déglutis péniblement pour dénouer l'impasse au fond de ma gorge. Les murmures parmi les membres du Front de Libération se changèrent en clameur. Le débat était lancé. La trentaine d'étudiants s'animèrent et se dissipèrent en petits groupes. Au centre de la pièce, Laïka et Kodos continuaient de se quereller, la nature de leurs propos étant maintenant étouffée par le bruit des discussions houleuses qui se tenaient partout autour.

En les observant, je remarquai soudainement que Laïka et Kodos partageaient une étrange ressemblance physique.

Ils possédaient les mêmes yeux gris et le même type de visage anguleux. Tous les deux minces, grands et effilés. Laïka avec une petite veste de style militaire et Kodos avec son long trench-coat.

Un courant d'air me fit frémir malgré mon épais chandail rouge. Pivotant à moitié sur moi-même, je vis que plus personne ne bloquait la porte. Ils étaient tous si absorbés par leur discussion. Peut-être était-ce ma chance de me faufiler discrètement.

– Si c'est véritablement le chemin que nous choisissons, il faut qu'elle participe aussi, cracha Kodos en me pointant du doigt.

Je suspendis mon geste. La clameur mourut lentement alors que les regards convergeaient vers moi de nouveau. Surprise, je ne sus comment réagir.

– Je... non... je ne veux pas me mêler de ça, balbutiai-je.

– C'est toi qui as convaincu tout le monde ! lança-t-il en écartant les bras. Si tu es si persuasive, si charismatique, tu vas peut-être pouvoir charmer les Tharisiens.

– Mais...

– Tu te mouilles. Si tu éprouves réellement de la sympathie pour tes frères et sœurs humains, tu épouses leur cause. Tu as proposé l'option pacifique, alors tu signes comme tous les autres. Tu te joins à nous.

Un soudain vertige manqua de me faucher sur place.

– Signer ? Signer quoi ?

– Le manifeste, souffla Laïka. La déclaration d'égalité que nous ferons parvenir au Gouverneur.

– Tu ne peux pas reculer, Seki, menaça Kodos.

Le groupe se sépara de nouveau, se divisant la tâche de la rédaction de ce manifeste. Une lueur mauvaise brillait dans les yeux de Kodos. Il me dévisageait, me poignardait du regard. Il avait subi une défaite au sein de son mouvement révolutionnaire et j'étais la cause de ce revirement.

Je venais de glisser dans un nid de serpents…

M'attrapant par le bras, Laïka m'arracha à l'état d'hypnose dans lequel je me trouvais. Elle se joignit à l'une des équipes et tenta de m'intégrer à eux. Je les regardais œuvrer en maudissant ma situation. Je n'avais pas voulu m'en mêler. Je ne souhaitais pas prendre part à ce mouvement. Je désirais rester dans l'ombre, continuer ma petite vie tranquille, mon chemin plus ou moins tracé. J'aurais aimé pouvoir disparaître. J'avais la forte impression que cette guerre ne me concernait pas.

Et il y avait Kodos qui ne cessait de me dévisager.

Au bout de plusieurs heures d'écriture et de mises en commun, le groupe accoucha du texte final. Pendant tout ce temps, lorsqu'on m'avait demandé mon avis, je m'étais contentée de hocher la tête ou de donner une vague réponse brève. Il fut décidé que le texte serait remis au Gouverneur tharisien le lendemain midi.

Alors que les membres du Front de Libération d'Averia se dispersaient, Laïka vint me voir et me retint. Elle prit mes mains et les serra entre les siennes. Elles étaient froides. Cette sensation contrastait avec le chaleureux sourire qu'elle affichait sur son visage.

— Seki, je suis si excitée ! Il y a longtemps que je n'ai pas été témoin de tant d'énergie dans notre groupe. Tu viens peut-être de nous ouvrir les yeux sur une voie que nous n'osions pas emprunter.

Elle me tenait un discours un tantinet différent de ce qu'elle m'avait raconté plus tôt dans la journée, pendant le cours de science.

— Pourtant, j'avais l'impression que certains m'auraient poignardée sur le champ, s'ils en avaient eu la chance, lui dis-je. Je pense à Kodos, entre autres.

— Ne t'en fais pas avec mon frère. Il lui arrive d'être un peu excessif, mais il n'irait pas jusqu'à te faire du mal. Il croit trop en la cause humaine pour ne pas essayer ta solution.

Son frère ! Elle venait de confirmer mes soupçons sur leur lien de parenté. Néanmoins, ces mots à son sujet ne me convainquirent pas. Il avait l'air du genre à s'accrocher jusqu'au bout pour ses idées, même s'il fonçait vers un précipice. Laïka reprit la parole.

— Tu viens avec moi, Seki ? J'aimerais bien te parler un peu.

La dernière fois que tu m'as dit ça, pensai-je, et c'était ce soir même, tu m'as menée dans un piège. Je me forçai à rester polie.

— Si ça ne t'embête pas trop, je préférerais profiter d'une bonne nuit de sommeil…

Elle parut déçue, mais je la laissai tout de même et entrepris de retourner à la maison. Je quittai rageusement le pavillon dans lequel Laïka m'avait entraînée, m'efforçant d'ignorer soigneusement les membres du Front de Libération qui flânaient encore dans les parages.

À l'extérieur, le vent avait chassé les nuages et révélait une mer d'étoiles brillantes. J'y jetai à peine un regard avant de fuir le campus, le souffle court. En marchant dans les rues désertes, la colère qui grondait sous mon crâne gonfla.

J'étais très ennuyée d'avoir été entraînée malgré moi dans cette histoire et dans ce mouvement de résistance. Je n'avais rien à voir avec eux. *Rien.* Ce n'était qu'une petite bande d'étudiants arrogants qui ne cherchait qu'à troubler le calme d'Averia. Je n'avais jamais souhaité être mêlée à ça, ni désiré prendre position dans leur stupide prétention de combat révolutionnaire.

C'était dangereux et inutile. Je ne voulais surtout pas attirer le malheur sur ma famille.

Heureusement pour les membres du Front de Libération d'Averia, je ne croisai aucune patrouille tharisienne sur le chemin du retour. Autrement, je crois bien que je les aurais dénoncés aussitôt.

Les visages de Laïka et de son frère tournoyèrent dans mon esprit tout le long du trajet, attisant en moi le violent désir de les gifler l'un et l'autre jusqu'à ce que ma main s'engourdisse.

En tournant le coin de ma rue, je passai sous un gros cèdre à l'odeur mouillée et j'en repoussai une branche qui m'effleurait le visage. Le mouvement envoya une volée de grosses gouttelettes s'échouer sur mon capuchon dans une série de petits plocs. Je le retirai d'un geste brusque, laissant mes cheveux s'envoler dans tous les sens. Je marchai jusqu'à ma maison. Sombre et silencieuse, ses grandes fenêtres réfléchissant ma silhouette sur l'herbe, mon chez-moi me paraissait étranger cette nuit.

Comme s'il m'en voulait de m'être acoquinée avec des gens dangereux…

Je remarquai une lueur depuis la fenêtre de Myr, malgré ses épais rideaux tirés. Elle regardait probablement encore ces âneries de bulletins d'information. Lorsque je franchis le seuil de la maison, ma colère ne s'était toujours pas dissipée. Je grimpai les marches rapidement et j'ouvris la porte de la chambre de Myr à la volée, bien décidée à la mettre au lit sur-le-champ. Elle poussa un petit cri de surprise en se retournant vers moi.

– Seki ? Qu'est-ce qui te prend ? fit-elle en tentant de cacher ce qu'affichait l'écran de son réseau.

Assise au bout de son lit, Myr pivota pour me faire face, les membres visiblement tendus. La pièce n'était éclairée que par la faible lueur de son réseau qu'elle dissimulait entre ses mains. Dans la pénombre, je ne discernais que ses couvertures, roulées en boule à l'extrémité de son lit, et une assiette vide qui traînait par terre près de son bureau.

Sans dire un mot, j'approchai d'elle, le visage dur. Sans me lâcher des yeux, le regard craintif, Myr étira lentement le bras et me tendit son écran. Celui-ci affichait le texte d'une longue lettre. Je la parcourus rapidement.

...depuis trop longtemps, nous courbons l'échine devant l'occupant. Depuis trop longtemps nous mangeons dans leur main et ne nous contentons que des maigres miettes qu'ils daignent nous lancer. Il est grand temps que nous nous redressions et que nous opposions une résistance acharnée contre cet envahisseur. Il doit quitter Averia, nous rendre la liberté, nous redonner nos terres et nos biens. Cette occupation illégale a trop duré.

Ralliez-vous au Mouvement de Résistance d'Averia, faites circuler cette missive. Ensemble, nous pouvons faire une différence. Nous pouvons devenir plus forts qu'eux et les obliger à nous rendre nos demeures...

Myr me fixait, attendant une réaction de ma part.

Je laissai retomber le réseau sur son lit. Dans mes mains, la surface de l'objet était devenue brûlante. J'avais plutôt éprouvé l'envie de le lancer de toutes mes forces sur le mur rouge qui me faisait face.

— Idiote, murmurai-je.

Le mot était sorti de ma bouche sans passer par mon cerveau. La stupéfaction envahit le visage de ma sœur. Elle n'avait pas l'habitude que j'aie un tel langage à son égard.

— Qu'est-ce que t'as dit ? souffla-t-elle, incrédule.

— J'ai dit que tu étais une idiote.

En un bond, Myr se planta sous mon nez et m'asséna une claque retentissante. La pièce vibra. Alors que la chaleur se répandait sur ma joue, des larmes de colère glissèrent de mes yeux. Les mêmes larmes apparurent sur le visage de ma soeur.

— Petite idiote ! répétai-je, plus fort. Tu nous mets tous en péril avec ces saloperies ! Si quelqu'un tombait là-dessus, ce serait dangereux pour nous tous ! Dis-moi au moins que tu es assez intelligente pour ne pas avoir envoyé ça à qui que ce soit.

Myr releva le menton et plissa les yeux.

— Si, je l'ai fait, cracha-t-elle. Et ce n'est pas la première fois.

Ce fut à mon tour de lui flanquer une gifle. Myr recula et piétina l'assiette vide qui traînait au pied de son lit. Une toute petite partie de moi, comme si je m'étais dédoublée intérieurement, me fit sentir que nous venions toutes deux de franchir un point de non-retour.

— Tu t'imagines que les Tharisiens ne traquent pas les mouvements de ces cochonneries de propagande de la résistance sur le réseau ? continuai-je néanmoins, incapable de rebrousser chemin. S'ils décident de débarquer ici, c'est nous tous qui allons payer.

— Ils ne me trouveront pas, cria Myr.

— Tu te crois plus futée qu'eux. Et s'ils arrivaient jusqu'à nous quand même ? Tu veux faire ça à papa ? Tu veux que les Tharisiens l'embarquent et fassent enquête sur lui ? Ou pire, comment crois-tu qu'il réagirait s'ils t'amenaient toi, sa petite fille qu'il aime tant !

— Eh bien, ça le ferait peut-être réagir, pour une fois ! Lui et tous les autres qui n'osent même pas regarder ces salauds de Tharisiens de travers.

Je l'empoignai par les épaules et me mis à la secouer.

— Mais qu'est-ce que tu as contre les Tharisiens, espèce d'idiote ! Ils nous laissent tranquilles, à la fin. Tu ne comprends donc pas que papa et moi ne voulons pas être mêlés à tes stupides idées de rébellion !

— C'est ça, continue de vivre dans ton petit monde égoïste. Tu te fermes les yeux pour ne pas voir. Désolée de ne pas être aussi aveugle que toi, Seki. Quant à moi, les Tharisiens devraient tous crever.

Je la lâchai et la contemplai avec dégoût.

— Bon sang, Myr. Où crois-tu que ces niaiseries que tu retransmets sur le réseau vont te mener ? Quel bien ça fera, au juste ?

Elle s'essuya une joue du revers de la main, les yeux brillants.

— À la révolution, Seki. J'aide la résistance à éveiller l'esprit des gens. Lorsque nous serons suffisamment nombreux à comprendre que l'insurrection est la seule issue pour notre peuple, nous obtiendrons... Qu'est-ce qu'il y a ? s'arrêta-t-elle soudainement.

Les yeux au plafond, je passai une main dans mes cheveux.

— L'insurrection est la seule issue pour notre peuple, l'imitai-je. On dirait vraiment que tu y crois.

Elle s'empourpra davantage.

— Et toi ? Ça t'arrive de penser à autre chose qu'à ta propre personne, parfois ?

Nous criions maintenant toutes les deux au beau milieu de la nuit. D'où ma sœur tirait-elle donc toute cette haine ? Je n'arrivais pas à comprendre. Tout ce que je voulais, c'était qu'elle se tienne tranquille pour ne pas attirer le malheur sur notre famille.

— Pourquoi fais-tu tout ça, Myr ? lui demandai-je, à bout de patience. Ça ne ramènera pas maman et tu le sais.

Ce fut la deuxième claque que je lui assénai. Une longue plainte s'échappa de la bouche de ma sœur. Cela m'atteignit droit au cœur. On aurait dit un animal blessé. La partie de moi qui n'était pas consumée par la rage éteignit toute la colère qui bouillait dans ma tête depuis le début de la soirée, comme si on m'avait brusquement submergée pour étouffer le feu qui brûlait en moi.

Je contemplai ma sœur avec des yeux neufs. Elle hoquetait et sanglotait bruyamment. Ses petites épaules frêles se soulevaient dans un rythme saccadé. Ses yeux, d'habitude si pétillants, étaient assombris et inondés de larmes. J'étais allée trop loin. Je venais de la blesser. C'était ma petite sœur et je ne voulais pas qu'elle souffre. J'ouvris les bras et tentai de la prendre contre moi. Mais elle me repoussa fermement et je vis toute sa rage à travers ses yeux embués.

— Ne me touche pas ! cria-t-elle. Je ne veux plus jamais te parler. Plus jamais.

Sa voix était stridente, mais un peu rauque en même temps, déformée par la colère.

— Les filles, ça suffit, lança mon père, derrière moi.

Je me retournai et découvris sa silhouette dans l'embrasure de la porte. Il devait être rentré de son quart de travail et avait trouvé ses filles en train de se disputer en haut. Il alla s'asseoir aux côtés de Myr et la prit dans ses bras. D'un regard, il me fit comprendre qu'il valait mieux pour moi que je les laisse tranquilles.

Je me traînai jusqu'à ma chambre, un peu étourdie. Je tirai la chaise de mon bureau et la glissai devant la large fenêtre. Celle-ci donnait une vue imprenable sur le ciel étoilé. Je m'installai et repliai mes jambes contre mon corps. La nuit était grande. Quelque part autour d'une de ces étoiles se trouvait la Terre et les autres colonies.

Je me demandai combien de sœurs venaient de se disputer ailleurs dans l'univers. Alors que je repassai lentement le fil des événements de la journée, des larmes coulèrent doucement le long de mes joues. Je me rendis compte que c'était la première fois que je mentionnais ma mère depuis très longtemps. Mon cœur se serra.

* * *

Au réveil, je compris tout de suite que je n'avais pas suffisamment dormi. Mes paupières semblaient érafler mes yeux à chaque battement et je me sentais faible. Je descendis et trouvai Myr en train de manger un bol de céréales. Elle avait le nez rivé sur l'écran du salon et ne répondit pas à mon salut. Je choisis quelques fruits dans le réfrigérateur et m'installai un peu plus loin pour les déguster. J'entendais distraitement le bruit de ce que Myr écoutait. Encore des informations.

Au bout d'un moment, quelque chose attira mon attention. Au bulletin de nouvelles, on racontait que le Gouverneur attendait aujourd'hui, de la part d'un regroupement étudiant, un manifeste réclamant l'égalité des Humains dans les affaires de la Colonie. Ils parlaient de notre manifeste. J'étais cosignataire de ce document. Un malaise m'envahit.

– Ça ne donnera rien, commenta Myr.

En se retournant, elle s'aperçut qu'il n'y avait que moi dans la pièce et elle s'emmura dans le silence à nouveau.

Je devais partir pour l'université. En passant près de Myr, je glissai ma main dans ses cheveux noirs.

– Je t'aime, petite sœur.

Son regard était glacé.

– Dégage…

Je n'insistai pas, pris mon sac et claquai la porte.

* * *

Seki venait de passer la porte et avait pris soin de faire le plus de bruit possible en claquant derrière elle. J'espérais que ça lui avait fait du bien. Comme ça l'avait sans doute beaucoup soulagée, hier, de me montrer comment elle était si futée et moi tellement sotte de m'investir dans le combat révolutionnaire.

Je laissai mes céréales retomber dans le bol. Elles me dégoûtaient maintenant.

La veille, lorsque mon père était venu mettre fin à ma dispute avec Seki, il me fallut un temps fou pour me calmer. Papa avait fini par me demander de lui expliquer ce qui s'était passé. Je ne lui avais pas raconté grand-chose. Alors il s'était tu. Je lui en étais très reconnaissante. Il s'était contenté de me caresser le dos en silence.

Je jouai un peu dans le bol avec ma cuillère. Les céréales molles crépitèrent légèrement en retombant dans le lait. Dans mes doigts se propageait lentement le picotement amer de l'émotion qui envahissait mon corps. Je pouvais aisément deviner la torture que ce dut être pour mon père de venir me consoler, hier soir. Être obligé de prendre soin de l'objet de tous nos malheurs. Avec les années, je comprenais mieux le comportement taciturne de mon père.

Le venin me serrait maintenant le ventre. Je connaissais le processus. Une fois cette valve ouverte, je ne pouvais plus l'arrêter. Mes pensées se déchaîneraient en suivant un plan de bataille des plus précis, attaquant mes défenses et mes points faibles avec des frappes chirurgicales et dévastatrices. J'avais pleinement conscience de ce que j'étais en train de faire, mais je ne voulais pas y mettre fin.

Je ne savais que trop bien comment papa et Seki se vengeaient de moi. Le silence de mon père, son incapacité à aimer la cause de son malheur, révélait le poids de la rancœur qu'il gardait à mon égard.

Seki était moins subtile. Ou peut-être se sentait-elle moins obligée de m'aimer ou de préserver l'apparence d'un lien fraternel avec moi. Elle s'entêtait à détruire systématiquement ce qui me définissait en tant que personne unique. Elle s'acharnait à ridiculiser ce qui me tenait à cœur, à me faire sentir idiote d'espérer un monde meilleur.

Les sanglots que je retenais de toutes mes forces me barraient le front et me bloquaient la gorge. J'aurais tellement souhaité pouvoir partager ce que je vivais avec Seki. J'avais beau tout essayer, celle-ci ne daignait jamais me prendre au sérieux. Et j'avais toujours tout fait pour que papa soit fier de moi : je décrochais les meilleures notes à l'école et je m'efforçais de m'acquitter des tâches ménagères. Je n'avais jamais voulu être une nuisance pour lui. Je faisais beaucoup plus que ma part, mais je ne réussissais qu'à l'embêter. C'était si idiot de croire que mes lamentables efforts pouvaient compenser ce que je lui avais enlevé à jamais…

Ce que les Tharisiens nous avaient enlevé à jamais…

Mon corps s'animait lentement. Mes épaules se mirent à trembler, mes mains se serrèrent, ma bouche se déforma pour contenir la colère qui m'inondait. Un courant électrique traversa le venin qui glissait dans mes veines. Sans avertissement, j'envoyai le bol de céréales voler à travers la pièce. Le lait se répandit par terre et la cuillère rebondit quelques fois sur le sol avant de s'immobiliser.

Si Seki ne comprenait pas la nécessité de débarrasser Averia de ses envahisseurs, tant pis pour elle. En ce qui me concernait, j'étais déterminée à me donner corps et âme pour que les flammes s'abattent sur nos ennemis. Les Tharisiens connaîtront l'horreur de notre courroux.

J'entendis un bruit sur ma droite. Mon père, dans sa chambre, semblait se réveiller. Comme si on venait de mettre hors tension un interrupteur émotionnel en moi, les signes extérieurs de ma rage disparurent instantanément. Je replaçai quelques mèches de cheveux sur mon front et allai rapidement nettoyer le dégât qu'avait provoqué mon accès de colère.

Quand mon père s'arrêta devant moi, je tenais le bol et le linge imbibé de lait et de céréales ramollies.

– Ça va mieux, ce matin, Myr ? me demanda-t-il.

– Oui, papa. Beaucoup mieux.

Un sourire s'étendit sereinement sur mon visage.

* * *

— Seki ?

Je me retournai, surprise et agacée. Laïka, que j'avais réussi à éviter tout l'avant-midi, se tenait à l'extrémité de la galerie d'observation. Elle me rejoignit sans que j'eusse esquissé le moindre geste d'invitation.

— Ouah ! fit-elle, je ne connaissais pas cet endroit.

Le promontoire où je mangeais chaque midi offrait une vue splendide sur le campus verdoyant. Plus bas passait la ligne du monorail qui filait en ce moment à toute allure en direction du Haut-Plateau. J'avais adopté cet endroit justement parce que peu de gens le fréquentaient.

— Ça ne t'embête pas si je mange avec toi ?

Je jetai un oeil derrière elle. Où se trouvent les autres membres de la garde rapprochée ? l'interrogeai-je en silence. Laïka tira une chaise de la table voisine et vint s'asseoir à mes côtés, tout contre la rambarde.

— Je t'ai aperçue d'en bas, continua-t-elle. J'ignorais qu'on pouvait dîner ici. De plus, la vue est géniale.

— Ouais, répondis-je mollement en croquant une des carottes maigrichonnes qui traînait dans mon plat de plastique. C'est si calme.

De toute évidence, l'accent sur le mot « calme » ne suffit pas à lui faire passer mon message, car Laïka s'enthousiasma de plus belle.

— Tu parles ! Moi, je suis habituée au brouhaha de la cafétéria principale du campus. C'est agréable, un peu de silence.

Ça ne paraît pas tellement, eus-je envie de lui rétorquer, mais je me tus. Je me souvenais toujours du piège que Laïka m'avait tendu la veille. Certes, à la lumière du jour, celle-ci ne me paraissait pas spécialement méchante. Je ne décelais aucune agressivité en elle. Toujours un grand sourire aux lèvres, Laïka semblait militer contre l'occupation tharisienne comme on entreprend une campagne de charité. Tout le contraire de son frère...

Laïka ouvrait la bouche à nouveau comme je me calais plus profondément dans mon siège, remontant mes pieds contre la rambarde métallique. Elle sembla finalement comprendre que j'avais à peine prononcé quatre mots depuis son arrivée.

— Écoute, fit-elle plus bas. Au sujet d'hier soir...

— Je ne voulais pas être mêlée à ça, la coupai-je sans la regarder. Et je n'ai pas dénoncé vos petits camarades. Rien de ce que vous faites ne m'intéresse.

— Je sais...

Elle se tut, le sac en papier contenant son dîner toujours intact sur ses cuisses. Le feuillage des arbres sur le campus ondula et je me surpris à guetter une brise qui ne vint pas jusqu'à nous. Du coin de l'oeil, je pouvais apercevoir Laïka qui se mordait les lèvres.

— C'est probablement ridicule de dire de telles choses à notre âge, mais, en fait Seki, j'aimerais bien apprendre à mieux te connaître.

Je croquai dans une carotte, l'air pensif. Laïka hésita. Elle fourra les mains dans sa veste verte.

— Je n'ai jamais eu d'amies. J'ai toujours seulement suivi Kodos et...

Elle ne termina pas sa phrase et abandonna le reste de ses mots dans le paysage au loin. Dans le silence, sa nervosité emplissait notre petit espace tranquille. Je pouvais la ressentir.

Qu'est-ce qu'on répond à ça ? Je n'ai encore jamais dit à personne « D'accord, je veux bien être ton amie ».

Visiblement dépitée, Laïka ramassa son sac dans un craquement de papier et se leva. Sans réfléchir, j'attrapai sa main. Je la contemplai un moment avec, l'espérai-je, le scintillement d'un sourire quelque part sur mon visage. Je n'étais pas très douée pour ça.

— Mange avec moi, Laïka. Ça me ferait vraiment plaisir.

Celle-ci hésita un moment, jaugeant peut-être les doutes qui apparaissaient malgré moi sur mes traits. Après tout, pensai-je, Laïka m'avait trahie. Je ne savais rien d'elle et je ne partageais certainement pas son intérêt pour la révolution. Cependant, l'idée de la repousser, de la chasser de cette galerie déserte, alors que je mangeais seule, protégeant jalousement une bulle autour de moi qui ne cessait de grossir, me répugnait. Les paroles de Braï me revinrent en tête « Je ne te comprends pas, Seki Jones. Pourquoi ne te mêles-tu pas aux autres ? »

— Je te connais à peine, ajoutai-je tout juste comme Laïka allait filer. Parle-moi un peu de toi…

Ce qu'elle fit, le sourire se ranimant comme une aurore sur son grand visage.

Laïka s'assied à mes côtés et me narra longuement son histoire, abusant de détails et de retours en arrière. J'écoutai, polie et intéressée, en grignotant le reste de mes légumes et plaçant parfois un commentaire, le temps que Laïka engloutisse une bouchée de sandwich. Franchement, comme première tentative d'ouverture aux autres, ce n'était pas si difficile. Mon interlocuteur s'occupait de remplir l'espace pour nous deux.

Au-dessus des étudiants qui déambulaient sous notre poste d'observation, Laïka me raconta comment elle avait passé la plus grande partie de son enfance dans une chambre d'hôpital, sous une toile stérile et branchée à une armée de machines bruyantes. Dès son plus jeune âge, son système immunitaire s'était mis à défaillir. Dépourvu de ses défenses naturelles, chaque microbe et chaque infection représentaient une menace mortelle pour son organisme.

Il s'agissait d'une maladie rare, mais connue. Les médecins de l'hôpital d'Averia savaient comment traiter ce mal qui l'affligeait, mais les ressources pour le faire étaient difficiles d'accès. Averia étant isolée des autres colonies humaines, les médicaments pour la soigner devaient transiter par les Tharisiens. Hélas, ceux-ci avaient décrété une liste de matériaux sensibles, et les médicaments concernés figuraient parmi les produits interdits.

C'est ainsi, me raconta-t-elle, que son frère Kodos, à peine plus âgé qu'elle, se mit à fréquenter les milieux du marché noir. Utilisant l'argent légué par leur père, mort pendant la guerre au service d'une des milices locales, il fit de son mieux pour se procurer les produits illégaux. En ramenant toujours de petites quantités à la fois, Kodos réussit à fournir aux médecins ce qu'il leur fallait pour soigner sa soeur. Toutefois, les médecins n'entretenaient aucun doute sur la provenance de ces médicaments. Ils avertirent Laïka et son frère que l'hôpital, fréquemment inspecté par les forces d'occupation, courait un grand risque en la traitant à l'aide de ces produits obtenus illégalement. Aussi passèrent-ils un marché avec Kodos : les médecins soigneraient sa soeur, puis ils le livreraient aux Tharisiens. C'était, selon eux, la seule façon d'empêcher les représailles contre l'hôpital.

Livrer un gamin de douze ans aux Tharisiens peut sembler lâche, mais en même temps, justement en raison de son âge, ceux-ci le traitèrent raisonnablement bien. Analysant les circonstances qui l'avaient mené à enfreindre l'embargo, les Tharisiens jugèrent qu'il ne représentait pas une menace pour l'occupation. Ils le relâchèrent et, Laïka guérie, Kodos ne la quitta pratiquement plus jamais.

– Tu es donc très proche de ton frère, commentai-je.

– Oui, me répondit-elle presque évasivement.

– Dans ce cas, je ne comprends pas le soudain revirement d'hier soir... Ce que j'ai vu, c'est un réel affrontement entre vous deux. Tu ne partages plus le même point de vue que Kodos sur les Tharisiens ?

Elle se mordit la lèvre inférieure.

– Oui... mais non...

Je me tus. Si Laïka ressentait le besoin de m'en dire plus, c'était à elle de le faire. Je n'allais pas insister.

– Je ne veux pas paraître ingrate. Après tout ce que Kodos a fait pour moi...

Un grondement sourd me fit tourner la tête. L'air avait vibré quelque part au loin, mais je n'arrivais pas à déceler l'origine du bruit. Quand je revins à Laïka, celle-ci passait distraitement une main sur sa nuque. Comme elle se taisait, je me sentis obligée de l'encourager un peu.

– Mais…?

Elle hésitait. Ses pensées semblaient douloureuses.

– Non, conclut-elle. Il n'y a pas de « mais »…

Le réseau portable de Laïka s'activa, coupant court à notre conversation.

* * *

Nous nous frayons en ce moment un chemin à travers les gravats vers ce que nous pensons constituer l'épicentre de cette crise. Nous suivons la deuxième vague de secouristes alors qu'au même moment les ambulances évacuent les blessés. Comme vous pouvez le voir, nous avons beaucoup de difficulté à nous faire entendre par dessus le bruit des sirènes. Des gens nous bousculent et nous peinons à progresser vers le bureau du Gouverneur.

Des gardes semblent ériger une barrière de sécurité autour de la Place des Amiraux. Pendant que nous tentons de contourner ce cordon de soldats, laissez-moi vous rappeler l'importante signification culturelle de ce parc qui fut inauguré peu de temps après l'établissement de nos premiers colons sur le Haut-Plateau pour commémorer la victoire. Je vois d'ici que la statue de l'Amiral Zaas a été endommagée par des débris et…

Laissez-nous passer, Monsieur ! Je suis Charal Assaldion, envoyé spécial pour Tharisia Press. *Nous sommes ici pour couvrir l'attentat contre le bureau du Gouverneur Jassal. Au nom de la liberté de presse, je vous somme…*

Chers auditeurs, il semblerait que la zone n'ait toujours pas été contrôlée et que nous devions rester à l'écart pour notre propre sécurité. Nous ignorons pour l'instant la nature exacte de l'attentat, mais nous allons tenter d'en savoir un peu plus en interrogeant cet officier qui…

Monsieur ! Par ici, monsieur ! Pouvez-vous répondre à quelques-unes de nos questions ? Est-ce que le Gouverneur a été blessé lors de l'attentat ? Officier ! Est-ce que… ?

La situation ici est chaotique, chers réseauspectateurs, et on m'invite gentiment à ne pas entraver le travail de ces soldats. Mais restez à l'écoute, je suis certain que nous pourrons en apprendre bientôt davantage sur… Quoi ? Oh, mon caméraman aperçoit ce qui, de loin, ressemble à une brèche dans le cordon de sécurité que viennent de mettre en place les soldats. Nous allons nous approcher doucement…

D'ici, nous avons une vue imprenable sur l'immeuble qui abrite le Bureau du Gouverneur. Je ne suis pas un expert en la matière, mais il semble qu'une bombe ait soufflé une partie du bâtiment. Le trou doit bien faire près de cinq mètres de diamètre et se situe au troisième étage de ce prestigieux établissement. Toutes les fenêtres de l'édifice ont volé en éclats et je crois que vous pouvez entendre le verre crisser sous nos pas.

Tharisia Press *! Nous avons l'autorisation de votre officier commandant de…*

Désolé… chers auditeurs… je m'efforce d'économiser… mon souffle… alors que nous tentons… de distancer ces gardes…

Par ici ! Par ici ! Regardez, on évacue quelqu'un en civière. Le blessé est escorté de plusieurs soldats. Nous tentons de nous approcher pour… Le Gouverneur Jassal ! Le Gouverneur Jassal est évacué de son bureau en civière. Je vous le confirme ! Il semble inconscient et présente de nombreuses blessures. Un pansement imbibé de sang couvre la moitié de son visage.

Laissez-moi ! Je… Chers auditeurs, on nous expulse de l'enceinte du Bureau, mais je vous le confirme, le Gouverneur Jassal a été mutilé dans un attentat aujourd'hui, vers midi trente, lorsque, vraisemblablement, une bombe a explosé, le blessant grièvement.

Ici Charal Assaldion, pour Tharisia Press*, nous vous rejoindrons avec plus de détails d'ici peu.*

***

Laïka rangea lentement son réseau dans l'une des poches de sa veste. Son regard, d'habitude pétillant, s'assombrissait. Elle se leva et tourna sur elle-même, donnant l'impression de vouloir se repérer, avant de s'arrêter dans la direction d'où j'avais entendu l'air vibrer quelques minutes plus tôt. Dans la direction du Haut-Plateau.

– Que se passe-t-il, Laïka ?

Sa conversation, presque monosyllabique, m'avait fichu la trouille. Sous un ciel sans nuage, Laïka s'était mise à fouiller l'horizon des yeux, guettant un orage invisible.

– Oh Seki, entama-t-elle lentement. Une bombe a explosé… avec notre manifeste.

Quelques longues secondes s'égrenèrent avant que je ne digère l'information.

– Attends… Tu veux dire que… ?

– Quelqu'un a commis un attentat contre le Gouverneur. On a piégé notre manifeste…

Les mots me bousculèrent. Alignés ainsi, ils n'arrivaient pas à former un sens cohérent dans mon esprit. Comme j'ouvrais la bouche pour questionner davantage Laïka, son réseau émit d'autres bips et elle répondit, se livrant à nouveau à une conversation que je ne perçus pas.

Sur mon siège, les jambes toujours pliées contre la rambarde métallique, j'arquai le cou pour observer l'horizon. N'était-ce pas une volute de fumée que j'apercevais au loin, dans la direction qu'empruntait le monorail ?

– Seki, fit Laïka, me tirant de mes pensées. Viens. Nous connaissons des endroits où nous cacher.

– Nous cacher ? balbutiai-je.

– Oui. Pour l'instant, il n'y a pas d'autres choix.

– Mais nous n'avons rien fait.

— Tu as signé le manifeste, Seki, dit-elle d'un air désolé. Nous sommes probablement tous recherchés à l'heure qu'il est.

Laïka se pencha sur moi et saisit ma main, me forçant à me lever, à la suivre. D'un mouvement plus brusque que je ne le souhaitais, je me défis de son emprise.

— Que fais-tu Seki ? Nous sommes en danger maintenant. Il nous faut fuir.

— Fuir ? répétai-je, les poings serrés le long du corps.

La colère qui prenait de l'expansion dans mes entrailles court-circuitait les mots dans ma tête. Aussi, j'explosai lorsque Laïka posa à nouveau la main sur mon avant-bras.

— C'est Kodos ! C'est ton salaud de frère qui a piégé notre message.

— Seki, de quoi parles-tu ? Kodos ne ferait pas une telle chose.

— Si, il l'a fait. Sa haine est trop grande. Il n'a pas pu accepter votre nouvelle voie.

J'en savais quelque chose. Myr, à la maison, m'apparaissait de plus en plus comme une réplique de Kodos, au féminin et en miniature.

Laïka tenta maintenant d'attraper mes épaules.

— Cesse de dire des sottises. Celui qui a fait sauter cette bombe nous a tous condamnés à la clandestinité. Kodos n'aurait pas fait ça. Il n'aurait pas osé nous mettre en péril.

Après le brouhaha de départ dans ma tête, la colère laissait place à une clarté désarmante. J'avais traversé la tempête et je flottais à présent dans l'œil du cyclone de ma rage.

— Oui, il l'a fait, dis-je en m'échappant de nouveau. Kodos est dangereux. Il n'a pas accepté de perdre de l'influence sur votre mouvement et il nous a tous précipités dans ce piège. Nous ne pouvons plus reculer et n'avons plus le choix de nous joindre à lui. C'est ce qu'il a planifié, Laïka.

– Tu es sous le choc, Seki, viens avec moi.

– Tu vas continuer à le suivre aveuglément ? Tu vas le laisser t'entraîner plus loin encore dans cette folie ?

– Seki, nous verrons en temps et lieu, s'énerva-t-elle. En attendant, nous devons nous cacher et la meilleure chose à faire est de venir avec nous.

Une bourrasque de vent poussa ses longs cheveux blonds sur son visage, l'aveuglant momentanément.

– Non, je ne viendrai pas avec vous...

Je pivotai avec violence, envoyant ma chaise gratter la céramique de la galerie. Laïka m'appela encore depuis la rambarde, mais je restai sourde à ses supplications. C'est ça, pensai-je, ou je reviens pour te casser la figure. Moi qui n'avais jamais voulu me mêler à leurs histoires, voilà que j'étais impliquée dans un attentat à la bombe contre le Gouverneur d'Averia. J'éprouvais seulement l'envie de secouer méchamment Laïka jusqu'à ce que mes forces me désertent.

La colère vibrait en moi comme une pulsation. Elle s'agitait au même rythme que le sang qui cognait dans mes tempes. Je dévalai en vitesse les escaliers du pavillon des sciences, poussai avec force la porte principale et me retrouvai sur le campus. Fendant la foule qui, réseau contre l'oreille, apprenait la nouvelle de l'attentat, je me sentis surfer sur l'onde de choc, suivant l'écho que produisait l'improbable événement dont j'étais indirectement à l'origine.

Des étudiants étaient en larmes. Impossible de discerner s'il s'agissait de larmes de joie ou de tristesse. D'autres se réjouissaient plus ouvertement, mais la plupart semblaient sous le choc. Je déambulais à travers les petits groupes incrédules qui se créaient au fil de la propagation de la nouvelle. On m'apostropha à plusieurs reprises pour m'informer, mais je repoussai brutalement tous ceux qui s'approchèrent trop près de moi. Je n'avais envie de parler à personne, et encore moins qu'on me colle un grand sourire et des yeux stupides dans le visage. « As-tu entendu ? Le Gouverneur est mort ! »

Comme je m'apprêtais à quitter le campus, j'aperçus une patrouille tharisienne qui remontait l'artère principale de la colonie. Un fourgon complet qui filait à toute allure vers l'université.

Où allais-je, comme ça ? pris-je conscience. À la maison ? C'était le premier endroit où les Tharisiens viendraient me chercher. Je pouvais sans doute compter sur mes doigts les minutes dont je disposais pour me balader à découvert. Très bientôt, ma photo serait tapissée partout sur le réseau.

D'instinct, je reculai. Probablement remplis de soldats tharisiens, les camions qui roulaient vers l'université me donnaient envie de fuir en sens inverse, de m'engouffrer dans les entrailles du campus. Si c'était la rafle qui commençait, si, déjà, ils avaient pu mettre la main sur la liste des signataires de ce fichu manifeste, ils fouilleraient le pavillon des sciences en dernier.

Pivotant sur moi-même en une volte-face nerveuse, je m'élançai sur la colline qui menait à ma faculté, mes vieux souliers mordant mollement l'herbe fraîche que les fourgons tharisiens ne manqueraient pas d'écraser d'ici quelques minutes.

* * *

Les vitres volent en éclats, imperceptiblement suspendues dans le vide quelques microsecondes avant d'être projetées dans tous les sens, comme des milliers de petits poignards miniatures. Puis viennent les gravats, les morceaux de bétons arrachés du Bureau du Gouverneur, soufflés, ouvrant une plaie béante dans la façade de l'édifice. L'explosion, remarquai-je avec surprise, ne ressemble pas à une énorme boule de feu. On dirait plutôt une bulle d'air qui éclate dans la vase avec violence.

— J'espère que ce salaud est mort, murmurai-je pour moi-même.

D'une touche sur le clavier de mon réseau, je relançai pour la énième fois la vidéo de l'attentat. Dérobées dans le système de sécurité tharisien, les images de l'explosion circulaient dans la messagerie d'à peu près tous les habitants d'Averia. Dans la classe, le chaos régnait. Incapable de contenir ses élèves, Mlle Cyns avait déserté son poste quelques minutes plus tôt et suppliait probablement notre directeur d'intervenir pour ramener le calme. Si les quelques miches de pains que j'avais bousillées la veille l'avaient terrorisée, je n'osais imaginer ce qu'elle pensait de cette bombe.

Derrière moi, quelques élèves se précipitèrent contre la fenêtre pour observer les transporteurs de troupes qui traversaient la rue dans un ouragan de sirènes. Ils passèrent si vite que j'en ressentis la vibration à travers mes bottes.

Enfin ! pensai-je. Quelqu'un s'était décidé à lancer le signal de départ. Cet attentat résonnait dans mon crâne comme une détonation, comme une déclaration de guerre. Nous avions pris l'ennemi par surprise. Nous avions ouvert une brèche dans ses défenses. Nous l'avions frappé là où il ne pouvait s'y attendre. Il ne restait plus qu'à s'engouffrer dans ce trou béant et à attirer tous les Humains avec nous dans l'insurrection. Provoquer l'avalanche. Ensevelir l'ennemi sous notre nombre.

Je trépignai d'impatience. J'avais hâte de raconter tout ça à Seki. Elle n'approuverait certainement pas, mais au moins elle réagirait, non ? Il fallait que cet événement ne la laisse pas indifférente.

Comme je répétai à nouveau la lecture de la vidéo, mon réseau émit une série de bips.

Je recevais un message. Un frisson me parcourut les bras lorsque j'en visionnai le contenu. Son auteur était un de mes contacts dans un petit groupe de résistance. Nous avions fait connaissance, de façon anonyme, il y a quelques mois de cela, alors que je commençais à publier et à échanger des textes contre l'occupation illégale des Tharisiens.

Connais-tu un endroit où nous pouvons nous cacher ?

Le Front de Libération d'Averia était-il à l'origine de l'attentat ? Ma nuque se mit à me démanger. Ces étudiants idéalistes étaient passés à l'acte. Ils avaient entrepris une action radicale, une action qui allait nous libérer de nos oppresseurs. Autour de moi, un débat semblait s'envenimer au sujet des conséquences qu'aurait l'explosion sur nos relations avec l'occupant sur Averia.

Oui, lui répondis-je.

***

La nuit tombait sur le campus et je guettais depuis l'ombre. Toute la journée, j'avais observé les manœuvres des Tharisiens. Ils avaient contrôlé beaucoup d'étudiants, mais peu étaient repartis, pieds et mains entravés, à bord d'un des fourgons. Cependant, à cause de la distance, il m'était impossible de savoir si les Humains capturés pendant la rafle appartenaient au Front de Libération d'Averia. Il ne me semblait pas avoir discerné de tignasse blonde ou de crâne rasé s'engouffrer à l'intérieur des véhicules.

À deux reprises, j'avais failli être prise dans les filets des soldats. La première fois, alors que j'observais bêtement un groupe que les Tharisiens avaient aligné contre le mur de la faculté d'en face, un garde m'avait aperçu sur mon promontoire et m'avait hélé. J'avais détalé sans demander mon reste. Ils avaient ensuite investi le pavillon des sciences et je n'ai pas trouvé de meilleure idée que de me cacher dans les toilettes. C'était d'un ridicule consommé, mais ça avait fonctionné.

À présent, je grelottais. La température avait chuté depuis le coucher du soleil et je n'étais pas vêtue très chaudement. Je portais ma chemise blanche et un short noir. Le matin même, je ne m'imaginais pas rester longtemps à l'université et encore moins figurer sur une liste de terroristes recherchés. Agenouillée dans le recoin d'un mur, camouflée par de grandes plantes vertes, je me cachais. Repliée sur moi-même, je tentais tant bien que mal d'utiliser ma chaleur corporelle pour me réchauffer.

Devant mes yeux, les derniers étudiants du cours d'arts martiaux quittaient le bâtiment. Ils discutaient avec agitation, le timbre de leur voix se faisant discret mais animé. Je ne percevais rien de leurs propos, mais je pouvais aisément deviner la nature de leur conversation. Peut-être même avaient-ils appris que j'étais recherchée pour mon « implication » dans l'attentat. Après m'être assurée qu'ils étaient bel et bien partis, je dépliai les jambes et me faufilai à l'intérieur du bâtiment.

Marchant à pas feutrés, je glissai à travers les corridors, me rendant compte que j'ignorais ce que pouvait bien faire mon maître après la séance d'exercices. Passant prudemment devant les vestiaires encore humides mais vides, je le trouvai agenouillé, dos à moi, dans la salle de classe. Il méditait.

Je restai là, interdite, n'osant pas interrompre son recueillement. Mon regard se promena sur les draperies qui ornaient les murs. Cela avait d'abord été une salle de classe et, malgré les équipements et les décorations qu'on avait placés ici, je pouvais toujours reconnaître la fonction initiale de cette pièce. Néanmoins, avec les lumières éteintes et le vieil homme qui méditait en plein centre du dojo, j'avais maintenant l'impression de m'être introduite dans un temple ancien. Je venais de pénétrer dans un endroit sacré et je n'étais pas la bienvenue. Lentement, je rebroussai chemin.

— Viens t'asseoir, Seki Jones, m'ordonna le maître avec calme.

J'obéis, à peine surprise d'avoir été découverte alors que le vieil homme n'avait pas esquissé le moindre mouvement. J'allai m'asseoir, face à lui, imitant sa position. Intimidée, je gardai le silence. Il finit par entrouvrir les yeux, m'observant tranquillement.

— Maître, je...

Il m'interrompit. Portant un doigt à ses lèvres, il me signifia de me taire.

— Qu'y a-t-il en toi en ce moment, Seki ?

— Je... je l'ignore, maître, fis-je après un moment d'hésitation.

Cette réponse ne sembla pas le satisfaire.

— Regarde en toi. Tourne ton regard vers l'intérieur et dis-moi quelles émotions te traversent.

Comment faire ? J'ignorais comment obéir à mon maître. Je commençai néanmoins par fermer les yeux. Il me semblait que ce serait un bon départ. Un regard intérieur... Manifestement, il savait au sujet de l'attentat, et on l'avait sans doute avisé que j'étais du nombre des conspirateurs.

Qu'est-ce que je ressentais en ce moment ? De la peur ? La crainte d'être emprisonnée pour un crime que je n'avais pas commis. L'inquiétude de précipiter les Tharisiens sur ma famille, de projeter le malheur sur ma maison. L'appréhension qu'il arrive quelque chose de mal à Myr et à papa par ma faute ?

— De la colère, maître. C'est ce que je ressens.

Le vieil homme expira longuement.

— Je vois...

Ce n'était pas la réponse qu'il attendait. Pourtant, c'était également ce que je ressentais. De la colère contre Laïka, pour m'avoir entraînée dans cette histoire sordide.

Oh, et je vouais maintenant une haine viscérale pour Kodos, celui qui nous avait tous pris au piège avec cet attentat.

— Et qu'es-tu venue chercher ici, Seki ? me demanda mon maître.

— J'ai… j'ai besoin d'un endroit. Un endroit où me cacher.

Le vieux maître d'arts martiaux demeura muet pendant ce qui me sembla une éternité. L'épaisseur de ce silence remplit peu à peu la pièce jusqu'à en compresser ma poitrine. Juste au moment où j'allais m'excuser et le prier d'oublier ma requête, il se leva. Je restai assise. Il me considéra encore un long moment. Ma gorge, si sèche, avala douloureusement une absence de salive dans mon palais.

— Viens, finit-il par dire. Je vais t'héberger un moment.

* * *

J'écoutais Charal Assaldion sur le réseau et je me régalais de la panique générale qui transpirait du côté des Tharisiens. Quelqu'un avait flanqué un bon coup de pied dans leur fourmilière et maintenant les insectes couraient dans tous les sens.

Sur Tharisia, le Conseil de l'Alliance a vigoureusement dénoncé cet attentat injustifié et a promis que les auteurs de ces exactions ne resteraient pas impunis. Les membres du Conseil ont néanmoins refusé de préciser la nature des mesures qui seront prises pour intervenir sur Averia.

Nous avons également été incapables de joindre les Amiraux pour obtenir une réaction de leur part au sujet des événements d'aujourd'hui.

Qu'ils votent toutes les mesures qu'ils désirent, me dis-je. Cela ne changera rien au succès de notre révolution. J'éloignai un peu mon visage de l'écran. Mes yeux commençaient à chauffer après avoir eu le nez collé au réseau toute la journée. Seule dans la cuisine, je lançai un œil par la fenêtre qui donnait sur la rue. Seki n'était toujours pas rentrée et le plat de nouilles que je lui avais préparé refroidissait sur la table.

Bah, pensai-je en haussant les épaules. Elle n'aura qu'à le réchauffer.

Sur Averia, nous avons appris que le Gouverneur Jassal, bien que grièvement blessé, repose dans un état stable dans un hôpital dont la localisation exacte est gardée secrète. Il aurait repris connaissance tard dans la soirée et ne présenterait pas de séquelles physiologiques graves. Il serait encore en possession de toutes ses capacités mentales.

J'étais un peu déçue, mais ce demi-succès n'empêcherait pas la population de se rallier à nous lors du soulèvement.

Fatiguée, j'envoyai mes bras vers le plafond et m'étirai un peu. Un agréable picotement parcourut ma colonne vertébrale de bas en haut.

Les forces tharisiennes nous ont appris qu'ils ont mis la main sur plusieurs des membres impliqués dans l'attentat de ce matin. Le document piégé à l'origine de l'explosion a été intercepté sur le réseau dans sa version électronique. Selon toutes vraisemblances, la tentative d'assassinat aurait été perpétrée par un regroupement d'étudiants universitaires. Des sources au sein des forces de sécurité nous ont toutefois informés que les éléments-clés du Front de Libération d'Averia seraient toujours en liberté.

Bonne chance pour les retrouver, pensai-je. Je les ai mis en contact avec des gens plutôt doués pour se cacher. À l'écran, ils commencèrent à faire défiler des images des révolutionnaires. J'ouvris grand les yeux. Je ne voulais rien manquer de ce qu'ils diffusaient. Pour la première fois, j'avais l'occasion de contempler les visages des contacts avec qui j'avais tant échangé au sein de cette organisation.

Sont activement recherchés et considérés comme étant très dangereux les terroristes suivants : Kodos Ivaron, agitateur très populaire dans le milieu étudiant, sa soeur Laïka Ivaron, ainsi que Seki Jones. Si vous possédez des informations sur...

La photo de ma soeur apparaissait à l'extrême droite de l'écran. Je n'entendais plus rien de ce que disait le journaliste. Le monde s'était brutalement immobilisé. Averia inversait son axe de rotation. La galaxie tournait tout à coup en sens inverse. L'univers, soudainement, venait de stopper son expansion. Seki avait fait sauter une bombe chez le Gouverneur.

Je ne comprenais pas.

Il s'agissait pourtant bien de Seki. La photo, vraisemblablement tirée des archives de l'université, ne trompait pas. C'était ma soeur. Les cheveux brun foncé tombant sur les épaules, le demi-sourire un peu timide, les yeux sérieux. Avec la mention « terroriste recherchée » défilant sous son prénom. Ma soeur. Celle qui a passé la majeure partie de son existence à me convaincre que j'étais la plus idiote des gamines d'être en colère contre l'occupation tharisienne. Celle qui m'a fait enrager un peu plus tous les jours avec son indifférence et son inaction.

Un bouillonnement de rage gonflait en moi. Pourquoi ne m'avait-elle jamais rien dit ? Pourquoi ne m'avait-elle jamais impliquée dans ses projets ? Pourquoi ne m'avoir jamais montré qu'elle partageait les mêmes convictions que moi ?

Mes pensées bourdonnaient de plus en plus intensément. Pourquoi, si elle détestait elle aussi autant les Tharisiens, avait-elle systématiquement écrasé chacun de mes espoirs ? Pourquoi avoir fourni tant d'effort à massacrer mes opinions sur la liberté et l'insurrection ? Pourquoi s'était-elle entêtée à m'ignorer aussi ouvertement si c'était pour ensuite aller foutre une bombe chez l'ennemi ?

Fallait-il qu'elle me haïsse à ce point ? Fallait-il qu'elle me déteste au point de me tenir à l'écart de ses activités clandestines, alors qu'elle savait pertinemment que cette cause était ce qu'il y avait de plus cher à mes yeux ?

Bien sûr, idiote, pensai-je. Tu sais *exactement* pourquoi Seki agit de la sorte.

Laissant échapper un cri de rage, j'attrapai l'assiette tiède qui gisait sur le comptoir et la balançai de toutes mes forces contre l'écran de la cuisine. Sous l'impact, l'écran de verre se fêla sur toute sa longueur, du coin supérieur gauche jusqu'en bas, à droite, fissurant cet imbécile de Charal Assaldion en plein dans son visage désertique de Tharisien. Les couleurs de l'image se contorsionnèrent un moment, passant du bleu au rouge, avant de s'éteindre dans un sifflement.

Je restai figée devant le panneau noir, le reflet de ma silhouette ayant remplacé le journaliste entre les fêlures grimaçantes.

Deuxième partie

Sortir de l'ombre

Il est normal d'avoir peur. Peu d'entre nous possédons suffisamment de volonté pour rassembler le courage de se dresser contre les injustices qui sévissent en ce monde. Il est normal de craindre les conséquences. Car les conséquences sont nombreuses et intimidantes : la clandestinité, l'emprisonnement, et peut-être même la mort.

Nous ne sommes pas tous appelés à être de grands guerriers courageux. Nous ne sommes pas tous taillés dans le roc qu'il faut pour envisager toutes ces conséquences néfastes et se dire tout de même : Il faut que je le fasse ! C'est un lourd sacrifice que d'entreprendre une telle mission. La mission de poser un geste radical et significatif. Un geste qui deviendra un phare, un cri de ralliement pour la population.

Ce n'est heureusement pas notre responsabilité à tous de poser de tels gestes. Cependant, lorsque des individus extraordinaires prennent le risque de se découvrir et de se sacrifier pour notre cause, il est de notre devoir de les appuyer.

Lorsque des gens uniques et exceptionnels soulèvent le fardeau pour nous tous, quand ils brisent la glace et nous ouvrent la voie, il est de notre devoir, à vous et moi qui avons la chance de ne pas avoir à être courageux, de suivre ces leaders.

C'est ce que Seki Jones a fait pour nous. Elle a fait l'impossible sacrifice du premier geste. Elle a donné le signal de départ. Elle a annoncé la grande vague qui engloutira nos oppresseurs.

Elle est finalement sortie de l'ombre.

Suivons-la dans la lumière.

* * *

— Aviez-vous connaissance des activités clandestines de votre soeur ?

— Non.

C'était la troisième fois qu'ils me posaient la question, mais je sentais qu'ils commençaient à y mettre moins de conviction qu'au début de l'interrogatoire. Peut-être que mon costume de jeune écolière effrayée les avait convaincus.

— Nous avons pourtant intercepté de nombreux messages incitatifs et haineux en provenance de votre réseau.

— Je n'y suis pour rien, monsieur, je ne comprends pas non plus, fis-je, la voix presque brisée.

Mes deux interrogateurs échangèrent un long regard. Je sentais les secondes s'écouler lentement. Cela faisait maintenant une heure qu'ils me posaient les mêmes questions et que je ne démordais pas de mon personnage.

— Myr, vous n'avez pas à défendre votre soeur. Nous trouvons très étrange que vous n'ayez jamais soupçonné les relations que Seki entretenait avec le Front de Libération d'Averia.

— Non monsieur, elle n'en a jamais rien laissé transparaître.

C'était la pure vérité.

— Dans ce cas, vous pouvez peut-être nous aider à la retrouver.

Je les regardai, l'air inquiet.

— Si vous mettez la main dessus, qu'allez-vous lui faire ?

— Nous désirons seulement l'aider, Myr. Nous souhaitons démêler avec votre soeur ce qui s'est passé et ce qui a mené à ce malheureux incident avec le Gouverneur.

Oui, bien sûr, pensais-je. Vous ne lui voulez que du bien. C'est évident. L'autre Tharisien, celui qui parlait moins souvent, prit la parole. Ses yeux, profondément enfoncés derrière ses orbites, me fixaient intensément.

— Alors, que pouvez-vous nous dire sur les habitudes de Seki ? Quels étaient les endroits qu'elle fréquentait le plus souvent ?

J'observai le gobelet transparent qu'ils avaient placé sur la table devant moi. À l'intérieur, un liquide mauve le remplissait. Sans doute du jus. Je le portai à mes lèvres et en pris une gorgée prudente.

— D'après ce que j'en sais, elle étudiait le jour à l'université et travaillait le soir chez Averia Composante.

— Nous savons déjà tout ça, Myr. Il nous faut davantage de détails. N'y avait-il aucun autre endroit que votre soeur affectionnait ? Un passe-temps qu'elle pratiquait ? Des amis avec qui elle sortait ?

J'eus une seconde d'hésitation et ce fut une erreur de ma part. Les Tharisiens s'en rendirent compte immédiatement. Si je ne disais rien, ils sauraient que je leur cachais quelque chose. De toute façon, si ce n'était pas déjà fait, ils contre-vérifieraient tout ce que je leur rapportais et reviendraient à la charge plus tard.

— Eh bien, je sais qu'elle passait beaucoup de temps à s'entraîner dans un gym à l'université. Elle y suivait des cours d'arts martiaux.

L'un d'eux, le Tharisien silencieux, prit des notes.

— Nous vous remercions de votre collaboration, Myr. Nous avons terminé pour l'instant. Ça ne vous ennuie pas d'attendre ici le temps que nous remplissions les formulaires pour votre libération ?

– Où est mon père ?

– Son interrogatoire n'est pas terminé, mais je suis certain que vous pourrez tous les deux ressortir très bientôt.

Ils me laissèrent dans la salle déserte. Joignant les mains, je baissai la tête. J'étais probablement toujours observée. Filmée peut-être. Je devais arriver à cacher mes expressions. Qui sait combien de temps encore on allait me laisser moisir dans cette pièce.

Les Tharisiens n'avaient pas perdu de temps pour éplucher tout ce qu'ils avaient pu trouver sur Seki. Ils avaient bien évidemment commencé par scruter l'utilisation que nous faisions du réseau. Pour l'instant, ils semblaient penser que c'était Seki qui publiait tous ces tracts sur la résistance. Tant qu'ils n'iraient pas enquêter sur moi à l'école, ils continueraient de croire ma sœur coupable.

Je prenais d'ailleurs plus de précautions. Si jamais les Tharisiens surveillaient toujours notre réseau, il serait dangereux de ne pas modifier mes habitudes. Ainsi, la nuit où j'ai appris que Seki était recherchée pour terrorisme, j'ai commencé à installer des leurres sur nos systèmes. Ça ne repousserait pas les investigations de décrypteurs particulièrement décidés à percer à jour l'utilisation que j'en faisais, mais ça maintiendrait au moins les apparences.

Je m'expliquais encore mal le comportement de Seki, mais j'étais également capable de comprendre que, bien qu'elle m'ait tenue à l'écart jusqu'à maintenant, son acte constituait une occasion à saisir. Grâce à elle, nous étions un peu plus près de la révolution tant attendue. Cela ne m'apporterait rien de bouder dans mon coin. Seki changerait peut-être le monde. Je n'allais pas laisser ma jalousie m'empêcher de participer à cet événement grandiose.

Je souris malgré moi. Cette situation m'amusait. Je pouvais bien jouer la petite humaine soumise et terrifiée pour l'instant. À l'heure de l'insurrection, les Tharisiens se traîneraient à mes pieds. Me rappelant les caméras, je penchai la tête, utilisant mon épaisse chevelure noire comme camouflage et me forçant à reprendre mon air vaguement inquiet de jeune écolière effarouchée.

On vint me chercher. Deux gardes m'escortèrent et m'amenèrent jusqu'à l'entrée du bureau de sécurité où mon père s'entretenait avec d'autres Tharisiens. Son regard enfoncé, ses épaules affaissées, son dos courbé me donnèrent des envies de meurtre. Il s'agissait de son attitude habituelle en présence de l'ennemi. J'observai les Tharisiens qui l'entouraient et je ne pus réprimer un frisson d'inconfort. Quelque chose dans leur apparence m'avait toujours beaucoup troublée. Ils marchaient, bougeaient et respiraient comme nous, mais leur peau dure et sèche faisait naître un profond dégoût en moi. Ils avaient un quelque chose de contre-nature et j'avais beaucoup de difficulté à supporter leur vue.

Quand mon père me vit, il vint me prendre dans ses bras. Ses vêtements dégageaient une forte odeur de transpiration.

— Ça va, Myr ?

Je n'étais pas certaine de ce que signifiait cette étreinte. Était-ce un sursaut d'affection paternelle ? S'inquiétait-il réellement pour moi ? Je lui répondis que j'allais bien et nous prîmes congé des Tharisiens. Je ne pus faire autrement que de me sentir soulagée de quitter cet endroit. Une fois à l'air libre, mon père appela un taxi pour rentrer à la maison.

Il arriva tout juste comme une légère bruine s'abattait sur nous.

Nous descendions la grande allée principale dans le silence de l'habitacle insonorisé du taxi. De temps à autre, je jetais des coups d'oeil à mon père. Il semblait toujours aussi dévasté et n'avait probablement pas beaucoup dormi depuis qu'il avait appris que sa fille aînée était maintenant une terroriste recherchée.

— Que t'ont-ils posé comme questions ? finit-il par demander.

— Les trucs habituels. Si j'étais au courant, ce que je savais des activités de Seki.

Mon père se prit le front entre les mains.

— Bon sang… je n'y comprends vraiment rien.

Je haussai les épaules. Qu'y avait-il à comprendre ? Mon père poursuivit son monologue.

— Pourquoi a-t-elle fait ça ? murmura-t-il. Elle savait pourtant…

Que cela nous mettait en danger, complétai-je dans ma tête.

Mon père n'avait pas toujours été l'homme apathique qu'il était en ce moment. Il ne s'était pas toujours laissé écraser par les Tharisiens sans demander son reste. Il y avait eu un temps où il possédait encore le bon sens de se dresser contre nos envahisseurs.

J'avais huit ans à l'époque. Seki en avait donc douze. Notre père, Adrien Jones, s'était joint à une bande de révolutionnaires en herbe, d'autres hommes et femmes qui, comme lui, avaient combattu les Tharisiens pendant la guerre. J'ai toujours soupçonné une histoire d'amour derrière tout ça, mais mon père n'en a jamais réellement glissé mot. Il tentait évidemment de se faire discret sur ses occupations clandestines.

Je sais néanmoins que son groupe s'efforçait de faire payer aux envahisseurs les sévices que nous avons subis pendant la guerre. Loin d'être une organisation en mesure de changer réellement quoi que ce soit, la bande se contentait de déchaîner son agressivité sur les Tharisiens. C'est ce dont mon père avait besoin, j'imagine. Il désirait se défouler, se décharger de sa haine. Alors il participait aux lynchages et aux autres actes de vandalisme qu'orchestrait sa troupe.

Mais un jour, il fut pris en flagrant délit. Lui et sa bande furent capturés dans une rafle. Notre père, notre seule famille, nous était arraché. L'événement dévasta Seki. Nous étions toutes deux indignées, mais pour des raisons bien différentes. La capture de mon père nous jetait à la rue. Des amis de celui-ci nous recueillirent dans leur demeure, mais ils subsistaient déjà difficilement avant notre venue ; alors l'arrivée de deux gamines à leur table n'améliora pas leur situation. De plus, l'homme qui nous hébergeait buvait et malmenait sa femme. Il n'a jamais levé la main sur nous, mais nous étions tout de même terrorisées.

Seki rageait contre notre père. Elle passait ses journées à me répéter la même chose : « Il n'avait pas le droit ». Pour Seki, il n'avait pas le droit de nous mettre en danger. Elle prétendait que quand on aime sa famille, quand on désire la protéger, on ne s'acoquine pas avec des bandits. Ma soeur croyait qu'en choisissant de commettre ces actes, mon père nous avait abandonnées.

Il faut dire que nous n'avions aucune nouvelle de lui. Personne ne savait ce qui était advenu de notre père. Si quelqu'un nous avait appris qu'il serait libéré dans les six mois, nous aurions peut-être vécu cette épreuve différemment. Seki, elle, avait très mal. Je pouvais compter sur ma soeur pour prendre soin de moi et me réconforter, mais Seki n'avait personne.

C'est à cette époque qu'elle est devenue bizarre. Je n'étais alors qu'une gamine, mais j'avais tout de même deviné qu'un changement s'était opéré chez ma soeur. Quelque chose s'était transformé en elle. Elle avait pris une décision…

Mon père me tira de mes pensées et me ramena dans le présent.

– Myr, je peux te parler ?

Il semblait préoccupé.

– Oui ? fis-je.

Il détourna le regard et fit mine d'observer le paysage urbain d'Averia qui défilait mollement autour de nous.

– Les Tharisiens m'ont fait lire un texte. Un texte qu'ils n'ont pas tout à fait apprécié.

Ma gorge se noua. Mon père poursuivit.

– Ils m'ont posé beaucoup de questions, Myr. Ils se demandaient si c'était moi qui avais mis toutes ces idées dangereuses dans la tête de mes filles.

Mes mains griffèrent le tissu usé du banc du taxi.

– Je leur ai dit que c'était impossible. Pas depuis l'incident…

Il faisait référence à son incarcération. Mon père se retourna pour me regarder dans les yeux.

– Mais apparemment, j'ai signé ce texte. Il y a ma signature sur la feuille. J'en ai approuvé le contenu.

– Papa, je suis si désolée…

Il me dit que ça allait, que les Tharisiens l'avaient tout de même relâché, mais au fond de moi je savais qu'il mentait. Je venais encore une fois de prouver que je ne réussissais qu'à lui pourrir la vie. Une douleur familière se réveilla au creux de mon ventre.

Mon père passa une main dans mes cheveux noirs, ce qui ne fit qu'amplifier la sensation amère qui me dévorait l'intérieur.

* * *

Assise à même le sol, j'observais mon maître préparer une boisson chaude, une variété de thé un peu âcre que je n'avais jamais goûtée auparavant, sur la petite table de son salon. J'avais l'impression de vivre dans un songe. Comme si les événements précipités des derniers jours avaient eu lieu dans une vie précédente. La vraie Seki, celle dont la photo n'apparaissait pas chaque soir au bulletin de nouvelles, venait tout juste de se réveiller de ce mauvais rêve. Elle avait toujours vécu ici, dans ce jardin aux allures de temple paisible, et les improbables péripéties auxquelles elle avait pris part n'étaient que le fruit d'une désagréable méditation un peu trop agitée.

Hélas, j'avais conscience que le tourbillon dans lequel j'avais été aspirée demeurait désespérément réel. Ce havre de paix n'était que provisoire. Tôt ou tard, la tempête me rattraperait de nouveau.

Le repère dans lequel j'étais hébergée se situait en retrait de la ville, accessible seulement par une route secondaire peu fréquentée. À l'écart de la cité d'Averia, je me sentais isolée des événements qui s'y déroulaient. Les nouvelles de l'agitation qui y régnait ne me parvenaient que lors des rares fois où j'utilisais le réseau. Je préférais ne pas me sentir concernée par ce qui s'y passait.

Bien que mon maître m'ait accueillie et offert l'asile, je percevais tout de même une distance manifeste entre nous. Même lorsque nous nous adressions la parole, nos mots semblaient devoir franchir un fossé invisible aux proportions titanesques. Une coquille entourait mon maître. Rien de ce que je lui disais ne l'atteignait. Quelque chose le préoccupait, mais je ne pouvais deviner quoi exactement. Comme j'entretenais moi-même une carapace plutôt étanche, la communication se révélait difficile.

Mon bienfaiteur observait d'innombrables petites habitudes et sa journée complète m'apparaissait être un long rituel. Un long rituel que ma présence ne manquait pas de perturber, j'en étais consciente. Les quelques fois où mon maître discutait avec moi, il tâchait de me questionner subtilement. Il n'abordait jamais le sujet de l'attentat sans louvoyer, sans couvrir ses traces. Malheureusement, j'avais souvent l'impression de le décevoir au terme de ces interrogatoires masqués.

J'avais été surprise lors de mon arrivée dans la maison. Mon maître vivait seul, mais deux lits gisaient dans sa demeure. J'essayais de me convaincre qu'il était impossible qu'il ait pressenti ma venue.

Au cinquième matin de mon séjour dans son domaine, nous déjeunions frugalement, conformément à nos habitudes, mais une atmosphère glacée flottait dans la pièce. Mon maître me semblait encore plus contrarié qu'en temps normal depuis que je me cachais chez lui. Une fois la carafe de thé posée devant moi, j'osai briser le silence, espérant que des remarques anodines allaient m'aider à créer un meilleur climat.

— Ces galettes sont délicieuses, maître, fis-je en pigeant dans le plat qui trônait sur la table.

Il se contenta de hocher la tête, sans me regarder.

— Est-ce une recette de votre invention ?

Mon maître prit une longue gorgée de thé avant de me répondre.

— Non.

Je soulevai ma tasse à mon tour. Dehors, le chant des oiseaux se mêlait au vent qui soufflait dans les arbres. En buvant mon thé, je tentai de trouver une nouvelle réplique pour alimenter un embryon de conversation. L'idée me fit penser à Laïka, qui, au matin de l'attentat, s'efforçait désespérément de me faire parler. Ce souvenir m'aida à prendre la décision d'apprécier le silence.

Le vieil homme se leva après avoir achevé son déjeuner et alla à la grande fenêtre du salon, les lattes usées du plancher craquant sous chacun de ses pas. Il s'y arrêta et contempla ses jardins. Toujours interdite, je grignotai ce qui restait de ma petite galette.

— Jardiner est un art, Seki. Le savais-tu ?

Je terminai de mastiquer avant de répondre.

— Mon père jardine, fis-je.

C'était la meilleure réponse que j'avais pu trouver. Malgré ma bêtise, le maître des arts martiaux ne montra pas d'exaspération.

— C'est une discipline plus compliquée qu'il n'y paraît. Jardiner nécessite de faire des choix parfois déchirants.

J'imaginai mon père en train de planter ses légumes et il ne m'apparaissait pas particulièrement déchiré à l'intérieur. Mon maître dut percevoir mon incompréhension, car il tenta de préciser sa pensée.

— Le bon jardinier doit savoir différencier les bonnes et les mauvaises herbes. Les mauvaises pousses, lorsqu'elles sont toutes jeunes, sont dures à séparer des bonnes. S'il attend trop longtemps avant d'agir, les herbes indésirables auront trop étendu leurs racines et repousseront encore et encore.

Je devais avoir les yeux ronds. Il s'agissait de notre conversation la plus étoffée depuis plusieurs jours et mon maître me parlait de jardinage.

— Oui, c'est très fâcheux. J'imagine, fis-je.

Il se retourna vers moi, les yeux presque invisibles sous ses rides.

— Mais le jardinier doit également faire des choix plus difficiles encore. Parfois, même en présence de bonnes pousses, il lui faut choisir lesquelles vivront et lesquelles devront être arrachées.

— Pour ne pas que certaines plantes gênent la croissance des autres ? demandai-je, soucieuse de montrer que je suivais la conversation.

Mon maître se tut avant de hocher la tête lentement. Me faisant dos à nouveau, il prit la parole. Sa voix semblait lointaine et détachée.

— Je vais devoir m'absenter pendant un certain temps, Seki. D'ici là, sens-toi libre de faire ce qu'il te plaît.

Toujours assise, je le regardai quitter la pièce de son pas léger, un sentiment d'inquiétude indéchiffrable se logeant au creux de mon ventre.

* * *

Chaque jour, un peu plus des éléments agitateurs du Front de Libération d'Averia sont interceptés par les autorités, mais les membres dirigeants de cette cellule terroriste sont toujours en liberté. Nous sortons tout juste d'une réunion avec le Comité Central de Sécurité d'Averia où nous avons réussi à questionner le Secrétaire Adjoint aux Forces de Maintien de la Paix. Écoutons son entrevue :

– Nous maîtrisons la situation. Nous avons des preuves que l'attentat était l'œuvre d'un groupe isolé. Nous avons toutes les raisons de croire qu'ils ne possèdent pas les moyens de frapper à nouveau. Je répète, il s'agit d'un acte isolé qui ne correspond pas à un mouvement de fond en provenance de la population humaine.

– Monsieur le Secrétaire Adjoint, que faites-vous de la recrudescence des appels à la violence sur le réseau humain ? Ne craignez-vous pas que cet attentat ne serve de cri de ralliement pour la population ?

– Non, nous travaillons en parfaite coordination avec le Gouvernement Provisoire d'Averia, et les membres du gouvernement représentatif des Humains nous assurent que l'attentat n'est pas l'expression d'une colère réprimée à notre endroit.

– Oui, mais on ne peut pas nier la sympathie que gagnent les terroristes sur le réseau. Ne croyez-vous pas qu'un leader comme Seki Jones, qui est constamment encensé chez la résistance, ne devienne un porte-étendard pour leur cause ?

– Non, les membres élus du Gouvernement Provisoire…

– Justement, les membres de ce gouvernement humain n'ont-ils pas dernièrement perdu beaucoup d'appui au sein de la population ? D'après le plus récent sondage, fait au lendemain du veto imposé par le Gouverneur Jassal, plus de 42 % de la population se disait insatisfait du travail de leurs représentants. Il va

sans dire que ce score a dû empirer depuis la condamnation officielle de l'attentat par le Gouvernement Provisoire.

– Je m'en tiens à ma première déclaration, les membres du Gouvernement Provisoire nous ont assuré leur soutien indéfectible en ce temps de crise.

– Dans ce cas, Monsieur le Secrétaire Adjoint, puis-je vous demander si vous avez des nouvelles quant à l'état de santé du Gouverneur Jassal, et si vous savez s'il doit bientôt reprendre ses fonctions ?

– Le Gouverneur Jassal se porte bien et une annonce officielle concernant ses fonctions devrait être faite incessamment.

– Pourriez-vous commenter la rumeur selon laquelle les Amiraux auraient fortement suggéré la nomination d'Astran Karanth au poste de Gouverneur d'Averia ?

– Non, je n'ai pas entendu parler de cette rumeur et je ne suis donc pas en mesure de la commenter. Maintenant, si vous le voulez bien…

– Plusieurs observateurs croient qu'on nommerait Karanth en poste, car la crise serait plus profonde qu'il n'y paraît.

– Je vous répète que la situation est parfaitement sous contrôle. Ce n'est qu'une question de temps avant que tout ne rentre dans l'ordre.

– Pourtant, Karanth est tristement connu à travers l'Alliance pour les exactions commises sur Zarya. Sa nomination laisse présager que l'on s'attend au pire sur Averia.

– Les exactions supposément *commises sur Zarya n'ont jamais été confirmées et il s'agit là d'un dossier confidentiel et ultra-secret, Assaldion. Je ne crois pas que vous devriez aborder ce genre de sujet sur les ondes publiques…*

– Ne démentez-vous pas que la réputation d'Astran Karanth enverrait un message ambigu, dans le cas de sa nomination, à la

population tharisienne du Haut-Plateau ? « Vous n'êtes pas en danger, mais nous mettons en place le plus sanguinaire des Gouverneurs sur le trône. »

– En tant que Secrétaire Adjoint aux Forces de Maintien de la Paix, je continuerai d'offrir mon soutien au représentant du Conseil et des Amiraux sur Averia, peu importe qui est en fonction. Je ne commenterai pas ce genre de décisions. Cette entrevue est terminée, Charal Assaldion.

Nous avons également tenté d'obtenir une réaction de la part de l'entourage exécutif du Gouverneur Jassal à son Bureau sur la Place des Amiraux, mais personne n'a voulu se prêter à nos questions. Nous vous rejoindrons donc plus tard, lorsque nous aurons plus d'informations sur la nomination potentielle d'Astran Karanth. C'était Charal Assaldion, pour Tharisia Press. *Merci !*

* * *

Dans la noirceur du salon, je faisais les cent pas, le visage baigné dans la lumière émise par mon réseau, appuyant sur les touches du clavier à toute vitesse. En pivotant brusquement, j'heurtai le coin du divan et je consentis à m'y asseoir. D'un effleurement de l'écran, sans prendre le temps de le réviser, je libérai mon texte et l'envoyai se répandre dans le tumulte virtuel. Je venais de mettre la touche finale à un nouveau message. Un autre éloge de l'insurrection. Un plaidoyer pour le combattant. Seki, depuis sa fuite dans la clandestinité, se révélait une source inépuisable d'inspiration. Son histoire, de toute évidence, touchait une corde sensible chez la population. Il était difficile de déterminer avec exactitude l'ampleur que prenait le phénomène, mais mes textes étaient relayés comme jamais auparavant sur le réseau.

Je regardai un moment par la fenêtre. Il faisait nuit dehors et tout semblait paisible. À l'intérieur, je me réjouissais à l'idée que les Tharisiens devaient avoir le sommeil agité. Ils commençaient tout juste à comprendre ce qui allait leur tomber sur la tête. Le peuple humilié se vengerait de ses bourreaux.

La porte de la cuisine s'ouvrit à la volée et mon sang se figea, le temps que la silhouette de mon père apparaisse dans l'embrasure. D'un geste énervé, il retira sa veste et la laissa choir sur le divan sur lequel j'étais perchée. Sans me remarquer, estimai-je.

— Mauvaise soirée ?

À mi-chemin vers le réfrigérateur, mon père se tourna vers moi. Une vilaine rougeur colorait son visage, à peu près au même endroit où Seki portait une ecchymose quelques jours plus tôt.

— Que fais-tu debout à cette heure ? me reprocha-t-il.

— Congé demain.

Ne t'en fais pas, ajoutai-je pour moi-même. Tu ne m'auras pas dans les pattes toute la journée.

Mon père poursuivit sa route jusqu'au réfrigérateur et en matérialisa une bouteille de bière qu'il décapsula à la deuxième tentative. Il en avala une longue lampée.

— Dure soirée ? repris-je sur le même ton.

— Si tu savais. Tout le monde à l'usine ne parle que de *ça*…

Ça… La bombe, les Tharisiens, Seki…

— Comme tu dois être fier, soufflai-je à mi-voix.

La bouteille cogna durement contre le comptoir, me faisant prendre conscience trop tard des paroles qui s'étaient échappées de ma bouche.

— De la fierté, Myr ? Tu crois que c'est ce que je ressens en ce moment ?

Je retins les lames qui menaçaient de percer ma peau. Luttant contre mille pensées qui me brûlaient les yeux, j'ouvris la bouche pour m'excuser. Au même moment, mon réseau émit une série de bips.

— Je… je monte dans ma chambre.

Un « Je suis désolé, Myr » me suivit dans l'escalier, mais je me barricadai contre le reste de la litanie en refermant ma porte. Nerveuse, je pressai la petite tablette électronique contre mon visage.

— Myr, as-tu bien posé les leurres sur ton réseau comme je te l'ai montré ?

La voix, sèche et autoritaire, ne pouvait appartenir qu'à une seule personne. Kodos.

— Oui. Je crois que mon réseau est sécurisé.

Il sembla soulagé. Ce qui ne l'empêcha pas de m'expliquer à nouveau à quel point il était dangereux de prendre contact ainsi (même si c'était lui qui m'appelait...) et qu'il était d'une importance capitale que je prenne toutes les précautions nécessaires pour éviter que les Tharisiens n'interceptent ces messages.

— Alors, finis-je par lui demander, c'est pour bientôt ?

— L'insurrection ? Oui, Myr. C'est imminent.

C'était idiot, mais je tremblais de joie. Au lieu de me terroriser, l'idée de la violence qui se déchaînerait dans les rues d'Averia et du Haut-Plateau me stimulait. Nous allions faire subir l'enfer à nos ennemis. Je fermai les yeux un moment. Mon père faisait du bruit en dessous. Je priai pour qu'il ne vienne pas interrompre cette conversation.

— Quand ? m'enquis-je.

Kodos grommela quelque chose que je ne compris pas.

— Quelque chose ne va pas ?

— Nous n'avons pas encore atteint la masse critique. Ou en tout cas, c'est ce que prétendent Iberius et Leeven.

Iberius et Leeven, les résistants à qui j'avais recommandé Kodos et le reste du Front de Libération d'Averia.

— C'est là que tes efforts nous sont le plus utiles, Myr. Il nous faut d'abord rallier la population à notre cause.

Kodos Ivaron, le grand leader du Front de Libération d'Averia, l'homme qui allait amorcer la glorieuse insurrection, était fier de mes efforts. Une bouffée de chaleur envahit mon visage. Je me forçai pour ne pas paraître exubérante malgré l'émotion qui me gagnait. Après tout, peut-être déciderait-il de me tenir à l'écart s'il savait quel âge j'avais. Depuis notre rencontre sur le réseau, j'avais tout fait pour qu'il m'imagine un peu plus vieille. Agitée, je contournai mon lit pour me presser contre la grande fenêtre de ma chambre.

— Merci Kodos. Je prends ça très au sérieux. D'ailleurs, je crois que je commence à avoir un certain succès sur le réseau.

— Il y a une chose cependant…

Immobile, je retins ma respiration. Comme si mon souffle risquait de tout faire s'effondrer.

— Quoi ?

— Es-tu obligée de toujours parler de Seki Jones ?

Non, évidemment, il ignorait que Seki était ma soeur.

— Pourquoi ne raconterais-tu pas plutôt l'histoire des vrais combattants révolutionnaires ? Ceux qui se sont affichés clairement depuis le début ? Ceux qui résistent depuis la première heure ?

— Eh bien… parce que Seki est devenue un symbole, Kodos. La jeune étudiante qui décide que c'en est trop. Ça résonne davantage dans l'esprit des gens. Ce sont les citoyens ordinaires d'Averia que nous tentons de recruter. Cette image les interpelle. En parlant de toi ou des autres, on s'attire la sympathie des résistants. Ça ne sert à rien de convaincre ceux qui nous suivent déjà. Grâce à Seki, je peux aller chercher un plus grand public.

J'entendis Kodos soupirer.

— Ouais, c'est ce qu'on m'a dit ici aussi… Continue d'être prudente, Myr.

Il mit fin à notre communication, me laissant sourire stupidement à l'obscurité qui régnait sur la rue.

* * *

Je revenais d'une longue marche dans les jardins de mon maître. Ces promenades me plaisaient beaucoup. La végétation, mille fois plus variée que les quelques plantes rachitiques qu'entretenait mon père autour de la maison, débordait de vie. Au terme de mes visites, je conservais toujours l'impression que le parfum de cette flore luxuriante, qui poussait docilement sur le modeste domaine du vieil homme, s'accrochait à mes vêtements et à mes cheveux.

Seule depuis quelques jours, je passais de longues soirées immobiles à guetter le retour de mon maître. Regarder le réseau m'était maintenant insupportable. Les débordements de violence s'accentuaient de manière tangible. Les Tharisiens, nerveux, dispersaient tout rassemblement. Bientôt, il y aurait des blessés, j'en étais convaincue. De plus, entendre continuellement parler de la traque des dangereux terroristes, dont je faisais partie, me donnait la nausée. Alors, au lieu d'angoisser un peu plus chaque soir en regardant les actualités, je marchais. Je m'absorbais dans mes pensées, je relaxais dans la nature.

J'avais toutefois conscience de vivre sur du temps emprunté.

En pénétrant dans la maison ce soir, je remarquai que mon maître était rentré. Il m'attendait dans le salon exigu, pièce centrale de cet asile à l'écart de la cité. Je vins m'asseoir face à lui et je devinai à son air grave qu'il désirait m'annoncer quelque chose. Mes yeux s'attardèrent un instant à sa chevelure blanche, d'habitude si lisse, qui s'emmêlait aujourd'hui sur son crâne.

– J'ai pris une décision, Seki. Demain, j'irai te livrer aux Tharisiens.

Une sensation d'étourdissement m'envahit, comme si on venait de me propulser à une hauteur vertigineuse avant de freiner brusquement.

— Pourquoi ? parvins-je à articuler.

— Je crois que pour maintenir la paix, c'est la seule solution.

Ma bouche s'assécha aussitôt. Toutes mes forces m'abandonnaient. Une lourde chaîne s'enroulait autour de mon cou alors que j'essayais de comprendre quel voyage mon maître avait entrepris pour revenir avec une telle conclusion.

— Maintenir la paix ? Maître, je ne vous suis pas !

Le vieil homme croisa les bras derrière son dos. Sous ses rides, ses yeux étaient presque invisibles, m'empêchant de discerner où portait son regard.

— Tu as commis un acte dont les conséquences auront des proportions difficilement imaginables, Seki. Tant que tu es en liberté, tu es un danger pour nous tous.

— Mais… si vous craignez que les Tharisiens viennent vous arrêter, je vais m'en aller ! Je ne veux pas vous mêler à ça. Je suis désolée, maître. Je vais partir. Personne ne saura que vous m'avez hébergée.

Son visage se colora de rouge.

— Je n'aurais pas dû m'imposer à vous, continuai-je. Je suis si désolée. Je suis venue ici et j'ai troublé votre retraite. Je ne serai pas un fardeau pour vous. Je vais disparaître.

— Je ne peux pas te laisser partir, Seki. C'est… dangereux.

Quelque chose clochait dans l'attitude de mon maître, comme s'il tentait de se convaincre lui-même.

— Mais je ne suis pas une terroriste, maître ! Je n'ai rien à voir avec l'attentat. Tout ceci n'est qu'une grossière erreur.

Le vieil homme secoua lentement la tête.

– Je dis la vérité ! repris-je. Maître, m'avez-vous vu contacter d'autres « terroristes » depuis que vous m'hébergez ? M'avez-vous surprise à comploter pour faire exploser d'autres bombes je ne sais trop où ?

– Ça ne change rien, Seki…

– Ça ne change rien ? Mais ça change tout, il me semble ! Vous allez me jeter en prison alors que je n'ai pas commis l'acte dont vous m'accusez.

Mon maître se leva. J'aurais bien aimé le suivre, mais j'avais la ferme impression que mes jambes ne supporteraient pas mon poids.

– Seki… Ils ont mon petit-fils…

Il prit une longue pause avant de continuer.

– D'après les Tharisiens, même s'il était lié à la résistance, il ne représente pas de menace réelle pour la société.

Les implications de ce que me révélait mon maître s'enfoncèrent dans mon crâne. Mon regard s'accrocha aux tuiles usées du plancher alors que mes ongles en griffaient lentement le relief rugueux, suivant le bord de mes cuisses.

– Alors vous allez l'échanger contre moi, constatai-je platement.

Les épaules de mon maître s'affaissèrent.

– J'ai promis à ses parents de prendre soin de lui.

– C'est si injuste, murmurai-je. À vos yeux, je suis la mauvaise pousse, c'est ça ? Je dois être jetée entre les serres des Tharisiens, car j'ai commis un attentat à la bombe. Moi j'empoisonne le futur, alors que votre petit-fils, qui lui n'est qu'un peu impliqué dans la résistance, mérite d'être sauvé. C'est bien votre raisonnement ?

Il ne bougea pas.

— Mais je n'ai *pas* fait exploser de *foutue* bombe ! hurlai-je. Tout ça n'est qu'un horrible concours de circonstances.

— Je suis désolé, Seki.

* * *

Les travaux de reconstruction du Bureau du Gouverneur ont été très rapides. Il est difficile de deviner qu'une attaque à la bombe s'est produite dans le bâtiment. Autour de nous, la sécurité sur la Place des Amiraux est abondante. Des soldats armés encerclent le périmètre. Leur présence alourdit considérablement le climat qui règne sur cette assemblée. Malgré l'inquiétude généralisée, de nombreux citoyens du Haut-Plateau se sont déplacés pour assister à ce moment historique.

Rappelons qu'hier, dans le cadre d'une séance spéciale du Conseil de l'Alliance tharisienne, le Gouverneur Jassal a cédé officiellement ses fonctions politiques sur Averia. Les membres du Conseil l'ont aussitôt remplacé par Astran Karanth. Je vous rappelle que c'est sur nos ondes, avec votre hôte dévoué, Charal Assaldion, que vous avez entendu cette nouvelle en primeur. Le Gouverneur Karanth a donc prêté le serment de défendre et de représenter la population d'Averia au nom du Conseil.

D'après les informations qui ont filtré dans le public, le nouveau représentant de l'Alliance serait arrivé tôt ce matin de Tharisia. On nous a ensuite confirmé que Karanth tiendrait un discours inaugural avant d'entamer officiellement ses fonctions.

Je repère un mouvement dans les forces de sécurité situées sur l'étage du Bureau du Gouverneur. Une clameur autour de nous laisse présager que... Le voilà ! Le Gouverneur Karanth s'avance sur le balcon. Il s'apprête à s'adresser à nous. Nous lui cédons la parole.

– Citoyens d'Averia, dans leur grande sagesse, les membres du Conseil de l'Alliance tharisienne ont sollicité ma candidature au titre de Gouverneur afin que nous puissions, ensemble, résoudre la crise qui secoue cette planète. C'est avec honneur que j'ai accepté cette nomination.

J'ai juré d'user des pouvoirs de ma fonction afin de défendre et de protéger les citoyens de cette céleste Colonie. Historiquement, la mission du Gouverneur d'Averia consiste, en plus de voir au bien-être des Tharisiens établis en ces terres, de veiller à la cohabitation et au développement pacifiques des Humains et des Tharisiens. Je comprends les raisons d'une telle responsabilité. Toutefois, malgré tout le respect que je dois à mes prédécesseurs, nous sommes aujourd'hui forcés de constater que les efforts déployés jusqu'à maintenant furent un échec.

La cohabitation pacifique ne peut se faire au détriment de la sécurité de nos citoyens. Les Humains d'Averia sont un peuple vaincu. Ils ont perdu la guerre il y a vingt ans et nous avons fait l'erreur de nous montrer trop conciliants à leur égard. Certains éléments parmi la population humaine de cette colonie ne comprennent toujours pas la nature de la relation entre nos deux peuples et ne démontrent pas le degré de respect requis envers nos habitants et nos institutions.

C'est donc dans le but de remplir la double mission de protéger les Tharisiens et d'assurer la paix sociale dans l'ensemble de la Colonie que je proclamerai prochainement une série de décrets visant à rétablir l'ordre sur Averia.

Nous traverserons cette crise. Et lorsque ce sera fait, Averia sera un endroit plus sécuritaire pour nous tous. Un havre de paix où les Tharisiens n'auront pas à craindre les violences et pourront continuer de s'épanouir conformément à leur destinée.

Le Gouverneur Karanth retourne à l'intérieur de son bureau sous les applaudissements de la foule. J'ai avec moi Jorulia Vassal, ex-ministre sous le règne des Assalia et commentatrice indépendante des politiques du Conseil de l'Alliance. Honorable Jorulia, nos auditeurs et moi aimerions beaucoup recueillir vos impres-

sions à froid sur le court discours inaugural que vient de présenter le nouveau Gouverneur d'Averia.

– Écoutez Charal, je reste sans mot. J'ai peine à croire que la nomination de Karanth ait été entérinée par les membres du Conseil. Je crois que nous assistons présentement à la manifestation concrète de la métamorphose du paysage politique tharisien. Nous avons la preuve que le morcellement du pouvoir amorcé depuis le schisme de la Ligue Monarchique tire à sa fin. Le Conseil vient de subir une amère défaite dans sa guerre d'influence avec les Amiraux. En offrant le poste de Gouverneur à Karanth, le Conseil accepte de laisser entrer un pion ennemi à l'intérieur de sa forteresse. En faisant passer les intérêts des Amiraux avant ses propres choix politiques, le Conseil renonce à sa souveraineté sur le processus décisionnel de l'Empire. Cela démontre encore une fois à quel point le manque de cohésion ronge le système politique tharisien depuis l'exil de la dynastie royale et…

– Mais d'un point de vue plus local, plus près des considérations des habitants d'Averia, pourriez-vous nous donner votre appréciation du discours que vient de livrer Astran Karanth ?

– Charal, vous ne semblez pas comprendre que, étonnamment, ce qui se passe sur cette petite colonie a de très sérieuses répercussions sur le reste de l'Empire. Cette planète est le laboratoire des expérimentations politiques du Conseil et des Amiraux. Ce que nous observons ici, nous le verrons se répéter ailleurs.

– Je comprends votre attachement à la dynastie Assalia, mais le terme « Empire » n'est-il pas maintenant désuet ?

– Je ne crois pas en l'Alliance tharisienne. Cette union est illusoire sans l'autorité centrale, crédible et légitime que constituaient les Assalia et….

– Revenons-en tout de même au discours de Karanth, si vous le voulez bien. Quelles en sont les implications pour les habitants d'Averia ?

– Eh bien, même en essayant de mettre de côté les rumeurs qui circulent au sujet d'Astran Karanth, il m'apparaît évident que le nouveau Gouverneur compte régler la situation en utilisant la violence. Ce qui n'augure rien de bon, ni pour la population humaine, ni pour les Tharisiens du Haut-Plateau.

– Pour quelles raisons ?

– Parce que les Humains sont très nombreux sur Averia. Karanth pourra les garder sous contrôle tant qu'il aura les ressources pour le faire. Mais lorsque ses opérations de « pacification » commenceront à peser trop lourd sur le trésor, et lorsque l'opinion publique se sera lassée de voir ses soldats risquer leur vie pour cette colonie éloignée, même les Amiraux n'auront pas d'autres choix que de lui retirer leur support. Alors il pourrait devenir très dangereux d'être un Tharisien sur cette planète. C'est la stratégie classique des terroristes : frapper un symbole de l'oppresseur afin que celui-ci contre-attaque aveuglément, mobilisant ainsi la population, ralliant les Humains à la cause des rebelles.

– Alors quelles sont les options dont dispose Karanth ?

– Soit il gère la crise sans provoquer d'escalade de violence avec les Humains, espérant que la situation se résorbe d'elle-même, soit il frappe très fort. Mais ce genre d'assaut pourrait être très coûteux pour l'Empire.

– Vous voulez dire que beaucoup de soldats tharisiens y perdraient la vie ?

– Je veux dire qu'une telle répression sur Averia pourrait déclencher une guerre avec nos voisins humains. C'est une possibilité des plus probables. Une situation qui, bien évidemment, aurait eu peu de chances de se produire avec un pouvoir plus

rationnel, à même d'incarner réellement les valeurs et le prestige qui caractérisent notre grande nation.

– Merci beaucoup, Jorulia Vassal, d'avoir partagé avec nous vos impressions sur le discours du Gouverneur Karanth et, dans une plus large mesure, vos commentaires sur la situation politique de l'Alliance. C'est tout le temps que nous avions. Ici Charal Assaldion, pour Tharisia Press. »

***

Je n'ai pas fui pendant la nuit. Je ne me suis pas glissée par la fenêtre. Je ne me suis pas faufilée à pas de loup dans la demeure du maître afin de lui échapper en douce, furtivement dans l'obscurité. Je suis restée immobile dans ma chambre, guettant le moindre bruit. J'imaginais que mon mentor faisait la même chose. Observer chacun de mes gestes par les sons qui lui parvenaient de l'autre pièce.

Obstinément, je m'interdis de bouger. Était-ce là le comportement d'un leader terroriste coupable d'avoir fait exploser une bombe chez un chef d'État ? Était-ce la réaction qu'on attendait d'une personne ayant quelque chose à se reprocher ? Si j'étais si dangereuse, si j'avais à ce point épousé la cause de la rébellion, pourquoi est-ce qu'après m'avoir prévenue qu'on me livrerait à mes « ennemis », je restais ici, immobile ?

Il me semblait que la réponse était évidente : je suis innocente. Mon maître allait me jeter en pâture aux Tharisiens pour les mauvaises raisons. Toute la nuit, j'espérai que mon comportement lui ouvrirait les yeux. Mon acharnement à ne pas vouloir fuir lui prouverait mon innocence. Il changerait d'idée et accepterait que je quitte son sanctuaire sans qu'il ne lance les Tharisiens à mes trousses.

Mais le jour était venu. La lumière s'était glissée, rayon par rayon, dans la pièce. Elle s'était faufilée entre les feuilles des plantes, mettant en relief les particules en suspension dans l'air et déposant sur le sol, juste devant mes pieds, un éclairage jaune et chaud. Ce serait une magnifique journée. D'un point de vue météorologique seulement, ajoutai-je, le cœur amer.

Si ma non-fuite n'avait pas convaincu mon maître de renoncer à son projet, décidai-je, c'était parce qu'il avait intentionnellement choisi d'obscurcir son jugement. Il avait pris une décision. Il savait que j'étais innocente, mais il ne pouvait s'empêcher de me livrer aux Tharisiens en échange de son petit-fils. Malgré la fatigue, ces pensées traversaient mon esprit avec une clarté déconcertante.

Il me considérait comme la mauvaise pousse. Ou plutôt, j'étais la bonne pousse qu'il choisissait de sacrifier.

Aurais-je fait la même chose à sa place ? Je n'avais aucunement envie de justifier les actes de mon maître, mais je me mis tout de même à penser à Myr. Si elle avait été capturée par les Tharisiens, aurais-je trahi un innocent pour la sauver ?

Un bruit dans la pièce voisine vint me serrer le cœur. Très distinctement, j'entendis mon maître se lever et aller ouvrir une porte. Dans mes oreilles, cela sonnait plutôt comme le son d'une cellule qu'on verrouille. Dissipant le brouillard de la fatigue, l'étreinte glacée de la peur envahit mon corps. Il y eut des voix, une brève discussion, mais je ne parvins pas à isoler les mots, à construire des phrases avec ce que je percevais.

La porte s'ouvrit sur un Tharisien armé. Je me tenais agenouillée au milieu de la pièce, la tête légèrement baissée, les yeux relevés vers l'intrus. Il ne devait pas s'attendre à me voir dans une telle position résignée, car, instinctivement, il abaissa son désintégrateur. D'autres Tharisiens lui emboîtèrent le pas. Il y en avait maintenant cinq dans la chambre. Mais pas un mot n'était échangé.

Durant la nuit, je m'étais repassé mille fois le film de mon arrestation. J'avais imaginé une escouade enfoncer la porte, la faisant voler en éclats. Je me voyais hurler et reculer de peur pendant que des Tharisiens fonçaient sur moi. L'un d'eux me plaquait violemment au sol alors que les cris et les ordres fusaient tout autour. On me tordait les bras derrière le dos et on m'écrasait le visage contre le plancher de lattes. Je sentais les os de ma joue frotter contre le sol, j'avais l'impression que mon crâne allait céder sous la pression. Des menottes me saignaient les poignets et on me relevait sans ménagement. Pour me faire taire, un soldat me giflait et mes cheveux volaient dans un sens, puis dans l'autre. On me poussait ensuite brusquement à travers la maison. Les jambes affaiblies par la douleur et la peur, je trébuchais. Alors, on me flanquait de grands coups de pied dans les côtes. Je les sentais se fêler et se briser à chaque impact. Finalement, on me relevait, me tirant par les cheveux, pour ensuite me cracher au visage.

Mais ce scénario ne se concrétisa pas. Le calme et la lourdeur de l'ambiance donnaient à la scène une saveur irréelle. L'un des Tharisiens, le premier à être entré dans la pièce, avança vers moi. Les autres restaient vigilants et me pointaient de leurs armes.

— Veuillez nous suivre, Seki Jones, m'intima-t-il.

J'obéis sans protester. Je me levai lentement, dépliant mes jambes endolories. On me menotta, puis me guida jusqu'à l'extérieur. En passant devant mon maître, je fis bien attention de ne pas croiser son regard. Je ne voulais pas voir en lui de la sympathie ou de la compassion. Plus que tout, je refusais de lui donner l'occasion de s'excuser silencieusement de son geste. Je passai donc devant lui, l'ignorant ouvertement, savourant ma vengeance muette.

Merci beaucoup, vieux croûton, crachai-je depuis l'intérieur. C'est ainsi que tu mets en application la philosophie que tu nous enseignes ?

Dehors, un fourgon blindé m'attendait, le soleil matinal absorbé par son fini mat. D'autres Tharisiens tournoyaient autour de la maison de mon maître. Ils devaient avoir encerclé le bâtiment, craignant que je ne tente de fuir. Mes gardes me poussèrent sans trop de considérations dans le compartiment isolé du fourgon, me coupant de la lumière du jour. Peu de temps après, je sentis que nous nous déplacions.

Je perdis presque aussitôt la notion du temps et j'abandonnai l'idée d'estimer mentalement notre itinéraire. Les environs m'étaient trop inconnus pour que je puisse me repérer en me guidant seulement des vibrations du véhicule.

Après un temps indéterminé, je devinai que nous nous étions immobilisés pour de bon. On ouvrit la porte du compartiment blindé du fourgon et on me tira brusquement à l'extérieur. Escortée de plusieurs Tharisiens, on m'amenait dans un bâtiment que je n'avais encore jamais vu. Il régnait une certaine clameur autour de moi. Une foule s'était massée et des gens criaient mon nom. Me retournant à moitié, je vis un Tharisien tenter de franchir le cordon de sécurité.

– Seki! Seki! Ici Charal Assaldion de *Tharisia Press*, pouvez-vous répondre à nos questions?

Même si j'avais voulu m'adresser à ce journaliste, les Tharisiens qui m'amenaient dans le bâtiment accélérèrent. Du coin de l'oeil, je les vis également repousser violemment le reporteur. À l'intérieur, toujours escortée, on me fit suivre de nombreux corridors. Des tas d'écrans et de bureaux emplissaient les pièces que nous traversions. Des Tharisiens à l'air sérieux parlaient vivement ou écrivaient sur leur réseau. Je me trouvais sans doute dans un commissariat.

Les officiers des forces de l'ordre se retournaient sur mon passage, me jaugeant du regard. Je ressentais une franche hostilité. J'entendis quelqu'un crier quelque chose à mon endroit, mais je ne pus déchiffrer ce qu'il disait. Trop concentrée à me terrer derrière mes murailles intérieures, je tentais de filtrer tout ce qui me parvenait de l'extérieur. Aussi, je faillis ne pas remarquer lorsqu'un Tharisien me cracha au visage. Mon cœur se souleva à quelques reprises, mais je réussis à isoler et à masquer le dégoût que m'inspirait la salive qui coulait le long de ma joue.

J'arrivai dans un large bureau finement décoré. Contrastant avec les murs blancs et le mobilier épuré qui occupait le reste de l'immeuble, cette pièce me paraissait surchargée. De nombreux tableaux étaient accrochés aux murs vert sombre. Je remarquai qu'il s'agissait de véritables tableaux et non pas de simples représentations holographiques. Il y avait bien une grande fenêtre au bout de la pièce, mais de longs rideaux curieusement épais la dissimulaient. De petits luminaires sur pied projetaient une faible lumière dorée, mais n'arrivaient pas à éclairer toute la pièce. Au centre trônait un large bureau en bois massif avec une unique lampe.

Un Tharisien y était assis, confortablement logé au creux d'un spacieux fauteuil derrière le meuble. Il consultait son réseau personnel, mais le laissa de côté à notre arrivée. Il se leva et s'entretint avec l'un des gardes pendant un moment. Peu attentive à ce qu'ils disaient, j'étais absorbée par l'un des tableaux qui ornaient les murs de la pièce.

Il s'agissait d'un paysage aride. De grandes colonnes de roches s'élevaient du sol et donnaient l'impression qu'on avait peint les ruines d'un ancestral temple naturel. Cela me faisait penser aux images du Parthénon, sur Terre, que j'avais visionnées un jour à la bibliothèque. À travers les colonnes, au loin, on pouvait distinguer les bâtiments élancés d'une ville arrogante et sublime.

— Le *Falandrium*, expliqua le Tharisien à qui appartenait vraisemblablement le bureau. Un lieu hautement symbolique sur Tharisia. Mais, hélas, il n'existe plus qu'en hologramme. Ou en peinture…

Il s'était approché de moi alors que j'étais distraite par ma contemplation. Le Tharisien sembla remarquer quelque chose sur mon visage et avança vers moi. Il sortit un mouchoir de sa poche et m'essuya la joue. Le contact me rendit aussitôt mal à l'aise. Baissant les yeux, j'évitai son regard.

— Nous ne pouvons malheureusement pas vous garder ici, mademoiselle Jones. Ce serait dangereux autant pour vous que pour nous. Vous serez transférée dans un endroit plus sécuritaire. J'espère que vous comprenez que nous faisons cela dans votre intérêt ?

Je ne réagis pas. Mon intérêt ? Bien sûr. Vous croyez que j'ai fait sauter une bombe chez le Gouverneur… Évidemment, vous avez mon intérêt à cœur.

Le Tharisien se tourna vers l'un des gardes et lui annonça qu'un véhicule m'attendait près de l'aile sud du bâtiment. Je quittai le bureau en jetant un dernier coup d'oeil au tableau du *Falandrium*. Dans le corridor, nous croisâmes un autre Humain escorté par des Tharisiens. Les menottes aux poings, tout comme moi, il me dévisagea avec insistance. Arrivée à sa hauteur, je l'entendis murmurer. « Vive la révolution », parvins-je à décoder.

C'est...

Je sentis le rouge me monter au visage. Avoir eu les mains libres, je n'aurais pas hésité à bondir sur lui pour le rouer de coups. D'autant plus que je croyais reconnaître en lui les traits de mon maître. Même si cette ressemblance n'était peut-être que le fruit de mon imagination, je me mis à détester le vieil homme de m'avoir livrée aux Tharisiens en échange de *ça*. Un autre pauvre écervelé qui servait une cause risible.

C'était d'une injustice...

* * *

...Et c'est pourquoi maintenant plus que jamais nous devons apporter notre soutien à Seki Jones. Dans la noirceur de sa cellule, elle doit savoir que nous ne l'avons pas laissée tomber. Elle aura le réconfort de constater que nous avons bel et bien entendu son appel. Qu'en ce moment même, les Humains d'Averia s'unissent pour mettre fin à l'occupation illégale et aux injustices qui entravent le développement légitime de notre peuple.

Je révisai mon texte une dernière fois avant de l'envoyer. Sur le réseau, mes camarades se l'échangeraient et réagiraient à mes mots. Lentement, nous en gagnerions davantage à notre cause. C'était la mission que m'avait confiée Kodos et j'espérais ne pas le décevoir.

Assise à même le sol, contre le pilier d'une arche qui abritait aujourd'hui un étalage de légumes, j'observais le brouhaha incessant de la place du marché. Mon cœur s'emballait chaque fois que quelqu'un saisissait son réseau pour y lire un message. Un peu plus tôt, mon père avait encore une fois insisté pour me conduire jusqu'à l'école. J'avais acquiescé par lassitude, me demandant combien de temps il lui faudrait pour se souvenir que le Gouverneur Karanth avait suspendu les activités de toutes les écoles humaines jusqu'à nouvel ordre. Soi-disant pour notre sécurité. Pour l'instant, seule l'université continuait à donner ses cours. Du moins, jusqu'à ce que les Tharisiens ne trouvent une excuse pour nous en interdire l'accès.

Je jetai un œil dans la direction où mon père avait à nouveau disparu ce matin. Il ne parlait pratiquement plus depuis l'attentat à la bombe et se taisait encore plus depuis l'annonce officielle de l'arrestation de Seki. J'étais moi-même restée bien silencieuse après avoir appris cette nouvelle. Bien sûr, les informations entourant sa capture et sa détention étaient gardées secrètes. J'ignorais tout de l'endroit où elle avait pu se cacher, avec qui, et de ce qu'il adviendrait d'elle à présent.

Dans la courte vidéo où on la voyait s'engouffrer dans le commissariat, elle semblait heureusement en bon état. On ne l'avait vraisemblablement pas torturée ou battue. Jusqu'à maintenant, du moins. J'éprouvais de la difficulté à penser à autre chose : qu'allaient-ils faire de Seki ?

S'il fallait que les Tharisiens touchent à ma soeur, je crois que j'irais moi-même faire sauter la cervelle de Karanth.

Je remuai les épaules. Raidie par ma position inconfortable, je tentai de dénouer les muscles de mon dos. En me relevant, je captai un effluve familier. Le boulanger tharisien, celui qui avait lancé des soldats à mes trousses quelques jours plus tôt, empilait soigneusement ses pâtisseries devant sa boutique. Ses horribles pâtisseries, corrigeai-je intérieurement. Bien que l'odeur soit appétissante, jamais on ne me prendrait à saliver sur ces produits, sur ces pains pétris par des mains sèches et anguleuses.

Mon regard s'accrocha à une silhouette tapie non loin. Je plissai les yeux et reconnus le même gamin en loques de l'autre jour. Il dévisageait méchamment l'étalage du boulanger.

Ha ! ha ! ha ! pensai-je. Ne compte pas sur moi pour attirer les gardes, cette fois-ci…

Comme j'époussetais le bas de mon manteau, mon réseau sonna.

– Oui ?

– Myr ? entendis-je. C'est Laïka.

Laïka, la soeur de Kodos et son bras droit au temps du Front de Libération d'Averia. J'avais échangé quelques messages avec elle auparavant, mais c'était la première fois que je lui adressais la parole de vive voix. Kodos m'avait déjà parlé de sa soeur, mais l'impression que j'en avais retirée restait un peu fade. Laïka était du genre fidèle, dévouée, mais il n'y avait pas de quoi déchaîner les passions. J'éprouvais le sentiment que Kodos la tenait un peu pour acquise.

— Myr, répéta-t-elle. Je sais que c'est habituellement Kodos qui prend contact avec toi, mais il est malheureusement très occupé.

Mon cœur se serra, mais je chassai rapidement cette émotion. Ne sois pas idiote, pensai-je. Il a autre chose à faire que de s'occuper d'une gamine comme moi. Replaçant quelques mèches d'une main, je pressai l'autre oreille contre le réseau.

— A-t-il un message à me transmettre ?

— Oui. Écoute Myr, nous savons que tu cumules beaucoup de responsabilités et que ta contribution à la cause est déjà considérable, mais nous aimerions te confier une tâche encore plus délicate.

— Je suis toujours disponible pour servir l'insurrection, m'empressai-je de dire.

Laïka semblait hésiter.

— C'est une mission plutôt dangereuse. Sens-toi libre de refuser. Nous ne voudrions pas que tu t'attires des ennuis.

Un attroupement de clients s'amassait près du marchand de légumes à côté duquel je traînais ; aussi m'éloignai-je un peu avant de poursuivre, à voix basse.

— Laïka, je suis prête à prendre tous les risques nécessaires si cela peut nous aider à nous approcher de la victoire.

J'essayais d'y mettre tout mon cœur afin de la convaincre. Rien de bien difficile, car c'était réellement ce que je ressentais au fond de moi.

— Ici, au quartier général, nous sommes constamment contactés par d'autres cellules de libération qui nous demandent quelles devraient être leurs actions. Seulement, le Général et Leeven croient qu'il est dangereux pour le moment de coordonner tous ces groupes.

— Pour que les Tharisiens ne puissent pas remonter à vous s'ils se font prendre ?

— C'est exact. Tant que la masse critique n'est pas atteinte, nous préférons rester dans l'ombre.

— Je comprends. Mais que puis-je faire pour vous aider ?

— Nous avons besoin de gens de confiance pour guider les actions des autres cellules.

Mon cœur se mit à battre à tout rompre.

— En quoi cela consiste-t-il ?

— Nous te transférerions certains de nos contacts et tu veillerais à leur choisir des cibles, des méthodes, des stratégies.

Je restai muette, mon regard maintenant imperméable aux mouvements de la foule devant moi.

— Je ne te cache pas que c'est dangereux, Myr. Si les Tharisiens mettent la main sur ces combattants de la liberté, ils pourraient te retracer…

Ordonner des attaques contre des cibles tharisiennes. Faire déferler le feu sur nos ennemis. Participer activement au processus de libération d'Averia...

– J'accepte cette mission, Laïka. Je tâcherai de coordonner les actions des cellules que vous me confierez.

– Kodos était convaincu que cette responsabilité te plairait.

Laïka me donna ensuite les informations pour contacter les différents groupes qui m'étaient destinés. En tout, j'allais avoir environ une quinzaine de révolutionnaires sous mon aile. La plupart n'avaient jamais commis de crimes très graves. La majorité participait à un journal de résistance sur le réseau. D'après Laïka, Kodos et ses nouveaux alliés s'étaient contentés de les armer, et ce serait à moi de les lancer dans leur baptême du feu.

D'instinct, je me fis plus petite, me penchant sur mon réseau pour protéger notre conversation. Je sondai les alentours, guettant un éventuel écornifleur. Mon regard ne trouva que le gamin en sandales boueuses qui s'aventurait de plus en plus près de la boulangerie, rôdant autour des tables laissées sans surveillance.

– Dois-je chercher à attaquer des cibles militaires ? m'enquis-je.

– Non.

Laïka soupira.

– Selon Leeven, il ne sert à rien pour l'instant de chercher à réduire les capacités militaires des Tharisiens. Ils sont trop bien équipés et cela ne serait qu'un gaspillage de nos ressources.

– Alors...?

– Alors, nos cibles sont civiles. Effrayer la population. L'intimidation, la menace. Pousser les Tharisiens à contre-attaquer aveuglément...

Pour rallier toute la population humaine derrière notre cause, complétai-je intérieurement. S'en prendre aux civils tharisiens jusqu'à ce que ceux-ci répliquent et sèment la dévastation dans la Colonie. L'équation était simple : massacrer des Tharisiens innocents pour que les Tharisiens tuent des Humains. Sauf qu'il n'y a pas de Tharisiens innocents, corrigeai-je. Et le sacrifice de la population humaine était nécessaire.

Devant mes yeux, sans crier gare, le garçon bondit vers les pâtisseries agglutinées sur le comptoir. D'un geste semblable au mien, il frappa violemment le pied de la table et envoya son contenu se répandre au sol. Il détala aussitôt, disparaissant au moment où le boulanger se jetait hors de sa boutique.

Le réseau toujours collé à l'oreille, j'observai la fuite du jeune vandale. Il repartait les mains vides, sans avoir pris le temps de dérober un morceau de pain.

Ainsi, soufflai-je en retenant un rire, ce n'est pas la faim qui te motive...

– Dis à Kodos que je ferai ce qu'il faut.

* * *

Le fourgon s'immobilisa à nouveau. Quelques secondes plus tard, les gardes ouvrirent les portes, m'empoignèrent par les bras et m'arrachèrent au véhicule avant même que j'aie le temps de déplier les jambes. Devant moi se dessinait la silhouette basse de ce que je devinais être un pénitencier. Un édifice froid, terne et plat. Je ne voyais aucune cour aménagée, ni tour de surveillance. J'en déduisis que le centre de détention avait été pensé de façon verticale. Les cellules devaient être souterraines. La partie visible de la structure ne contenait sans doute que les bureaux administratifs. On allait me plonger dans la masse sombre d'un iceberg.

D'autres gardes vinrent me chercher et m'escortèrent dans le bâtiment. Sans m'adresser la parole sauf pour me donner des ordres simples (« de ce côté », « pose tes mains là », « enfile ça »...), on me traîna à travers les différentes étapes de mon « inscription carcérale ». Ils me photographièrent, m'auscultèrent, prirent des données biométriques et m'obligèrent à enfiler une épaisse tenue orange de prisonnier. Aussitôt le tissu se mit à me démanger.

Ensuite, ils me jetèrent dans une minuscule pièce entièrement plongée dans l'obscurité. Ce devait être une cellule isolée du reste de la prison, car je n'avais toujours pas vu un seul détenu. Ça y était, me dis-je, j'allais mijoter un long moment en confinement. Je regrettai de ne pas avoir davantage porté attention au soleil avant qu'on ne me traîne sous terre.

Heureusement, je ne craignais pas l'isolement et la noirceur. Au contraire, j'avais l'impression que supporter cette étroite cellule se serait révélé beaucoup plus difficile si j'avais pu en discerner les limites. Non, l'odeur et l'inconfort représenteraient sans doute mes pires ennemis dans cet endroit exigu. Je tentai tant bien que mal de trouver une position confortable et me laissai aller à réfléchir. Il n'y avait pas grand-chose d'autre à faire.

Au moins je n'avais pas été battue, comme je l'avais imaginé pendant la nuit...

Il me fallut un long moment pour que mon esprit se calme. Je revoyais mentalement les événements des derniers jours : l'explosion sur les vidéos du réseau, ma confrontation avec Kodos et Laïka, ma fuite chez mon maître. Lorsque finalement toutes ces images retombèrent doucement au fond de mon crâne, je me rendis compte que je pensais à Myr. Ma petite soeur devait être furieuse contre moi. Je n'osais pas l'imaginer. C'était elle la révolutionnaire dans l'âme et c'était moi qu'on emprisonnait. Elle devait me détester intensément. M'envier, même. Elle était assez idiote pour ça.

Mes pensées continuèrent à dériver. Dans l'obscurité, une petite boule d'angoisse se mit à croître dans mes entrailles. Qu'est-ce que les Tharisiens feraient de ma famille ? Ils allaient être interrogés, c'était presque certain. Myr fera sans doute la sotte, les insultera et leur dira que j'ai bien fait d'attenter à la vie du Gouverneur. Je l'imaginais leur crier dessus, leur hurler qu'ils devaient se préparer à quitter Averia ou à en subir les conséquences. J'espérais qu'ils ne trouveraient pas toutes les bêtises que Myr faisait circuler sur le réseau. Si seulement j'avais pu leur éviter tous ces tracas. Papa ne devait pas être très fier de moi.

Ce genre de réflexions me revint souvent en tête pendant mon confinement. D'après mes estimations, on ne me nourrissait pas à des heures régulières. Les premiers jours, j'avais ressenti la faim et l'attente de nourriture avait été une torture. Mais maintenant, les plateaux qu'on insérait dans ma cellule me prenaient toujours par surprise. Plus le temps passait, plus je perdais mes repères. Je n'avais aucune idée du nombre de jours qui s'étaient écoulés et mon corps n'était devenu qu'une enveloppe artificielle. Dans l'immobilité constante, entre les inévitables épisodes de panique que je tentais de refouler de mon mieux, mon cerveau s'occupa à supprimer les sensations superflues : la faim, l'inconfort, l'obscurité. Il n'y avait que moi et mes inquiétudes.

Au bout de ce qui me sembla une éternité, on vint pourtant me chercher. M'extirper de la noirceur. On m'empoigna et je fus brutalement extraite de ma minuscule cellule. La lumière, dans le corridor, brûla mes rétines et il me fallut un long moment pour m'habituer à cette soudaine clarté. Malgré mes muscles endoloris, on m'obligea à me tenir debout et on me força à marcher. Chaque mouvement faisait éclater une nouvelle décharge fulgurante de douleur dans mon corps incommodé par mon immobilité des derniers jours. Les gardes, ne faisant rien pour me ménager, ne me soutenaient qu'artificiellement, m'empêchant seulement de m'affaler complètement sur le sol. Les yeux mi-clos, je ne parvenais pas à discerner le décor qui m'entourait. Après une longue marche, on m'installa sur une chaise et on enchaîna mes mains sur une table posée devant moi, ce qui était plutôt inutile puisque dans mon état, j'aurais été la première surprise de pouvoir causer du tort à qui que ce soit.

Toujours aveugle et ankylosée en raison de mon confinement, je devais donner un triste spectacle. Ramassée sur moi-même, je tentais de maîtriser les douleurs vives qui s'étaient soudainement éveillées en moi. Incapable de diriger mes mouvements, je sentais ma tête se balancer de gauche à droite. De petits sursauts involontaires animaient mon corps. Par-dessus l'assaut que livraient la lumière et les douleurs contre mes sens, une voix murmura, apaisante.

– Prenez votre temps, mademoiselle Jones.

Quelqu'un me saisit la mâchoire et me fit boire quelques lampées d'eau. Cela éclaircit ma gorge enrouée et l'eau glacée raviva un peu de vie en moi.

– Gardes, pouvez-vous tamiser légèrement les lumières ? reprit la voix.

Les gardes s'exécutèrent et l'éclairage se fit moins blessant. Je pus enfin commencer à distinguer où je me trouvais. J'avais les mains posées sur une large table blanche. Je jetai un coup d'œil autour de moi. La pièce, d'après ce que j'en percevais, correspondait en tout point à l'idée que je m'étais faite d'une salle d'interrogatoire : de grands miroirs, un décor épuré, un plancher lisse.

– Je me présente : je suis le Moniteur Haraldion. Nous nous sommes rencontrés il y a quelques jours dans le commissariat du Haut-Plateau. Je suis chargé de votre interrogatoire. Comme nous serons amenés à collaborer régulièrement au cours des prochaines semaines, j'aimerais m'assurer que nous commencions notre travail sur une note positive. Y a-t-il quelque chose que je puisse faire pour améliorer votre confort, mademoiselle ?

Je me raclai la gorge faiblement avant de répondre.

– Non.

– Bien. Avant d'amorcer l'interrogatoire, je dois d'abord vérifier quelques informations de base avec vous. Pouvez-vous me décliner votre identité, mademoiselle ?

– Seki Jones…

– Quel âge avez-vous, mademoiselle Jones ?

– Dix-huit ans.

– Lieu de résidence ?

– Au 235 Domaine de la Rivière.

– Vous avez une famille ?

– J'habite avec mon père, Adrien Jones, et avec ma sœur, Myr.

Ma vision, encore floue, m'empêchait de distinguer convenablement mon interlocuteur, mais je tentai tout de même de soutenir son regard. Le Moniteur poursuivit.

– Occupation ?

– J'étudie en sciences appliquées à l'Université d'Averia et je travaille pour Averia Composante.

– Êtes-vous membre d'un mouvement étudiant ?

– Non.

Haraldion poussa un soupir.

– Mademoiselle Jones… J'aimerais beaucoup que nous puissions créer un climat de confiance entre vous et moi. Comprenez que je connais déjà les réponses de 90 % des questions que je poserai au cours des prochaines semaines. Il m'est facile de déceler les mensonges. Il serait beaucoup plus simple pour vous comme pour moi de me dire la vérité dès le départ. D'ailleurs, je vous promets une chose. Il serait hypocrite de ma part d'exiger de vous que vous ne me mentiez pas si je ne me soumettais pas moi-même à la même règle. Aussi, je puis vous assurer que je serai toujours honnête lors de nos entretiens.

Je n'avais retenu qu'un seul mot de son intervention. « Semaines » ?!

– Ma famille a-t-elle été mêlée à tout ça ? demandai-je à brûle-pourpoint.

Mon interlocuteur sembla réfléchir longtemps à ma question. Était-ce de l'embarras ?

— Je comprends votre inquiétude. Votre père et votre sœur ont effectivement été arrêtés et interrogés, mais je puis vous assurer qu'ils ont ensuite été relâchés. Nous n'avons pas pu trouver de liens entre eux et l'attentat qui a été perpétré contre le Gouverneur Jassal.

Cette réponse apaisa l'angoisse qui me rongeait l'esprit depuis mon incarcération. Un terrible poids s'évanouit de mes épaules.

— Maintenant, mademoiselle, j'attends de vous une réponse tout aussi franche : avez-vous oui ou non fait partie d'un mouvement étudiant révolutionnaire ?

— Oui, mais...

Il m'interrompit.

— Nous aurons amplement le temps de discuter des détails plus tard. Pour aujourd'hui, nous allons tenter de garder cet interrogatoire le plus simple possible.

— Mais ce n'est pas simple, justement...

— Je comprends tout ça, je vous assure. Désirez-vous encore un peu d'eau ?

Je hochai la tête et Haraldion ordonna au garde posté derrière moi de m'abreuver. Celui-ci répéta le même manège : m'empoigna la mâchoire et porta la cruche à ma bouche. Alors que je buvais, je me demandais s'ils avaient pu mettre une quelconque substance dans l'eau.

— Poursuivons, si vous le voulez bien, mademoiselle. Connaissez-vous un individu du nom de Kodos Ivaron ?

— Oui, soupirai-je.

— Connaissez-vous également sa sœur, Laïka Ivaron ?

— Oui, je la connais.

– Savez-vous où ils se cachent, m'interrogea-t-il, l'air presque détaché.

– Non, je l'ignore.

Il prit une note sur son réseau.

– Bien. Ce sera tout pour aujourd'hui, mademoiselle Jones. Pour vous remercier de votre excellente collaboration, nous allons vous transférer dans une cellule plus confortable. Sachez cependant que pour votre sécurité et pour le bien de notre exercice, vous ne pourrez pas être en contact avec les autres détenus.

****

Nous sommes en ce moment dans une boutique où règne le chaos le plus complet. Je m'entretiens avec madame Jissaral, copropriétaire de ce petit commerce situé dans la Colonie humaine d'Averia. Madame Jissaral, maintenant que vous êtes remise de vos émotions, que pouvez-vous nous dire sur les événements de ce matin ?

– Eh bien, ces voyous sont entrés et ont commencé à tout saccager et Adir leur a dit de...

– Peut-être, pour le bien de nos auditeurs, pourriez-vous d'abord nous parler de votre commerce. Quels services fournissiez-vous, madame ?

– C'est un marché d'alimentation que mon mari et moi avions fondé, il y a une dizaine d'années. Nous offrions des spécialités tharisiennes, cuisinées à partir d'ingrédients que nous importions directement de Tharisia, dois-je le rappeler. C'était un magnifique petit marché, nous n'avons jamais eu de problèmes avec quiconque !

– Pourquoi avoir choisi de vous installer dans cette zone d'Averia, avec les Humains ? Ne croyiez-vous pas que ce genre de commerce aurait été plus rentable s'il avait été localisé sur le Haut-Plateau ?

– Absolument pas ! Le Haut-Plateau est à proximité. Nous n'avons jamais eu l'impression que notre emplacement nuisait à notre clientèle tharisienne. Et puis nous avons toujours cru que les Humains souhaiteraient découvrir notre culture.

– C'était le cas ?

– Assurément !

– Avez-vous déjà fait l'objet de violence raciale par le passé ?

– Il est bien arrivé quelques incidents au fil des années, mais jamais de cette envergure. Mon mari et moi avons toujours pris soin de ne pas nous positionner politiquement à l'encontre des Humains et...

– Donc, vous estimez que l'attaque qui a eu lieu ce matin était injustifiée ? Désolé madame, prenez votre temps.

– Oui, incontestablement injustifiée. Nous pensions qu'après toutes ces années à tenir notre commerce dans la communauté humaine dans le respect, on avait cessé de nous voir comme des oppresseurs…

– Prenez ce mouchoir, madame Jissaral. Je vous en prie. Peut-être pouvez-vous maintenant nous décrire les événements qui ont eu lieu ce matin.

– Peu après l'ouverture, à l'heure la plus achalandée, nous avons remarqué que des types s'étaient regroupés devant le magasin et…

– Combien étaient-ils ?

– Je ne sais plus, cinq peut-être ?

– Continuez. Que faisaient ces Humains ?

– Ils criaient et s'adressaient aux passants. Ils prétendaient que nous n'avions aucun droit d'être ici, que nous devions repartir. Ils prétendaient qu'ils nous forceraient à le faire si nous refusions de quitter Averia.

– Que s'est-il ensuite passé ?

– J'ai dit à mon mari de ne pas s'en mêler, mais il est tout de même sorti pour essayer de les raisonner. Les voyous ne l'ont toutefois pas laissé parler. Ils l'ont agressé verbalement. Ils l'ont accusé de tous les maux de l'univers. Une petite foule s'était rassemblée devant cette mise en scène.

– C'est à ce moment que les choses se sont envenimées, n'est-ce pas ?

– Oui, mon mari est revenu à l'intérieur, mais les petits truands se sont précipités à sa suite. Ils n'étaient plus cinq, mais peut-être plus d'une dizaine à ce moment. Ils se sont mis à tout saccager. Ils étaient enragés et renversaient toutes les étagères,

piétinant les produits, très onéreux, puis-je le rappeler, puisque nous les importons directement de Tharisia. Ils fracassaient les vitrines et... et...

– S'en sont-ils également pris à votre mari ?

– Adir a essayé de s'interposer. Ce commerce, c'est toute notre vie, vous comprenez ? C'est l'investissement de dix ans de notre labeur. Nous ne pouvions pas les laisser tout détruire comme ça, sans raison. Il en a frappé un. Il l'a atteint au visage. Alors les autres se sont tous jetés sur lui. C'était horrible...

– L'un des policiers m'a informé tout à l'heure que votre mari, bien que blessé, était présentement soigné à l'hôpital du Haut-Plateau. On ne craint pas pour sa vie. Vous en aviez été avisée, j'espère ?

– Oui, mais tout de même...

– Tenez, prenez cet autre mouchoir, madame Jissaral. À votre avis, quelle est la source de la violence dont vous avez été victime aujourd'hui ?

– Je ne comprends pas la cause de ce climat de tension, monsieur Assaldion. Malgré les dix années passées dans cette communauté, je n'ai pas d'autre choix que de souhaiter que notre gouvernement fasse ce qui est nécessaire pour assurer notre sécurité.

– Merci de vous être prêtée à cette entrevue, madame Jissaral. C'était Charal Assaldion, sur les lieux d'un autre stigmate de la recrudescence de la tension entre les Humains et les Tharisiens. Au revoir.»

* * *

La nouvelle cellule était plus grande, comme Haraldion l'avait promis. Elle faisait exactement la largeur du lit. Très spacieuse. Il y trônait également un lavabo et une toilette. Une fois le grillage refermé derrière moi, je m'installai sur le matelas et je tentai de relaxer mes muscles encore endoloris. Je m'étirai régulièrement les bras, le dos et les jambes. Il était hors de question que je revive les mêmes douleurs causées par mon inactivité physique.

Malgré tout, les journées s'étiraient et les mêmes pensées revenaient sans cesse tourbillonner dans ma tête. Myr, mon père, ma haine pour Kodos et Laïka. C'était de leur faute si je me retrouvais prise au piège ainsi. J'avais beau être incarcérée dans une prison tharisienne, je ne regrettais toujours pas d'avoir refusé de suivre Laïka le jour de l'attentat. Qu'ils mènent leur petite révolution. En ce qui me concernait, on n'allait pas tarder à comprendre qu'on m'avait emprisonnée par erreur.

Toutefois, malgré l'enchevêtrement de mes pensées, mon ennui était mortel. Je n'avais que quatre murs comme distractions. Je me surpris à attendre avec impatience le prochain interrogatoire du Moniteur, surtout qu'il tardait à venir. Je me mis à craindre que, ne sachant pas où se trouvaient Kodos et Laïka, je ne lui sois d'aucune utilité. On allait me laisser pourrir ici indéfiniment.

Heureusement, je n'eus pas à attendre longtemps. Au bout de quelques jours, je finis par être de nouveau convoquée.

On m'emmena dans la même salle que la précédente, mais cette fois-ci on ne m'enchaîna pas les mains. La même odeur aseptisée qui imprégnait ma cellule collait également à la table sous mon nez. Comme lors de notre dernier entretien, seuls une carafe d'eau, un verre et le réseau du Moniteur occupaient la surface blanche. Haraldion, déjà assis, m'accueillit avec un hochement de tête.

— Bonjour mademoiselle Jones. Je suis heureux de vous voir en forme. Vous avez bien meilleure mine que lors de notre dernière rencontre.

Je me contentai de lui rendre son bonjour. Lui, au contraire, ne me paraissait pas particulièrement beau. Haraldion, comme la plupart des Tharisiens de son âge, n'avait plus un seul cheveu sur la tête. Son crâne, très sec même pour les standards de sa race, avait un aspect rude. Ses mains, grandes et solides, semblaient plutôt inutiles pour quelqu'un qui passait sans doute le plus clair de son temps à pianoter sur le clavier de son réseau.

Cependant, il brillait derrière ses pupilles bleues un éclat déroutant. Il s'agissait d'une teinte peu commune chez les Tharisiens. Le jaune malsain était plus répandu.

Haraldion, assis sur une chaise qui semblait aussi peu confortable que la mienne, tenait ses mains jointes devant lui. Je me surpris à observer ses jointures. Elles semblaient si sèches, la peau sur le point de se rompre, de se fissurer. Un tel épiderme devait être une source de constante douleur, non ?

— J'ai plusieurs questions intéressantes à vous poser aujourd'hui, entama-t-il. Ce sera une rencontre fort profitable, j'en suis convaincu. Mais peut-être avez-vous certaines interrogations avant que nous ne commencions à travailler ?

— Combien de temps vais-je rester ici ?

— Je ne puis malheureusement répondre à cette question. Tout dépend du résultat de nos entretiens, j'imagine.

– Suis-je au moins accusée formellement ? J'ai sûrement droit à un avocat et à un procès équitable, non ?

Haraldion eut un sourire sans joie.

– Certes, mademoiselle Jones, vous êtes accusée formellement. Hélas, le Gouverneur Karanth a suspendu les droits des détenus humains sur Averia. Nous ne pouvons vous octroyer un Défenseur.

Je restai silencieuse un long moment. Suspendu mes droits ? Ainsi, légalement, j'étais à la merci de mes geôliers. Me rendant compte que je me tortillais les mains sous la table, je me forçai à les poser à plat sur mes genoux.

– Et de quoi suis-je formellement accusée, Moniteur ?

Il prit une profonde inspiration.

– Ce sont des accusations graves. Vous êtes tenue responsable de l'attentat perpétré contre un membre du Haut-Gouvernement tharisien, de conspiration, et d'une dizaine d'autres chefs d'accusation en découlant.

– Je vois... murmurai-je. Tout ça à cause d'une fichue signature.

– Sachez, mademoiselle Jones, que notre travail ensemble vise à clarifier cette pénible situation dans laquelle vous vous trouvez.

– Dans ce cas, je vais vous épargner beaucoup de temps : je suis innocente, plaidai-je.

Le Moniteur soupira.

– J'aimerais vous rappeler que nous avions convenu lors de notre dernier entretien que nous nous faciliterions la tâche en ne nous disant que la stricte vérité...

Je me penchai, faisant glisser mes cheveux lavés depuis trop longtemps déjà sur la table.

— Mais c'est la vérité, Moniteur ! Je n'ai rien à voir avec cet attentat.

— Alors, enchaîna-t-il d'un débit plus saccadé, vous ne voyez pas d'objections à répondre à quelques-unes de mes questions : êtes-vous oui ou non signataire du manifeste qui a été envoyé au Gouverneur Jassal ?

Inconsciemment, je me remis à tortiller les mains sous la table.

— Oui, j'ai signé ce manifeste.

— Étiez-vous parmi les membres du Front de Libération d'Averia la veille de l'attentat ?

— Oui…

— Vous trouviez-vous en compagnie de la terroriste Laïka Ivaron au moment de l'explosion ?

Je cherchai un appui des yeux. La pièce était désespérément vide. Rien pour s'accrocher sinon mon reflet hagard sur la vitre, à ma gauche.

— J'imagine que oui… soufflai-je.

— Nous avons besoin de certitudes, mademoiselle Jones. Vous devez être plus précise. Il me faut des réponses catégoriques.

— Nous mangions ensemble à l'université quand Kodos l'a appelée pour l'avertir de l'explosion. Alors oui, j'étais avec elle au moment de l'attentat.

Ce que je venais de dire semblait avoir capté son attention.

— Dites-m'en plus sur ce moment.

— Il n'y a pas beaucoup de détails à ajouter. Laïka et moi bavardions et…

— De quoi parliez-vous ?

— Je ne m'en souviens plus. De choses sans importance. C'était pratiquement la première fois que nous tenions une vraie conversation toutes les deux.

Il prenait des notes.

— D'accord. Et ensuite ?

— Ensuite Laïka a reçu un appel de Kodos. Et elle a essayé de me convaincre de me cacher avec eux.

— Pourquoi avoir refusé de les suivre ? me demanda-t-il sans me regarder, le nez rivé sur son clavier.

— C'est ce que j'aimerais bien vous expliquer ! Mon affiliation avec eux est une erreur. C'est un fâcheux malentendu.

Haraldion pressa quelques touches sur son réseau et en afficha le contenu devant moi. Sur l'écran défilait ce qui ressemblait à un dossier de presse dont j'étais l'objet.

— D'autres membres du Front de Libération d'Averia nous ont affirmé que vous n'étiez qu'un élément mineur du groupe, que vous ne vous étiez jointe à eux que sous la pression, presque sous la menace de Kodos.

— C'est exact. C'est ce qui est arrivé.

Mon cœur s'anima bruyamment dans ma poitrine. Était-ce possible que ce soit si simple ? Allait-on m'innocenter aussi facilement ? J'essuyai mes mains trempées de sueur sur mes cuisses.

— Il serait donc très surprenant qu'une Humaine n'ayant jamais été sympathique aux causes révolutionnaires alimente autant les publications des insurgés.

Je restai incrédule. Mon visage devait être l'illustration parfaite de l'incompréhension.

— Vous y êtes décrite comme l'archétype même du héros révolutionnaire. Une humaine qui a travaillé dans l'ombre depuis des années afin de mener la population d'Averia au soulèvement contre l'envahisseur tharisien.

— Je... je ne comprends rien à ce que vous dites. Quels sont les textes dont vous me parlez ? D'où viennent-ils ?

— Du réseau. De vos sympathisants rebelles. Des textes apparaissent quotidiennement chez la résistance pour vanter vos mérites de combattante et votre plan pour plonger Averia dans la violence et la barbarie.

— Mais... c'est impossible. Il doit y avoir un malentendu.

Haraldion soupira et pianota un moment sur la table. Ses ongles, l'un d'eux mauve et tordu, emplissaient la pièce d'un son sec et nerveux.

— Je vais être honnête avec vous, mademoiselle Jones. Nous avons patiemment reconstruit les événements qui ont mené à l'attentat qui blessa le Gouverneur Jassal. L'avis que partagent nombre de mes collègues est le suivant. Nous croyons que la planification de l'opération s'est faite à trois. Laïka, Kodos et vous avez lentement échafaudé votre plan. Les deux autres assuraient la visibilité du mouvement alors que vous restiez dans l'ombre. Cependant, il y a eu des tensions entre les membres de ce triumvirat. Lorsque fut venu le temps de passer aux actes, Kodos a exigé que vous fassiez le grand saut avec eux. Vous n'avez pas eu le choix de signer ce manifeste, ce pacte qui mettait maintenant en lumière vos liens avec le réseau terroriste d'Averia. Une fois l'attentat perpétré, vous avez tenté de vous dissocier d'eux à nouveau en refusant de vous cacher à leurs côtés, estimant probablement qu'ils seraient découverts avant vous. Qu'en pensez-vous, mademoiselle Jones ? Sommes-nous suffisamment près de la vérité ?

— Non ! Ce n'est pas comme ça que ça s'est passé du tout, me plaignis-je. Vous n'avez rien compris.

— Seki, me dit-il doucement. Une personne hostile à ce mouvement ne créerait pas une telle attention médiatique dans le réseau clandestin…

— Si vous êtes si renseigné que ça, vous avez sans doute entendu parler de l'altercation qu'il y a eu, quelques jours auparavant, dans la classe du professeur Herv ! m'écriai-je. Cela prouve bien que je détestais leur petite clique.

Le Moniteur balaya mon espoir du revers de la main.

— Mise en scène. Vous avez travaillé très fort pour ne pas étaler au grand jour vos liens avec la résistance. Cette bagarre à l'université ne servait vraisemblablement qu'à assurer vos arrières. Ou alors était-ce la manifestation de la tension qui grandissait entre Kodos, Laïka et vous. Laïka n'a-t-elle pas justement ordonné à son frère de ne pas vous retenir ? Et c'est elle qui a essayé de vous convaincre de vous cacher avec eux après l'attentat. La force tranquille qui tente de rapprocher deux éléments opposés. Tout semble pointer dans cette direction.

Je me sentais trembler à l'intérieur. C'était si injuste d'être accusée de la sorte alors que je n'avais réellement rien à voir avec cette histoire.

— Ce ne sont que des suppositions. Vous collez les mauvais morceaux ensemble. L'image que vous forgez de toutes pièces est déformée.

— Ce ne sont pas là des preuves substantielles, je vous l'accorde. Voilà pourquoi vous êtes assise devant moi aujourd'hui. Nous devons tirer les choses au clair.

— Je n'ai jamais travaillé pour la résistance…

— Et pourtant, mademoiselle Jones…

Il appuya sur une touche et fit apparaître sur l'écran qui gisait sur la table des colonnes de données.

– Qu'est-ce que c'est ?

– Il s'agit du relevé des publications clandestines qui ont circulé sur votre réseau depuis deux ans.

Des centaines d'éléments défilaient devant moi. Des centaines de messages haineux à l'égard des Tharisiens envoyés et reçus depuis notre domicile. Myr avait donc rédigé ces missives révolutionnaires depuis tout ce temps. Je n'en croyais pas mes yeux.

– Vous comprendrez que j'aie un peu de difficulté à croire que vous n'ayez jamais travaillé à l'effort de résistance…

Un frisson désagréable me parcourut l'échine.

Au cours de notre premier entretien, je n'avais aucune stratégie en tête. Étant rassurée par l'attitude bienveillante de mon interrogateur tharisien, j'en étais même venue à l'idée que je devais effectivement ne dire que la stricte vérité. Je croyais naïvement qu'ils finiraient par se rendre compte du malentendu et me libéreraient. Je voyais maintenant qu'ils avaient accumulé trop de preuves circonstancielles contre moi. J'avais beau me débattre, la version des événements qu'ils avaient construite était trop logique pour être démolie. Haraldion en savait toujours un peu plus que ce qu'il ne laissait d'abord paraître.

De plus, je prenais maintenant conscience d'un nouveau danger. Si je réussissais à prouver mon innocence, cela incriminerait Myr ou mon père. Si je continuais à clamer que je n'avais jamais eu le moindre ressentiment contre l'occupation, ils comprendraient que c'était ma jeune sœur qui alimentait tout ce trafic de publication haineuse et d'appels à la révolution.

Cette évidence s'abattit sur moi sans ménagement. J'eus l'impression qu'on m'enfonçait sous terre, comme si on venait de m'enfermer dans un lourd cercueil. M'innocenter reviendrait à incriminer Myr.

– Que me reste-t-il à faire dans ce cas... demandai-je davantage pour moi-même que pour Haraldion.

– Collaborez avec nous, Seki Jones. Plus vous nous serez utile, plus le Gouverneur Karanth se montrera clément dans sa sentence.

* * *

— Ce sera notre unique rencontre, compris ? Tout ça est bien trop dangereux. Si on nous voit ensemble, c'est fichu.

Le vent soufflait tristement sur la place publique. Le ciel était gris, les nuages, lourds et moi j'étais en train de tout foutre en l'air. À mes côtés se tenait Jonas, l'un des membres d'une des cellules que m'avait confiées Laïka. Le type avait insisté pour me rencontrer. Je savais que c'était une mauvaise idée, mais il ne m'avait pas laissé le choix.

— Une gamine ! Non, mais je rêve ! Je bosse pour une foutue gamine.

— Ferme-la ! lui dis-je.

Cela faisait deux semaines que nous opérions ensemble, mais la veille, il m'avait fait savoir que les choses n'allaient plus. Si nous devions continuer notre collaboration, il exigeait de me rencontrer.

— Mon âge ne fait aucune différence. Alors maintenant déballe ton sac. Qu'est-ce que tu me veux ?

— Tu rigoles, oui ? Quand je vais dire à mes gars que c'est une enfant qui choisit nos cibles, tu peux être sûre qu'ils seront bien plus en rogne que moi encore. On s'est royalement foutu de notre gueule.

La brise s'engouffrait dans le capuchon de mon imperméable gris et le rabattait immanquablement sur mon dos. Je ne voulais pas attirer l'attention plus que nécessaire, et avec cet abruti qui gueulait à côté de moi, je commençais à perdre patience.

— Écoute bien, je suis entièrement dévouée à notre cause, alors mon âge ne change rien. Soit tu la fermes et tu acceptes de travailler avec moi, soit tu te barres et tu retournes perdre ton temps avec ta bande d'amateurs, d'accord ?

— Et recevoir mes ordres d'une fillette de quatorze ans, ce n'est pas amateur ça, peut-être ?

— Tu ne comprends rien, hein ? En ce moment tu fais partie d'un large réseau clandestin, bien plus important que toi, moi ou ta petite équipe de bons à rien. Je reçois mes instructions de la part des têtes dirigeantes de l'organisation. Nous sommes les rouages d'un mécanisme qui dépasse nos petites préoccupations, comme ton ego malmené. Cette vaste machine s'affaire à déstabiliser nos adversaires. Si on veut arriver à renverser les Tharisiens, il faut rester coordonnés. Alors, sincèrement, je n'en ai rien à foutre que ça ne te plaise pas de recevoir des ordres de ma part, c'est compris ?

Jonas mâcha stupidement son morceau de gomme pendant plusieurs secondes avant de me répondre.

— Et quelle foutue expérience en tant que révolutionnaire es-tu sensée posséder, hein ?

Je serrai les poings. Il ne me laissait pas le choix, si je ne voulais pas perdre les membres de cette cellule, je devais jouer gros.

— Je suis la soeur de Seki Jones…

Cela sembla faire son effet. Ou du moins, Jonas cessa de mâchouiller sa gomme pendant un moment.

— Sans déconner ? fit-il, la bouche grande ouverte.

— Oui, mais tu la boucles avec ça. Sinon on est tous vraiment dans le pétrin.

Il se remit à ruminer son bout de plastique. Il me tombait réellement sur le système, celui-là.

— Je te repose la question : soit tu m'écoutes et tu continues de faire partie intégrante de l'organisation qui mènera

Averia à la libération, soit tu retournes faire n'importe quoi avec tes petits amis. Que choisis-tu ?

Jonas prit le temps d'observer un peu les passants qui s'affairaient près de nous. Pas de patrouilles tharisiennes en vue.

— Bon, ce n'est pas ça le problème. Le truc c'est que les gars aimeraient quelque chose de plus gros, de plus spectaculaire.

— De plus dangereux, t'es conscient de ça au moins ?

— Oui, évidemment.

— C'est qu'il faut y aller graduellement, Jonas. Si on attaque trop fort et trop vite, les Tharisiens vont répliquer avec une force trop grande pour être absorbée par les résistants. On ne veut pas tuer le mouvement dans l'oeuf. Tant que la population n'est pas entièrement de notre côté, on ne peut pas faire n'importe quoi.

— Oui, mais en attendant, mes gars s'impatientent. Ils veulent davantage que saccager la boulangerie du coin et briser quelques vitrines…

Je contemplai à mon tour les gens défiler devant notre banc. Le problème était que je partageais l'avis de Jonas. Moi aussi j'avais envie d'aller plus loin. Nous étions si près du but. Imaginer Averia purifiée de ses parasites tharisiens n'était plus seulement un rêve lointain.

— Vous avez bien accès à une cache d'armes, n'est-ce pas ?

— Oui, grâce aux informations que tu nous as fournies.

— Bien… Nous allons te trouver une cible plus spectaculaire…

***

Je mâchouillais sans appétit un morceau de purée grise, à la fois mou et dur. Le reste de mon cabaret ne me semblait pas beaucoup plus appétissant. On m'avait donné la permission de manger en compagnie des autres détenus, mais ça ne m'apportait pas spécialement de réconfort.

La cafétéria était une vaste salle surplombée par une passerelle métallique depuis laquelle nous surveillaient des Tharisiens lourdement armés. Éclairée seulement de puissants néons, aucune fenêtre n'en perçait les murs, évidemment. J'étais coincée sous terre, privée de soleil et d'air frais depuis maintenant deux semaines.

Comme je plongeais ma fourchette sans grand enthousiasme dans ma gamelle, un groupe de détenus vint s'asseoir à ma table. Pas encore... pensai-je.

Ils me dévisagèrent longtemps avant que l'un d'eux ne prenne la parole.

— C'est vrai ? fit une des prisonnières. Tu es Seki Jones ?

Je l'observai avant de lui répondre. Plus âgée que moi, peut-être à la mi-vingtaine, on lui avait récemment rasé le crâne. Inconsciemment, je me mis à souhaiter de tout cœur qu'Haraldion s'assure qu'on ne touche pas à mes cheveux. Sa combinaison, orange comme la mienne, semblait avoir été malmenée depuis peu.

— Oui, je suis Seki.

Je ne lui demandai pas la raison de ce questionnement. Je connaissais d'avance la suite de la conversation.

Ses amis et elle échangèrent un long regard.

— Ça y est? demanda-t-elle. C'est le début de l'insurrection?

J'ignorais comment ils avaient fait, mais apparemment l'ensemble de la population carcérale d'Averia savait au sujet de l'attentat. De plus, ils me prenaient pour le leader de la révolution. Quelqu'un devait avoir accès au réseau, d'une façon ou d'une autre. Ou alors un garde tharisien se montrait un peu trop bavard à proximité des cellules.

Toujours en soutenant le regard de l'autre détenue, je me mis à être très en colère contre Myr. Si ça n'avait été de ma sœur et de ses activités incriminantes, il me semble que j'aurais facilement pu me sortir de cette situation délicate. Convaincre Haraldion de mon innocence aurait été un jeu d'enfant. Injustement, je devais assumer le blâme des missives haineuses qu'elle faisait tourner sur le réseau. En plus de risquer de croupir le reste de mes jours dans cette prison, je devais à présent me farcir l'adulation de ces imbéciles...

— Je n'en ai aucune idée, répondis-je à la détenue chauve. Je n'en sais pas plus que toi.

Elle insista, se penchant vers moi avec un air conspirateur.

— Mais quelle est la suite du plan ? Qui est la prochaine cible ?

Je m'inclinai à mon tour et imitai son timbre de voix.

— Je n'en sais rien.

Je reculai et déposai brusquement mes ustensiles dans mon cabaret. J'en avais marre. Laissez-moi tranquille, avais-je envie de leur crier. C'était la quatrième fois que ce scénario se répétait. Je ne désirais pas me mêler à eux. Et encore moins qu'on me prenne pour l'emblème de la révolution. Tout ce que je souhaitais, c'était retrouver ma famille. Ma maison, mes études, mon père et ma sœur.

La fille au crâne rasé et le reste de sa bande finirent par saisir mon hostilité à leur égard. Lentement, ils se levèrent et quittèrent ma table. Il ne traînait plus qu'un type, plutôt grand et les cheveux ébouriffés. Les mains derrière la nuque, il m'observait avec un demi-sourire.

Je le dévisageai, sur le point de lui demander de foutre le camp. Mais une cloche retentit dans la cafétéria. L'heure du dîner était terminée. Deux gardes vinrent me chercher. Ils m'aggripèrent sous les épaules et m'amenèrent avec eux. Je me retournai. L'autre continuait de m'observer alors que je m'éloignais, prenant son temps avant d'aller rejoindre les autres détenus.

Au détour d'un corridor, je compris qu'on ne me guidait pas vers ma cellule.

– Où m'amenez-vous ? interrogeai-je les Tharisiens avec un soupçon de panique dans la voix.

– Le Moniteur Haraldion a manifesté le désir de s'entretenir avec vous.

Le Moniteur a manifesté le désir de s'entretenir avec vous, répétai-je dans ma tête. Il s'agissait d'une formulation inhabituelle de la part de mes geôliers. Ils m'avaient habituée à un peu moins de politesse. C'était sans doute une demande d'Haraldion. Une autre stratégie pour gagner ma confiance. Nous nous voyions plus souvent maintenant. À intervalle de deux ou trois jours. Et, à chaque fois, le Moniteur s'efforçait d'assouplir mes conditions d'emprisonnement. L'accès à la cafétéria était l'une de ces nouvelles mesures.

Les gardes me firent emprunter l'ascenseur et nous montâmes d'un niveau. Ils m'escortèrent jusqu'à la salle d'interrogatoire et s'arrêtèrent à la porte. Haraldion avait demandé à ce qu'ils ne soient plus présents lors de nos entretiens.

Haraldion m'attendait déjà. Il posa son réseau à mon arrivée et m'invita à m'asseoir face à lui.

— Seki, je vous en prie, servez-vous à même la carafe. Je serai à vous dans une seconde.

J'obéis en silence et me versai un peu d'eau dans un verre alors qu'Haraldion pianotait, l'air sérieux, un message sur sa petite tablette. J'ignorais s'il croyait à mon déguisement. Depuis la rencontre où il m'avait montré la longue liste des publications haineuses qui circulaient sur notre réseau familial, je m'efforçais de développer mon personnage de jeune résistante de l'ombre. C'était, à mon avis, la seule façon de protéger ma famille, de m'assurer que les Tharisiens ne débarquent pas chez moi, qu'ils ne brisent pas ma famille à nouveau...

Ma couverture était toutefois bien fragile. J'en avais conscience. Je ne connaissais rien au monde clandestin. Myr, en plus d'alimenter tour à tour ma colère et ma mélancolie, représentait ma seule source d'inspiration. Je me servais de nos nombreuses confrontations pour imaginer des réponses aux questions d'Haraldion.

Je me savais observée, jaugée, analysée. On contre-vérifiait mes dires. Tôt ou tard, le tissu de mensonges que je tissais finirait par se fissurer. Alors, je serais peut-être sauvée de l'emprisonnement, mais j'aurai failli à mon devoir de protéger Myr et mon père.

Haraldion mit finalement son réseau de côté et m'adressa un large sourire.

— Seki, je propose que nous reprenions notre entretien là où nous l'avons laissé la dernière fois, qu'en dites-vous ?

J'hochai la tête. Malgré toutes les politesses du Moniteur, je ne me trouvais pas réellement en position de négocier. De plus, même si elles constituaient ma seule source de distraction, nos séances se révélaient longues et répétitives. Haraldion revenait sans cesse sur les mêmes sujets. Il m'interrogeait sur la structure et les membres du Front de Libération d'Averia, sur les raisons et les détails de l'attentat ou sur ce qui m'avait poussé à commettre un tel acte.

Haraldion consulta ses notes, puis leva les yeux sur moi.

— D'où vous vient ce désir de chasser les Tharisiens d'Averia, mademoiselle Jones ?

Je n'hésitai pas longtemps. Il me suffisait de puiser dans mes souvenirs. Qu'est-ce que Myr répondrait…

— Il s'agit d'une occupation illégale. L'invasion que nous avons subie est illégitime. Vous nous avez réduits à l'esclavage et…

Haraldion m'interrompit, secouant la tête.

— Non Seki, je sens qu'il y a quelque chose de plus profond en vous. Depuis deux semaines déjà, vous ne me racontez que du remâché de discours de la résistance. Une jeune femme intelligente comme vous, qui étudiait en science à l'université, ne se serait pas aventurée dans une telle galère pour ces raisons superficielles…

Je réfléchis longuement à cette question. Sous le regard du Moniteur, je me mordis la lèvre inférieure. Mon personnage manquait de cohérence. Myr manquait de cohérence, me dis-je. Mais Haraldion avait raison. Il fallait qu'il y ait quelque chose derrière tout ça. Je devais fouiller dans le for intérieur de Myr. Qu'y avait-il donc derrière cette hargne ? D'où venait toute cette énergie négative ? Le souvenir de notre dernière dispute me revint en tête.

Soudainement, comme si une pression intérieure venait finalement de faire céder un mur dans ma tête, je compris ma sœur. J'eus une idée de ce qui avait pu la pousser à une telle haine. Je ressentis, un bref instant, toute sa souffrance.

Lorsque je parlai, ma voix me semblait lointaine.

– Il y a 14 ans, lorsque ma mère était en couche de ma sœur Myr, des complications ont mis sa grossesse en péril. Rien de bien grave, mais les docteurs lui avaient prédit un accouchement difficile.

Je passai une main moite dans mes cheveux sales.

– Au même moment, l'agitation dans la Colonie était à son comble. Il y eut plusieurs attentats contre les Tharisiens. Deux jours avant l'accouchement, les forces armées tharisiennes ont coupé le courant de la Colonie en guise de représailles. Plus d'énergie en provenance des centrales. Les infrastructures d'Averia n'étaient toujours pas réparées complètement depuis la guerre et la génératrice de l'hôpital n'était pas fonctionnelle. Il n'y avait aucune énergie pour alimenter les équipements des médecins. Ils ont avisé ma mère qu'ils ne pourraient pas sauver le bébé. Elle… Elle en a décidé autrement.

Il y eut un long silence.

– Votre mère est morte en donnant naissance à votre sœur Myr… conclut Haraldion. Et les docteurs n'ont pas pu la sauver en raison de l'embargo énergétique imposé par mon peuple.

Il se leva et me tourna le dos.

– Sachez que je compatis à votre douleur et que je suis désolé de votre perte, Seki.

Moi je pensais à Myr. Évidemment, c'était si simple. Elle détestait les Tharisiens avec autant d'intensité, car elle les rendait responsables de la mort de notre mère. J'avais bien sûr déjà envisagé cette hypothèse, mais jamais elle ne m'était apparue aussi clairement qu'aujourd'hui.

— La guerre a été un drame horrible pour tous ceux qui l'ont vécue. Un conflit qui a brisé bien des vies et des espoirs. Je comprends aisément votre rage.

Il se mit à marcher de long en large devant moi, foulant les carreaux reluisants d'un air grave mais animé.

— La cicatrice de cette guerre est longue à guérir. Les injustices sont nombreuses et il n'existe pas de moyen de réparer tous les torts qui ont été commis. Mais croyez-moi Seki, ce n'est pas en brisant des vies du côté des Tharisiens que vous arriverez à retrouver la paix.

— Je sais, Moniteur Haraldion.

Haraldion se pencha sur la table, le dos voûté.

— Comprenez-vous mes intentions, Seki ? J'ai officiellement le devoir de monter un dossier sur vous. Le Gouverneur Karanth se basera sur mes impressions pour juger de votre peine. Si je peux lui montrer que je vous ai guéri de votre désir de vengeance, vous aurez une chance de vivre la vie qui vous était promise avant d'être entraînée dans cette histoire.

Entraînée, c'était bien le mot juste. Il reprit sa marche nerveuse dans la pièce.

— Toutefois, je sens que vous n'êtes pas sincère avec moi. Il y a eu un glissement dans votre attitude et je sais que vous ne me dites pas la vérité. Vous cachez quelque chose. J'ai l'impression que vous protégez quelqu'un, que vous brouillez des pistes. Le premier détail qui m'a ouvert les yeux sur vos mensonges est votre affirmation quant à la nature de la bombe. Vous prétendez avoir dérobé chez

Averia Composante les matériaux nécessaires à la fabrication de l'arme. Cependant, le rapport des relevés que nous avons effectués dans le bureau du Gouverneur Jassal fait mentir vos déclarations. Il n'y a aucune trace de matériaux provenant de cette usine dans les débris de l'explosion. Tout semble indiquer que vous cachez la véritable nature de la bombe, car elle pourrait nous fournir des indices qui mèneraient à vos complices.

J'ignorais quoi répondre. Ne sachant quelle stratégie adopter, j'aurais mieux fait de me taire. Mes dires se révélaient scrutés à la loupe. En parlant trop, je pouvais vraisemblablement m'innocenter et, du même coup, les mener droit à Myr, ma soeur orpheline, rongée par sa haine des Tharisiens.

– Je fais tout ça dans votre intérêt, Seki…

– Je comprends, Moniteur.

Celui-ci jeta un coup d'oeil à son réseau.

– Prenons une pause, voulez-vous ? Rien ne presse. Je souhaite éviter que vous vous surmeniez. Puis-je vous ramener quelque chose pour vous désaltérer ?

– Seulement de l'eau, merci.

Haraldion prétendait vouloir m'aider, mais en échange je devais lui livrer des détails qui lui permettraient de mettre la main sur les autres membres du Front de Libération d'Averia. Et je ne possédais aucune information les concernant. Je n'avais rien. Malgré la bonne volonté d'Haraldion, j'étais toujours prise au piège. Je devais continuer de protéger Myr et je ne pouvais donner au Moniteur ce dont il avait besoin pour obtenir la clémence du Gouverneur.

Lorsqu'il revint, il posa une nouvelle carafe devant moi et alla s'asseoir au bout de la table, un breuvage tharisien dont j'ignorais la nature entre les doigts. Je bus un peu d'eau en observant Haraldion réviser ses notes.

— Qu'est-ce que le Falandrium ? demandai-je.

— Pardon ?

Ma question le prit vraisemblablement au dépourvu.

— Le tableau dans votre bureau, au commissariat. Vous m'avez dit que cela représentait le Falandrium.

Haraldion déposa son verre.

— Le Falandrium... Il s'agit d'un lieu mythique. La légende de la fondation de la nation tharisienne moderne.

Appuyée sur mes coudes, le verre entre mes mains, au bout de mes lèvres, j'attendais qu'Haraldion poursuive. Pour une raison qui m'était inconnue, celui-ci semblait hésiter à me faire le récit de cette légende.

— Ce n'est qu'un vieux mythe, Seki. Personne n'y porte attention de nos jours.

— Mais pour vous c'est important, non ? Puisque vous en gardez une image dans votre bureau.

Haraldion me dévisagea, choisissant ses mots.

— Le Falandrium est l'endroit où, d'après la légende, le divin s'est révélé aux seigneurs tharisiens. En plein désert, ces seigneurs ont érigé une ville, *Tharis*, dans le but de faire rayonner la culture et les valeurs tharisiennes.

— En plein désert ? Drôle d'endroit pour fonder une ville.

— C'est une légende, Seki. Je viens évidemment d'en faire un résumé fort peu détaillé. Mon maître de culture classique sur Tharisia s'en étoufferait de honte.

– Quelle signification cette légende a pour vous? l'interrogeai-je.

– Je l'ignore. Ce mythe résonne sans doute en moi. L'idée d'une mission de propager les valeurs justes…

Haraldion balaya de la poussière invisible sur la table, manifestant là son désir de mettre fin à cette conversation.

– Nous avons encore beaucoup de travail à faire, mademoiselle Jones. Cette pause est terminée.

***

Désolé de ce contretemps, chers réseauspectateurs, mais il semblerait que votre hôte habituel, Charal Assaldion, éprouve quelques difficultés à être admis dans la salle de conférence. Heureusement, Charal ayant une fois de plus eu la sagesse de s'assurer ma collaboration pour commenter le discours du Gouverneur Karanth, je, Jorulia Vassal, pourrai couvrir la conférence de presse à sa place. Je tâcherai de mettre au service de nos auditeurs ma vaste expérience dans la chose politique. Mes opinions réfléchies vous aideront à vous forger une idée plus juste des événements et des tractations qui se jouent dans les coulisses du pouvoir. On me reconnaît comme une critique impitoyable du régime tharisien qui est à l'origine de l'affectation de Karanth au titre de Gouverneur et je ne le démens pas. La structure actuelle du gouvernement de l'empire est d'une incohérence ostentatoire. D'un point de vue politique, social et économique, le Conseil et les Amiraux semblent avoir consacré les vingt-cinq dernières années à précipiter la nation tharisienne, qui a connu, rappelons-le, son âge d'or durant le règne des Assalia, vers les limbes les plus sombres.

D'ailleurs, il se trouve que… Pardon ? Oh, mon caméraman vient de me signaler que le discours du Gouverneur Karanth est commencé. Ne vous inquiétez pas, nous reprendrons mon exposé lorsqu'il aura terminé. Pour l'instant, écoutons-le…

— …des événements qui nous amènent à repenser le concept de cohabitation pacifique. La violence injustifiée que démontrent les humains à l'égard de nos citoyens a atteint un point culminant hier matin, lorsque des terroristes montés à bord d'un glisseur non identifié ont ouvert le feu sur les passagers d'un tramway du Haut-Plateau. Cinq Tharisiens ont été tués. Près d'une dizaine ont été blessés dans l'incident.

En tant que Gouverneur d'Averia, je condamne ces meurtres et j'offre mes plus sincères sympathies aux familles des victimes de cet attentat. Mais ce n'est toutefois pas suffisant. Les Humains viennent d'atteindre un point à ne pas franchir. Un point de non-retour ! Nous n'accepterons pas de subir la barbarie grossière d'un peuple dangereux. Surtout pas ici, sur le Haut-Plateau, l'entreprise de colonisation tharisienne la plus ambitieuse de ce siècle !

Nous ne nous laisserons pas intimider dans nos propres demeures. Nous ne laisserons pas les humains s'en prendre à nos enfants, à nos institutions et à notre mode de vie.

Nous devrons lutter. Nous devrons nous montrer sévères, intraitables, jusqu'à ce que nous ayons extirpé décisivement le désir irrationnel de vengeance que portent les Humains dans leur cœur. L'heure de l'indulgence est terminée. Nous allons nous appliquer à manifester de manière implacable nos droits sur cette planète.

Voilà le Gouverneur Karanth qui disparaît derrière ses gardes, sous les applaudissements de la foule. Vous aurez remarqué, chers auditeurs, que votre hôte, Jorulia Vassal, n'applaudit pas. Malgré la sympathie que j'éprouve pour les victimes de l'attaque d'hier, je ne peux moralement cautionner les décisions prises par le gouvernement de Karanth, les conspirateurs du Conseil et les Amiraux décadents qui tirent les ficelles depuis Tharisia. Offrir mon soutien à ces séditieux personnages serait une trahison éhontée des principes qui régissent ma vie ainsi que des valeurs qui m'ont été inculquées pendant mon service au ministère des Assalia. Tiens ! Voilà Charal qui vient finalement nous rejoindre.

– Quelle bande de crétins ! Il leur a fallu une éternité pour vérifier ma licence journalistique…

– Charal, nous sommes en onde…

– C'est de la censure, Jorulia ! Purement et simplement. S'ils pensent qu'ils peuvent bâillonner Charal Assaldion… Oh ! Bonjour, chers réseauspectateurs. J'ai malheureusement été retenu à la barrière de sécurité en raison de quelques malentendus, mais je suis persuadé que ma collaboratrice, l'excellente Jorulia Vassal, vous a professionnellement entretenu de la crise sur Averia entre les Humains et les Tharisiens. Alors, Jorulia, avez-vous des commentaires à formuler au sujet du discours du Gouverneur Karanth ?

– Eh bien Charal, tout d'abord, laissez-moi signifier à nos auditeurs à quel point ce voyage sur Averia a été instructif pour moi, jusqu'à maintenant. Cette planète se révèle être le point d'observation idéal pour constater les échecs des politiques du Conseil. Vingt-cinq ans après l'abdication des Assalia et la crise de la Ligue Monarchiste qui s'ensuivit, il est nécessaire de voir le naufrage évident des institutions qui gouvernent à présent ladite Alliance tharisienne.

– Je crois, Jorulia, que nos réseauspectateurs préféreraient que nous abordions des sujets qui les concernent davantage, tels que la guerre avec les Humains et la crise que nous vivons présentement sur Averia…

– Oh, mais Charal, la guerre d'il y a vingt ans n'est qu'un événement mineur en comparaison du schisme qui a bouleversé notre grande nation. Une conséquence négligeable du changement politique de l'empire. Tout au plus, on peut l'analyser comme étant l'aboutissement des erreurs diplomatiques du Conseil. Une autre preuve de l'incompétence de nos dirigeants actuels à gérer les problématiques galactiques sérieuses.

– Oui… d'accord…

***

— Les autres ont été transférés ailleurs, tu sais ?

Nous dînions dans la cafétéria. L'homme qui venait de m'adresser la parole était un détenu lui aussi. Les cheveux en bataille (ils étaient rares les prisonniers qui prenaient soin de leur apparence), il paraissait un peu plus âgé que moi. Je lui donnais dans la fin vingtaine. Il s'agissait, me rappelai-je soudainement, d'un des types qui m'avaient approchée l'autre jour, en même temps que la détenue au crâne rasé.

— De qui parles-tu ?

— Tes camarades, précisa-t-il, ceux qui ont fait sauter cette bombe chez le Gouverneur.

— Dans ce cas, ça ne m'intéresse vraiment pas, désolée.

Mon collègue d'incarcération ne sembla pas comprendre que je ne souhaitais pas sa compagnie, car il s'installa tout de même à ma table, face à moi. Il me présenta une main que je ne serrai pas.

— Je m'appelle Lanz.

— Seki Jones, lui répondis-je.

— Oui, tout le monde te connaît ici.

Je haussai un sourcil. Le dénommé Lanz baissa le ton.

— Il y en a qui ont accès au réseau. Ce que tu as fait t'a propulsée au rang de superstar. La résistance ne parle que de toi.

— Il ne manquait bien que ça, dis-je en soupirant. Ah et puis, ils peuvent raconter ce qu'ils veulent. Je crois qu'ils ont l'intention de me garder ici encore longtemps.

Lanz se pencha vers l'arrière sur son banc, les bras derrière la tête. Cela avait pour effet de gonfler son ventre sous sa chemise grise.

— Ça, je n'en suis pas si sûr, me confia-t-il. Comme je te disais, les autres avant toi ne sont pas restés bien longtemps.

— Tu veux dire qu'ils ont été exécutés ? Si tu essaies de me ficher la trouille, c'est raté.

Je fouillai mollement mon assiette. Lanz, lui, souriait. Cela creusait de petites rides aux coins de ses yeux.

— Non, d'après moi, ils les ont envoyés là-haut, fit-il en pointant vers le ciel.

Devant mon incompréhension, il précisa.

— Ailleurs. Sur une autre colonie. À mon avis, ils les ont déplacés sur Epsilon IV.

— Pourquoi les aurait-on envoyés sur Epsilon IV ? lui demandai-je, de plus en plus intriguée par son discours.

Je n'avais d'ailleurs aucune idée de ce que pouvait bien être Epsilon IV. Mais je fis mon possible pour ne pas le laisser paraître.

— Ils ont transformé cette planète en immense camp de travail forcé. Des besognes qu'aucune machine ne peut accomplir. Ni les nôtres, ni les leurs.

Je mâchouillai un bout de purée tiède un moment en faisant la moue.

— Des ouï-dire, fis-je. Qui t'a raconté ça ? Un garde tharisien ?

— Non. Je l'ai vu de mes propres yeux.

Deux Tharisiens passèrent derrière moi. Inconsciemment, je rentrai les épaules.

— Comment est-ce possible ? le questionnai-je lorsqu'ils furent hors de portée.

— Je ne suis pas né sur Averia.

Je fis un rapide calcul. Ce que me racontait Lanz était impossible. Personne n'avait quitté ou immigré dans la Colonie depuis l'occupation. Tout déplacement d'humains était prohibé.

– Tu es né sur Epsilon IV et tu as été déporté dans cette prison ?

C'était la seule solution possible à mes yeux.

– Non plus. Je suis pilote de vaisseau. J'étais un commerçant avant de me lancer dans ma nouvelle carrière de détenu à plein temps.

Il souriait de plus belle. Les rides aux coins de ses yeux me narguaient. Il se délectait apparemment de ma confusion.

– Tu veux dire... tu étais commerçant, depuis l'invasion tharisienne ? Après la guerre ?

– Exact.

– Tu... tu étais libre de te déplacer entre les colonies dans un *vaisseau spatial* ?

– Pas tout à fait libre, non. Il y a des zones de restrictions. Certaines colonies, comme Averia, sont restreintes d'accès.

– Je ne comprends pas... Comment est-ce possible ?

– Je ne vois pas ce qui est si dur à concevoir, Seki Jones. Oui, nous avons guerroyé avec les Tharisiens, mais ça prend davantage que des relations diplomatiques tièdes pour empêcher le bon fonctionnement du commerce galactique.

– Ça signifie que tu as vu la Terre ? demandai-je, probablement avec des étoiles dans les yeux.

Avant qu'il n'ait le temps de me répondre, les gardes appelèrent les détenus à retourner dans leurs quartiers. Lanz me fit un clin d'œil et me quitta pour se mettre en rang, me laissant assise à ma place, la curiosité piquée pour la première fois depuis mon incarcération. Je fixai toujours Lanz lorsque deux gardes vinrent me chercher pour me mener à ma cellule à l'écart des autres.

* * *

Postée à ma fenêtre, je regardais passer les patrouilles tharisiennes, déambulant grossièrement, comme des insectes cliquetant sur nos pavés. Leur nombre s'était considérablement accru depuis quelques jours. Profitez-en, me disais-je. Bientôt, il sera très dangereux d'arpenter ainsi nos rues. Nous vous ferons payer le prix de vingt ans d'occupation austère.

L'augmentation des effectifs tharisiens sur notre territoire n'était qu'une des nombreuses mesures récemment décrétées par le Gouverneur Karanth suite à l'attaque que j'avais ordonnée sur le réseau de transport du Haut-Plateau.

En plus du resserrement du couvre-feu, de l'interdiction de se rassembler à plus de trois dans un lieu public, les Tharisiens contrôlaient maintenant l'accès à l'université. Fermé jusqu'à nouvel ordre. Arraché, le dernier symbole de notre liberté. Officiellement, ils agissaient ainsi pour limiter les déplacements et pour assurer la sécurité des étudiants. Seulement, je voyais clair dans le jeu de Karanth. L'université devait carrément constituer un nid de vipères pour les Tharisiens. C'était le lieu parfait pour les regroupements illicites et le bâtiment faisait sans doute office de centre de recrutement pour les jeunes idéalistes désireux de se joindre au mouvement.

Si mes estimations étaient justes au sujet des intentions d'Astran Karanth, rien ne l'empêcherait d'utiliser un quelconque argument fallacieux pour nous bannir de nos écoles de façon définitive. Son objectif était de nous mettre hors d'état de nuire pour toujours. Il voulait s'assurer que notre espèce ne se relève jamais de la défaite que nous avait infligée son peuple. À long terme, nous maintenir dans l'ignorance perpétuelle remplirait cette mission à merveille. Un peuple ignare n'acquerrait jamais les capacités de se soulever contre un envahisseur technologiquement supérieur.

Je réprimai l'envie soudaine de balancer quelque chose de lourd aux soldats tharisiens qui déambulaient dans la rue près de ma fenêtre.

Bip bip bip !

Je saisis mon réseau et répondis. Kodos m'appelait, enfin ! Inconsciemment, je passai une main dans ma tignasse rebelle pour l'aplanir un peu. C'était pourtant ridicule. Par mesure de sécurité, nous n'utilisions pas la vidéo lors de nos conversations. J'avais vu le visage de Kodos aux actualités lorsque ce crétin d'Assaldion parlait des terroristes recherchés, mais lui n'avait jamais contemplé le mien.

D'ailleurs, il ne m'avait pas appelé depuis une éternité. La dernière fois remontait à la nuit où il m'avait demandé de cesser d'écrire de longs éloges au sujet de Seki...

— Allo ? fis-je avant de m'éclaircir timidement la gorge.

— Myr.

Silence. D'une touche, j'élevai le son du haut-parleur de mon réseau.

— Quelque chose ne va pas, Kodos ?

La respiration, de l'autre côté du réseau, soufflait du rythme de celui qui cherche à contenir sa colère.

— Tu te débrouilles plutôt bien avec les résistants que nous t'avons confiés, se décida-t-il à dire.

— Oui, en effet. Mais je reste prudente. Je sais qu'il ne sert à rien de frapper trop fort, trop tôt.

J'essayai d'assurer ma voix. Lui parler me mettait toujours dans un drôle d'état. Devant Kodos, je m'efforçais de paraître forte, solide. Plus mature. Lui, par contre, avait une attitude inhabituelle. Il semblait hésiter. Il n'abordait pas le sujet qui lui pesait vraisemblablement sur le cœur.

– C'est bien. Si les autres continuent à suivre ton exemple, nous pourrons enfin déclencher l'insurrection...

Je hochai la tête et attendis. Mais Kodos ne disait rien.

– Je... Laïka m'a dit qu'il y avait certaines tensions au quartier général...

Kodos renifla de dédain.

– Elle t'a dit ça, hein?

Je me tus, gênée. J'avais voulu briser le silence, mais j'aurais mieux fait de me taire.

– Écoute, Myr. Je respecte beaucoup Leeven et Iberius, j'admire ce qu'ils ont fait pendant la guerre et j'ai confiance en leurs moyens. Je te suis reconnaissant de nous avoir mis en contact avec eux.

Mais? pensai-je. Le ton de Kodos se faisait plus dur. Sa voix, plus sifflante.

– Mais je suis d'avis qu'il vaut mieux frapper maintenant. Plonger le poignard avant que cet enfoiré de Karanth n'ait le temps d'organiser sa défense.

– Je suis aussi de cet avis, fis-je faiblement.

Kodos, cependant, ne sembla pas s'en préoccuper. Il s'emporta davantage.

– Les deux autres ne jurent que par le soutien de la population. Ils ont besoin d'un symbole fort. Quelque chose pour souder les habitants d'Averia et les révolutionnaires. Un pacte que le peuple signerait de bonne foi, liant son destin à celui de l'insurrection.

Seki, estimai-je. Ils veulent se servir de Seki et de l'image que j'aide à projeter d'elle sur le réseau pour rallier les humains d'Averia à leur cause.

— Mais je n'en ai rien à foutre de leur campagne de publicité. Le soutien de la population, nous l'obtiendrons lorsque les croiseurs tharisiens seront en orbite et menaceront de pulvériser nos maisons. Lorsque les soldats auront ouvert le feu sur les foules pacifiques. Lorsqu'ils auront tous un désintégrateur pointé sur la tempe. L'allégeance de nos semblables, nous la gagnerons lorsque le peuple sera mort de trouille, que sa vie ne tiendra qu'à un fil. Lorsqu'il comprendra que sa survie passe par le soulèvement. Et que nous sommes la seule solution…

Mon cœur battait la chamade. Je sentais mes joues se colorer. Je mourais d'envie de lui dire qu'il avait raison, que j'étais derrière lui. Que je ferais tout ce qui est en mon pouvoir pour l'aider à déchaîner le feu sur nos ennemis tharisiens.

— Mais non, grinça-t-il. Ils n'en ont tous que pour Seki Jones…

Je déglutis avec peine.

— Kodos, si je peux…

Mais Kodos rompit la communication.

* * *

...Nous avons reçu de sources anonymes une information qui nous semble cruciale dans le contexte de crise actuelle. N'écoutant que notre désir de bien remplir notre devoir journalistique, nous nous empressons de partager cette information avec notre public. L'item que nous vous présentons est un enregistrement audio d'une conversation qu'a tenue Astran Karanth avec un subordonné non identifié au lendemain de son discours.

Voici le segment que nous avons choisi de diffuser :

– La tranquillité ne peut revenir, je crois, qu'à la condition de soumettre les Humains de la Colonie de façon définitive et sans équivoque. Toute action conciliante de notre part, comme le tentèrent mes prédécesseurs par le passé, n'aura comme seule conséquence que de retarder de cinq ou dix ans l'insurrection. Une stratégie d'apaisement calmera la masse molle et manipulable de la population, mais n'éteindra pas le feu qui brûle chez les extrémistes. Ceux-ci n'auront qu'à rallumer l'incendie lorsque le bois sera de nouveau sec. Il ne doit rien rester à brûler, comprenez-vous ? Nous allons les priver de combustible. Il ne devra rien rester...

– Mais qu'attendons-nous dans ce cas, Gouverneur ?

– Il faut procéder par étapes. Les yeux de l'Alliance sont tournés vers nous. Nous devons attendre d'avoir sur les bras la crise la plus spectaculaire de la galaxie si nous désirons anéantir la rébellion avec les moyens que nous avons prévus. Croyez-en mon expérience, les mesures draconiennes frappent l'imagination. Il m'a fallu vingt ans pour me remettre des conséquences politiques des décisions que j'ai prises pendant la guerre. Nous allons frapper, mais ce sera au bon moment.

Nous vous rappelons que nous avons obtenu ces informations de sources anonymes. Néanmoins, votre hôte ainsi que notre équipe de recherchistes s'affairent à dénicher d'autres renseignements à ce sujet.

* * *

— Que s'est-il passé avec les autres prisonniers du Front de Libération d'Averia ? demandai-je à Haraldion.

L'interrogatoire traînait en longueur et n'aboutissait encore une fois à rien. Je décidai que c'était à mon tour de poser des questions.

— Ils sont détenus ici, tout comme toi, dans des cellules isolées, me répondit-il, ma question l'ayant vraisemblablement pris par surprise.

— C'est faux. Je sais qu'ils ne sont plus ici. Que leur est-il arrivé ?

Le Tharisien se pencha sur la table, donnant l'impression d'être tout à coup très attentif.

— C'est bien la première fois que tu manifestes de l'intérêt pour les autres membres de ton mouvement, Seki. Tu m'intrigues. Pourquoi t'intéresses-tu finalement à eux ?

Je relevai le menton et le dévisageai.

— On me cache des choses, à moi aussi. Vous aviez promis de me dire la vérité. Vous vous souvenez ? Pour créer un climat de confiance. Je veux savoir ce qui leur est arrivé.

Haraldion pressa quelques touches de son réseau, sans doute pour se donner une contenance.

— Tu es un cas unique, Seki. Tu es considérée comme l'artisane principale de l'attentat. On ne peut pas se baser sur l'expérience des autres détenus pour deviner ce que le Gouverneur décidera pour toi.

— Je veux savoir ce qu'ils sont devenus.

Le Moniteur mesura ses mots avant de parler.

— Ils ont été transférés dans un établissement spécial où ils œuvrent à l'extraction de ressources stratégiques pour l'Alliance tharisienne.

— Sur une autre planète ?

— Oui, sur une ancienne colonie humaine.

Haraldion et moi ne disions plus rien. J'étais perdue dans mes pensées, d'une main je lissais la table blanche, mes doigts distraits laissant de petites traces de sueur sur leur passage. Était-ce le sort qui m'attendait ? Allait-on m'exiler ? J'observai mon interrogateur. Il prenait des notes sur son réseau. Ses mains, massives et sèches, couraient sur les touches de son clavier. Le menton appuyé dans l'une de mes paumes, je questionnai le Moniteur à nouveau.

— À quoi ressemble Tharisia ?

Haraldion délaissa son réseau et se cala un peu dans sa chaise. Il avait maintenant l'habitude que je le questionne sur sa culture. À la fin de chacune de nos rencontres, je l'interrogeais sur son peuple.

— C'est une immense planète. Deux fois la superficie de la Terre. Ou quatre fois celle d'Averia, si tu préfères. Mais elle est toutefois très aride. S'y nourrir a toujours été problématique du temps de mes ancêtres. Au moment où nous avons commencé l'exploration spatiale, nous étions cinq fois moins nombreux que lorsque ton peuple s'est à son tour lancé vers les étoiles, Seki.

— C'est comment, y vivre ?

— C'est dur à décrire, commença-t-il. Les choses ont beaucoup changé depuis quelque temps. J'aime croire qu'il y règne encore un climat de noblesse, une certaine dignité. Ou alors un fardeau…

— Un fardeau ?

— Oui. Je ne m'attends pas à ce que tu comprennes, Seki. C'est très imprécis comme terme de ma part. Cependant, je n'arrive pas à en trouver d'autres.

– Essayez tout de même de m'expliquer, lui suggérai-je.

Haraldion joignit les mains et sembla se concentrer sur un point situé au-dessus de ma tête.

– On ne peut pas vivre sur Tharisia en étant replié sur soi-même. Il y existe une forme d'attente envers ses citoyens. Y vivre et ne pas s'investir dans la réussite du peuple tharisien est très mal vu. À l'origine, et ici je fais référence au début de l'ère spatiale, la tendance était de s'impliquer dans l'exploration ou la colonisation avant de revenir sur Tharisia, une fois l'âge vénérable atteint, et partager avec la jeune génération nos découvertes et notre passion pour l'expansion de l'Empire.

– J'aimerais vraiment voir à quoi ressemble Tharisia, un jour...

Comme je l'avais souvent observé jusqu'à présent, Haraldion exprima son malaise en quittant son siège et en marchant dans la pièce.

– Seki, je me dois de te prévenir, nos rencontres tirent à leur fin. Le Gouverneur Karanth souhaite maintenant s'entretenir avec toi.

– Je vois... répondis-je.

Au ton de sa voix, je devinais que c'était de mauvais augure.

– J'ai tout fait, Seki, pour nuancer mon rapport. Pour mettre l'accent sur mes impressions personnelles plutôt que sur les faits bruts. Je n'arrive pas à chasser ce sentiment que, malgré le discours que tu me tiens depuis quelque temps, tu as réellement été entraînée contre ton gré dans cette affaire. Hélas, le Gouverneur Karanth n'est pas un Tharisien d'une grande subtilité… Il n'a retenu qu'une chose de mon rapport : aucune des informations que tu nous as fournies ne s'est révélée être vraie et tu nous as conduits à aucun des autres terroristes impliqués dans l'attentat. J'enfreins largement le protocole qui régit ma profession en te partageant ces pensées, mais j'espère fortement que ta peine sera clémente. Bien que j'en doute. Je ne sais pas quelle signification mes mots peuvent avoir à tes oreilles, mais je me suis beaucoup attaché à toi, Seki Jones.

Je restai longtemps les yeux fixés sur la table.

— Merci pour tout, Moniteur Haraldion.

Dans ma cellule, je m'affalai sur mon lit, lasse. Ainsi, on allait me déporter sur une colonie minière, loin de ma famille. Ou pire encore, on projetait de m'exécuter. Je n'entretenais plus l'ombre d'un doute quant à ce que mes geôliers me réservaient. Seule dans ma cellule, je laissai couler le chagrin qui m'assaillait. Mieux valait maintenant le faire, à l'abri des regards, que devant mes juges tharisiens. Je pleurais de colère contre le sort injuste que m'avait réservé la vie. J'avais l'impression de ne jamais avoir pu décider de quoi que ce soit. Le seul choix que j'avais fait, celui de ne pas me mêler au sentiment de révolte contre les Tharisiens, on ne l'avait pas respecté. On m'avait projetée dans un rôle que je n'avais pas désiré. Je devais maintenant assumer les responsabilités d'un acte que je n'avais pas commis et dont je ne pouvais pas m'innocenter, car il me fallait protéger ma sœur. Je devais souffrir pour que Myr ne soit pas jetée en prison. Je trouvais cette réalité repoussante. Myr apprendrait mon exécution sur le réseau et ce serait tant pis pour elle. Voilà où mène la vie de rébellion que tu as tant souhaitée.

Puis je me mis à sangloter parce que je ne les verrais plus jamais, ni Myr ni mon père.

* * *

— Il faut absolument faire quelque chose ! hurlai-je dans le réseau.

Laïka essayait de me calmer.

— Je t'assure, Myr, que nous prenons la situation très au sérieux ici. Nous savons ce que Seki représente pour le mouvement révolutionnaire. Seulement, nous n'avons aucune idée de l'endroit où elle est gardée, si cet endroit est bien défendu et….

— Et quoi ? demandai-je, à bout de nerfs.

— Et nous ignorons si elle voudra collaborer avec nous une fois libérée…

— Qu'est-ce que tu racontes ? Seki a fait sauter une bombe chez le Gouverneur !

— Je sais, Myr, mais les choses sont plus compliquées qu'il n'y paraît. Écoute, je vais être honnête avec toi. Ici, tout le monde est d'avis qu'il faut faire quelque chose pour sauver Seki Jones. Iberius et Leeven croient qu'elle pourrait encore jouer un rôle clé dans l'insurrection.

— C'est Kodos qui ne veut pas d'elle, c'est ça ?

Je n'étais pas aveugle. La haine qu'il lui vouait était palpable, même à l'autre bout du réseau.

— Ne le prends pas mal, Myr. Je sais à quel point Seki est une figure importante pour toi. Ne pense pas que Kodos te respecte moins en raison de l'admiration que tu lui portes.

Après m'avoir fait promettre de ne pas me lancer dans une tentative désespérée pour libérer Seki, Laïka mit fin à notre conversation. Seki me détestait peut-être et elle m'avait tenue à l'écart de ses projets de révolution, mais ce qu'elle avait accompli surpassait tout le mépris dont elle avait fait preuve à mon égard. Il me fallait lui venir en aide. Je n'allais pas la laisser tomber. Si les Tharisiens touchaient à un seul de ses cheveux, décidai-je, je ferais couler leur sang dans nos rues. Je n'avais peut-être qu'une quinzaine de gars sous mes ordres, mais je trouverais le moyen de faire payer ces abominations.

Le picotement au bout de mes doigts s'accentuait. Je sentais que j'avais trop ouvert les valves de mes émotions. Mon flot de pensées s'accélérait. Je maudissais frénétiquement les Tharisiens dans ma tête, hurlant à l'intérieur de plus en plus fort pour masquer les sombres pensées qui se dessinaient en ombrage dans les plus profondes cavités de mon cerveau.

J'étouffais dans ma minuscule chambre. Peut-être qu'en m'échappant d'ici, je pourrais également semer le cauchemar qui prenait forme en moi. J'ouvris la porte de ma chambre et je dévalai les escaliers à toute vitesse. Tout juste avant de sortir de la maison, je croisai mon père, affalé dans un fauteuil, les yeux voilés. Il me regarda passer avec incompréhension.

Non, avec dégoût, corrigeai-je.

Il était trop tard, ma hantise m'avait rattrapée, s'était infiltrée dans mes défenses et s'étalait au grand jour. Mes pensées se transformaient en couteaux que j'empoignais moi-même pour me taillader la peau, chaque coup s'enfonçant plus profondément dans mes chairs, creusant des plaies béantes d'où s'écoulait le venin qui se cachait dans mes veines. Je quittai cette maison où on me détestait, où on haïssait chaque fibre de mon être. Où on me maudissait pour ce que j'étais, pour ce que je représentais et pour ce que j'avais fait. Chaque regard que posait mon père sur moi était empreint de regrets. Seki et lui devaient constamment superposer sur moi l'image de la vie qu'ils auraient eue si je n'étais pas venue détruire leur monde.

Marchant dans la rue, les bras enroulés inconsciemment autour de mon corps pour me protéger, je bousculais les autres passants. Qu'ils aillent tous au diable, pensai-je. Si vous aviez décidé d'adhérer à notre cause plus rapidement, Kodos aurait déjà entamé l'offensive finale contre l'envahisseur tharisien. Nous serions libérés de cette vermine qui nous ronge. Mes bottes claquaient contre le sol, tentant de rattraper le rythme saccadé de mes battements de cœur. Je ne distinguais qu'un mince corridor, ma vision se réduisant à un tunnel tout juste assez grand pour contenir un morceau de ciel gris, le bout de mes bottes et une vague conscience des silhouettes que j'évitais à peine.

À quoi ma vie ressemblerait-elle si ce n'avait été des Tharisiens ? me demandai-je. Ces monstres m'avaient privée de mon droit à une existence paisible et insouciante. Ils m'avaient dépouillée de ma famille.

Tout à coup, mon flot de pensées fut interrompu lorsque j'entrai brutalement en collision avec un autre passant. Le choc me frappa de surprise. Cependant, en levant la tête, je vis que la forme contre laquelle je venais de m'aplatir portait un uniforme gris.

Le Tharisien me repoussa grossièrement et posa une main sur son arme. Toujours interdite, je reculai de quelques pas.

— Qu'est-ce que tu crois faire exactement, Humaine ?

Son pistolet occupait tout mon champ de vision. Je reculai encore un peu, lentement.

– Tu penses pouvoir te balader inopinément dans nos rues et bousculer un soldat tharisien ? Ou alors tu croyais pouvoir me dérober ça ?

Il dégaina son arme et la pointa vers moi. Tout autour, la rue s'immobilisa, engluée dans un champ de force invisible. La rue, bondée, retenait son souffle. Moi, mes poumons s'étaient cristallisés de toute façon.

Derrière le soldat, un de ses collègues intervint.

– Allons, tu vois bien que ce n'est qu'une gamine. C'était un accident, voilà tout. Soyez prudente, mademoiselle.

Il mit la main sur l'épaule de son collègue et le détourna de moi. Après avoir résisté un peu, le Tharisien rangea son désintégrateur et retourna à sa patrouille.

Je les regardais marcher. Autour de moi la rue se ranimait peu à peu. Clignant des yeux, sans réfléchir, je m'agenouillai lentement et ramassai une pierre. Arquant le bras vers l'arrière, je visualisai la courbe parfaite de la roche, frappant le Tharisien à la tête. J'effectuai mon lancer. La pierre, suivant exactement la trajectoire que je lui avais imaginée, s'abattit sur le crâne du Tharisien avec un bruit sourd. Les jambes de celui-ci flanchèrent sur le coup de la surprise et il s'écrasa au sol. Les autres soldats formèrent aussitôt un écran de protection autour de lui et scrutèrent la foule, les armes au poing.

J'allais prendre mes jambes à mon coup et m'enfuir quand je vis une autre roche s'abattre sur les soldats. Puis une autre. Et encore une autre. J'observai les Tharisiens battre en retraite devant la pluie de pierres et je compris que les alliés de Kodos avaient tort. Averia était mûre pour l'insurrection. Il suffisait seulement de montrer l'exemple.

Quelqu'un dégaina un désintégrateur et ouvrit le feu sur les Tharisiens. Je me lançai par terre au moment où les Tharisiens se mirent à répliquer. En quelques secondes, dans une rue auparavant calme et anodine, des déflagrations d'énergie volaient de part et d'autre, transformant le quartier en champ de bataille. J'étais aussi exaltée que tétanisée par la peur. La guerre que j'avais tant souhaitée, j'allais peut-être y laisser ma peau, mais je la vivais. J'en faisais partie.

Des éclats provenant d'un bâtiment proche me percutèrent le dos. La réalité de la scène qui se déroulait tout autour de moi finit par me rattraper. Je me trouvais au beau milieu d'une fusillade et j'étais à découvert, le grésillement des armes déchirant l'air à quelques centimètres au-dessus de ma tête. Une décharge d'énergie passa tout près de moi et me fit enfouir le visage sous mes bras. Je n'osais plus bouger. Il aurait fallu que je rampe sur quelques mètres à peine pour me retrouver davantage à l'abri, mais mes membres refusaient de se plier à ma volonté.

Après un moment, les tirs semblèrent s'être déplacés. À l'oreille seulement, j'estimai que l'un des deux partis tentait de battre en retraite. J'allais relever la tête et courir lorsque des mains m'empoignèrent subitement et me tirèrent à couvert derrière un mur.

— Myr, bon sang ! Es-tu blessée ?

C'était mon père. Il inspectait frénétiquement mon corps à la recherche d'éventuelles meurtrissures, mais n'en trouva heureusement aucune. Quand il m'avait vu quitter la maison comme une furie tout à l'heure, il avait dû se lancer à ma poursuite, craignant que je ne commette une bêtise. Je ne pouvais lui reprocher d'avoir eu tort.

Le visage entre les mains de mon père, je laissai couler quelques larmes. Me calant contre lui, je m'abandonnai entre ses bras et consentis à m'imaginer que j'étais sa petite fille qu'il aimait tant. Que nous vivions au sein d'une belle famille unie. C'était peut-être faux, mais en ce moment, ça ne me faisait pas de mal de me laisser réconforter un peu.

* * *

À la cafétéria, Lanz vint me rejoindre à nouveau. Je l'attendais, les mains à plat sur la table, le visage fermé au-dessus de mon cabaret recouvert de son habituelle purée informe. Puisque j'allais bientôt disparaître, je souhaitais au moins ne pas rester ignorante. Dès qu'il fut assis à mes côtés, je le fusillai du regard.

— Tu me dois des explications. Que se passe-t-il dans les autres colonies ?

— Ainsi, ce que j'ai à dire t'intéresse...

Il était vraisemblablement heureux de l'effet que notre petite conversation avait eu sur moi. J'eus envie de lui casser la figure.

— Ne fais pas le malin. J'ai besoin de savoir. Il ne m'en reste pas pour très longtemps, à mon avis.

Il sembla reprendre son sérieux.

— D'accord, mais procédons tout de même par étapes. On ne peut pas décoller sans d'abord réchauffer les moteurs.

— Quelles sont tes étapes ? demandai-je avec méfiance.

— Hé, Seki, on fait ça selon mes termes ou alors je ne te dis rien.

Je grognai un peu, mais je finis par acquiescer.

— Quelle est la première étape, alors ? répétai-je avec impatience.

— Dis-moi ce que tu sais sur les Tharisiens, fit-il en rassemblant la nourriture dans son assiette en un tas qu'il mélangea par la suite.

— Que veux-tu que je te dise ? Je ne comprends pas.

— Raconte-moi ce que tu sais d'eux ! Leur histoire, leur culture, leur organisation...

Je fouillai ma mémoire en vain. Je me rendis compte que je ne savais strictement rien d'eux. Mes conversations avec

Haraldion étaient les seuls vrais contacts que j'avais eus avec la culture tharisienne. Bien que curieuse de nature, je ne m'étais jamais intéressée à l'histoire des Tharisiens auparavant.

— Je sais qu'ils ont un Gouverneur pour administrer notre colonie. Qu'il siège à l'Assemblée avec les représentants du Gouvernement Autonome et qu'il a un droit de veto sur nos décisions. C'est à peu près tout ce que je sais, admis-je, presque gênée.

— Tu ne sais pas d'où ils viennent? Tu ne connais rien de leur histoire avant la guerre avec l'humanité?

— Non, fis-je, embêtée.

L'image du Falandrium s'imposa dans mon esprit, mais je n'avais pas envie de déballer tout ça à Lanz. De toute façon, je ne comprenais pas grand-chose à ce mythe.

— Leçon numéro un, Seki : toujours te renseigner sur ton ennemi.

Je croisai les bras.

— Je veux que tu m'éclaires sur ce que je ne sais pas. Je n'ai pas besoin que tu me fasses la morale.

— Ne te fâche pas contre moi, Seki. Après tout, je ne te dois rien. Tiens, je te laisse une autre chance. Peux-tu me raconter comment s'est déroulée la guerre, il y a vingt ans?

— Je ne suis pas sûre d'être une experte en la matière, tu sais, lui avouai-je. J'en ai entendu des bouts par-ci par-là, mais…

— Dis-moi ce que tu sais, c'est tout, m'encouragea Lanz.

Ennuyée, je pris une profonde inspiration avant de lui répondre.

— Ce que j'en sais… La guerre a commencé sur une question de colonisation. Une histoire de ressources, non?

— Continue, Seki.

— Il y a eu des affrontements entre les colons sur les bases éloignées et ça a dégénéré en guerre. Les Tharisiens sont débarqués par surprise et ont saisi ces colonies extérieures, n'est-ce pas ?

— Ne te préoccupe pas de ce que j'en pense. Continue.

— Je n'en sais pas beaucoup plus, Lanz. Tout ça me semble tellement loin de moi. Ça s'est déroulé sur un autre monde, dans un autre temps. Je n'ai pas l'impression que ça nous concerne.

— Que s'est-il passé ensuite ? poursuivit-il en m'ignorant, engouffrant une cuillère débordante de purée grumeuse…

Je jetai un oeil à la ronde. Le reste des détenus mangeaient bruyamment sous la supervision sévère des geôliers. Au-dessus de nous, je surpris le regard jaune et acéré d'un garde qui nous observait depuis la passerelle.

— Eh bien, il y a eu la guerre, avec les batailles et les morts. Si je comprends bien, nous avions plus ou moins la parité technologique avec eux. Aucun des deux camps ne parvenait à avoir le dessus sur l'autre. Les renforts venaient remplacer ceux qui tombaient au combat et c'était la spirale de la violence. Je ne me souviens plus quelle colonie a chuté avant l'autre…

— Qu'en est-il d'Averia ?

— Si je me souviens bien, les Tharisiens avaient attiré la flotte ailleurs et sont arrivés en orbite par surprise. Ils sont débarqués ici et ont assiégé la Colonie pendant des mois. À ce qu'on m'a dit, nous avons résisté plus que n'importe quelle autre planète.

— Oui, ta version du siège d'Averia est assez juste.

Je laissai tomber mes ustensiles dans mon cabaret et je croisai les bras.

— Ouais, et à quoi cela a-t-il bien pu servir ? À la fin, la Colonie était presque entièrement rasée. Plus d'hôpitaux, plus d'université, plus d'infrastructures. Seulement la satisfaction d'avoir résisté bravement. Quelle fierté, hein ?

— Ok, mais ensuite ? fit-il, ignorant mon sarcasme.

Pendant quelques secondes, je ne dis rien. Le brouhaha qui régnait dans la salle à manger me fichait le mal de crâne. Lanz me posait des questions auxquelles je ne savais répondre. Myr, elle, pourrait lui étaler la chronologie complète de la guerre, ses causes et ses conséquences, en un long exposé passionné. Quand je repris la conversation, je me sentis fatiguée et lointaine.

— Nous avons peu à peu perdu tous nos bastions de défense et la guerre est arrivée jusqu'à la Terre. Comme il y a sans doute une limite à l'esprit d'autodestruction, le Gouvernement de la Terre a accepté de se rendre inconditionnellement.

— D'accord, et que s'est-il passé ensuite sur Averia ?

— Depuis ce temps, on essaie de rebâtir la Colonie. Quelques mois après la guerre, les Tharisiens sont venus s'installer ici, sur le Haut-Plateau.

Lanz me fit signe de me taire lorsque deux gardes tharisiens passèrent près de nous. Il se mit à manger avec enthousiasme le mélange qu'il avait préparé avec les différentes portions de son assiette.

— Goûtée séparément, la nourriture qu'on nous sert ici est infecte, mais une fois bien mélangée, c'est surprenant.

Je jetai un coup d'œil à son assiette.

— Bof… La couleur que ça donne ne m'inspire pas confiance.

— Fais comme tu veux, me répondit-il la bouche pleine.

J'entamai à contrecœur le contenu de mon cabaret. La nourriture avait effectivement un goût infect que la tiédeur du plat ne faisait qu'amplifier. Je regardai les gardes qui s'étaient arrêtés près de nous, impatiente qu'ils continuent leur ronde ailleurs. Je n'avais pas beaucoup de temps pour terminer ma conversation avec Lanz. Lorsque finalement les soldats poursuivirent leur chemin, celui-ci se mit à chuchoter rapidement à voix basse.

— Seki, la Terre ne s'est jamais rendue inconditionnellement. La guerre a été perdue, mais le prix à payer pour les Tharisiens était trop élevé pour pousser le combat jusqu'à la Terre. Averia fait partie du traité qui a mis fin à la guerre. Avec toute l'énergie qu'ils mettent à pacifier seulement cet endroit, tu crois qu'ils pourraient dominer l'humanité tout entière ?

— Je ne sais pas, moi ! Cette histoire de guerre ne m'a jamais intéressée. Je crois bien que c'est d'ailleurs le seul cours que j'ai échoué à l'école. Écoute, je ne voulais pas que tu me parles de la guerre, je désirais en savoir plus sur la Terre.

Une alarme sonore annonça la fin de l'heure du repas. Lanz se leva, mais continua de chuchoter. Du coin de l'œil, il voyait approcher les deux gardes qui devaient me ramener à ma cellule.

— Je suis allé sur Terre, Seki. Tout le monde là-bas ne souhaite que votre libération. J'ai été arrêté parce qu'on m'a pris à passer des armes aux résistants d'ici.

Les gardes étaient maintenant trop près de moi et Lanz se tut. Il y avait encore tant de choses que j'aurais aimé savoir, mais Lanz ne m'avait parlé que de cette foutue guerre.

****

Je suis infiniment désolé de vous annoncer que l'enregistrement audio d'une présumée conversation du Gouverneur Karanth que nous avons diffusé sur le réseau, au début de la semaine, s'est révélé une grossière falsification. Il semblerait que la capsule audio que nous avions reçue au studio n'était que le honteux travail de faussaires.

En tant que journaliste, il était de mon devoir de vérifier mes sources et de m'assurer de l'intégrité de l'information que je vous transmettais. En ce sens, j'accepte de prendre le blâme et je me porte responsable, au nom de Tharisia Press, *de tous les torts causés par la diffusion irréfléchie de ces fausses informations.*

J'espère de tout cœur que cet incident n'abîmera pas la confiance que vous, mes chers auditeurs, me témoignez. Je continuerai de me dévouer à la recherche de la vérité afin de vous abreuver des événements qui transforment le monde dans lequel nous vivons.

Dans un autre ordre d'idées, nous avons appris ce matin que le Gouverneur Karanth compte bientôt faire une nouvelle déclaration publique. Nous croyons qu'Astran Karanth a l'intention de réagir aux récentes altercations violentes qui se sont multipliées au cours des derniers jours dans la zone humaine d'Averia.

* * *

On m'installa sur la chaise habituelle, mais cette fois on enchaîna mes mains à nouveau. Haraldion était assis en retrait et je devinais à son regard qu'il essayait de m'avertir d'un danger. J'étais prête. Le contact des menottes froides sur mes poignets me rappelait mon premier interrogatoire, me ramenait en mémoire la forme recroquevillée, aveugle et souffrante avec qui Haraldion conversait. Cette fois, je n'allais pas jouer la petite gamine soumise. Je redressai le dos et pointai le menton. Qu'il vienne, ce Gouverneur Karanth.

Je dus patienter longtemps, une attente sans doute calculée. On souhaitait me déstabiliser. Ou alors me faire comprendre ma position de faiblesse. Quand le Gouverneur entra finalement dans la pièce, il le fit à renfort de grands bruits. Il claquait les talons et j'entendais les mouvements amples de ses vêtements derrière moi. Il passa à mes côtés et s'installa à la table, à la place qu'Haraldion occupait habituellement. Flanqué de deux gardes armés, le Gouverneur lui-même était de stature imposante. Il portait un habit qu'on aurait dit militaire, un uniforme blanc couvert de médailles. Alors que les images que j'avais vues de Jassal donnaient la vague impression d'un homme d'affaires, Karanth avait plutôt des airs de monarque tout-puissant. De profondes stries noircissaient son visage. Probablement des vestiges de la guerre, estimai-je.

Il me toisa d'un regard empli de mépris et je sus bien avant qu'il n'ouvre la bouche que son idée à mon sujet s'ancrait déjà fermement dans son esprit.

— Ainsi, c'est elle qui est à l'origine de toute cette agitation sur ma Colonie ? dit-il en me détaillant avec dédain.

— Il s'agit en effet de Seki Jones, Gouverneur, confirma Haraldion.

Je m'amusai à soutenir son regard. Le Gouverneur ne semblait pas enclin à m'adresser directement la parole.

— Seki Jones, l'insurgée responsable de l'attentat contre mon honorable prédécesseur ?

— Comme je l'ai écrit dans mon rapport, Gouverneur…

Karanth n'écouta pas Haraldion.

— En raison des circonstances exceptionnelles qui règnent en ce moment sur ma Colonie, j'ai eu la grande générosité de venir constater moi-même dans quel état d'esprit se trouvait la terroriste qui a tenté de décapiter le gouvernement d'Averia.

— Je ne… commençai-je.

Sa voix, grondante, profonde et puissante, tonna dans la pièce exiguë.

— Faites-la taire ! Faites taire cette créature. Je suis le digne représentant de l'Alliance tharisienne et je ne vous autorise pas à souiller notre entretien civilisé de vos interventions indésirables.

J'aperçus Haraldion avaler sa salive. De mon côté, je relevai encore davantage le menton, espérant masquer le mouvement de recul que m'avait inspiré cette explosion.

— Quelles sont les raisons qui ont poussé cette créature à s'en prendre aux plus hautes fonctions officielles en place sur cette planète ? demanda-t-il vraisemblablement au Moniteur qui se tenait derrière lui.

Haraldion se racla la gorge avant de parler.

— Comme je l'ai précisé dans mon rapport, les motivations de Seki Jones semblent floues. Au cours de nos entretiens, elle a tenu un discours inconsistant. Je ne crois pas avoir décelé une haine réelle envers les…

– Puisque vous mentionnez votre rapport, Moniteur Haraldion, sachez que j'en ai été profondément déçu. Jamais je n'ai été témoin d'un travail aussi bâclé de la part d'un dignitaire de votre stature. Nous vous avions investi d'une mission sérieuse et vous nous avez remis un ramassis d'interprétations douteuses. Votre rapport était si chargé émotionnellement que j'en ai éprouvé un profond inconfort lors de sa lecture.

Le Gouverneur Karanth me toisa à nouveau.

– Pourquoi cette chose sourit-elle ?

– Je l'ignore, Gouverneur.

– Eh bien demandez-lui donc ! lâcha-t-il avec un geste d'exaspération.

– Mademoiselle Jones… pourquoi souriez-vous ? articula Haraldion très lentement.

– Désolée, je ne m'en étais pas rendu compte, répondis-je sans toutefois me départir de mon sourire.

Karanth poussa un long soupir.

– Moniteur, je crains de devoir moi-même m'entretenir avec l'accusée. Voudriez-vous avoir l'obligeance de lui demander de m'épargner son insolence ? J'ai un horaire très chargé et j'estime avoir suffisamment perdu de temps dans cette prison.

– Seki, n'oublie pas que tu t'adresses au Gouverneur Karanth, autorité spécialement désignée par le gouvernement de l'Alliance tharisienne pour veiller aux affaires d'Averia. C'est un honneur qu'il nous fait à tous de venir s'entretenir en privé, avec nous, aujourd'hui.

— Je lui en suis infiniment reconnaissante, susurrai-je.

Le Gouverneur ne parut (ou ne voulut ?) pas noter mon sarcasme et enchaîna immédiatement.

— Accusée, vous avez commis un crime odieux et avez ainsi manqué de respect à toute la civilisation tharisienne. De par vos actions inconsidérées, vous menacez de détruire tous les efforts de notre peuple pour civiliser les Humains et les amener à une coexistence pacifique avec leurs maîtres tharisiens. Avez-vous seulement conscience des multiples répercussions que votre tentative de meurtre a entraînées, ou s'agit-il d'un exercice qui surpasse votre pouvoir de compréhension ?

— J'ai moi aussi une question pour vous, Gouverneur. Considérez-vous qu'il est civilisé de me juger en supprimant mes droits et en m'empêchant d'être justement représentée par un Défenseur ?

— Outrage ! s'écria Karanth. Comment osez-vous, en premier lieu, ignorer ma question ? Et comment osez-vous insinuer être en mesure de critiquer la pertinence de mes décisions en tant que Gouverneur d'Averia ? Non pas que je m'attende à ce que vous compreniez les fondements d'un gouvernement moderne, mais j'exige au moins que vous ayez le respect de ne pas faire intervenir votre faible intellect dans ma gouvernance !

— Seki, s'interposa Haraldion, ne fais que répondre aux questions qui te sont posées.

Ses yeux épelaient distinctement les mots « je t'en supplie ».

— Oui Gouverneur, j'ai conscience des répercussions de cet acte, mais il s'agit d'un crime que je n'ai pas commis.

Karanth se mit à rire bruyamment.

— Vos minables tentatives de nier l'évidence sont risibles, accusée. Nous avons accumulé une quantité de preuves écrasantes contre vous.

— Dans ce cas, quelle est la raison de cet entretien? demandai-je.

— Ma décision était déjà prise après la lecture du rapport vous concernant, mais je suis tout de même venu à la demande du Moniteur Haraldion. Je constate aujourd'hui que c'était une erreur. Mon entretien avec vous est terminé. Vous serez exécutée pour servir d'exemple au peuple d'Averia. Avec de la chance, votre mise à mort calmera les idées de révolte qui circulent dans ma Colonie.

Ça y est, me dis-je. La sentence était tombée. Je savais déjà à quoi m'attendre. Pour faire bonne figure, j'empruntai encore une fois le ton de ma soeur Myr.

— Vous ne pourrez nous tenir sous votre botte bien longtemps, Karanth, lui lançai-je. Nous vous chasserons d'Averia et nous serons aussi libres que les Humains de la Terre et des autres Colonies.

Mon attaque n'eut pas l'effet escompté. Karanth ne sembla pas le moins du monde ébranlé par ma prophétie. Il s'adressa à Haraldion.

— Nous aurions dû faire comme sur Zarya. Ce serait bien moins compliqué…

En se tournant vers moi une dernière fois, il se leva.

— Vous m'inspirez tout à coup beaucoup plus de pitié que de colère, Humaine. Ne la laissez pas avoir de contacts avec les autres détenus d'ici à son exécution, ordonna-t-il à Haraldion.

Il quitta la pièce, entraînant Haraldion à sa suite. Celui-ci s'efforça d'éviter mon regard.

* * *

La jeunesse volée

C'est maintenant officiel, Seki Jones, 18 ans, sera exécutée publiquement. Notre ennemi dévoile finalement sa vraie nature. C'est le même scénario qui se répète. Les Tharisiens, qui ont mis à sac Averia, la colonie humaine de toutes les promesses, volent à nouveau la jeunesse de notre peuple. Ils coupent les ailes d'une jeune adulte éprise de liberté.

Comprenez que c'est le sort qui nous attend tous si nous ne réagissons pas. Notre mort ne sera peut-être pas aussi brutale que celle de Seki Jones, la première à avoir osé se dresser contre nos oppresseurs, mais notre destin sera tout aussi tragique et encore plus lamentable. Un à un, nos droits ont été bafoués et les Tharisiens continueront de nous maintenir la tête sous l'eau, réprimant les aspirations d'un peuple qui agonise.

La mise à mort que les Tharisiens réservent à Seki Jones est un symbole. Nos ennemis ne reculeront devant rien pour nous forcer à accepter la soumission. Ils viennent même de prouver qu'ils iront jusqu'à saccager la jeunesse de notre peuple, à nouveau, pour nous montrer à quel point ils sont déterminés à nous enfoncer leur autorité dans la gorge.

Si la défaite d'il y a vingt ans amorçait le déclin de notre peuple, la mort de Seki Jones annoncera sa défaite définitive. »

* * *

Tant de colère submergeait mon esprit que je ne savais plus quoi penser. Tout se mélangeait dans ma tête. J'aurais eu envie de m'en prendre au monde entier. Je ne voulais pas mourir. Cette mort me paraissait absurde, irréelle. J'étais condamnée, sacrifiée au nom d'une cause que je n'avais jamais épousée. Les images caricaturales du Gouverneur Karanth, criant et agitant ses amples vêtements blancs, me revenaient sans cesse en tête.

Assise sur la chaise où j'avais appris ma sentence de la bouche de Karanth, j'attendais qu'Haraldion débute son interrogatoire. Il s'agissait probablement du dernier, d'ailleurs.

— Maintenant, Seki, pourquoi ne pas me raconter ce qui s'est réellement passé ? me demanda-t-il.

— Je vous ai tout dit, mentis-je.

Que pouvais-je lui révéler ? Il ne m'avait pas cru le premier jour, pourquoi me croirait-il maintenant ? De plus, je devais toujours protéger Myr et mon père. Toute l'activité incriminante de Myr sur le réseau allait lui attirer bien des ennuis si on découvrait que j'étais innocente. Je ne pouvais faire subir ça à ma famille…

— Seki, poursuivit le Moniteur. Je ne veux pas être rude avec toi, mais tu seras bientôt exécutée. Ne désires-tu pas te délivrer de tes secrets avant de…

Il ne termina pas sa phrase. Les mains entortillées, les yeux sur la table, je parlai avec écœurement.

— Qu'est-ce que ça pourra bien changer ? Le Gouverneur ne m'accordera jamais la grâce.

Haraldion se leva et arpenta la pièce de long en large.

— Certes, tu as sans doute raison.

Le Moniteur était passé au tutoiement depuis quelques jours déjà, mais c'était la première fois que j'en prenais conscience.

Il continua de marcher, l'air indécis, alors que je fixais toujours la table immaculée devant moi.

— Seulement… j'ai le sentiment que nous envoyons une innocente à la potence.

— Pourquoi donc ? demandai-je. Je croyais que vous aviez tout un tas de preuves contre moi.

— Des preuves circonstancielles seulement. Une signature sur le manifeste, des textes haineux sur le réseau et des témoignages contradictoires.

— Ça ne vous a pas empêché de me désigner comme la terroriste responsable de l'attentat…

Haraldion vint s'asseoir à nouveau devant moi. Je ne pus faire autrement que de relever la tête et d'affronter son regard.

— Presque dès le départ, tu as soigné ton personnage de révolutionnaire de l'ombre, Seki. Tu as tenté de me convaincre de ta haine des Tharisiens, mais j'ai eu tôt fait de déceler une incohérence majeure dans ta façade. Un détail qui faussait dans le masque que tu me présentais.

Je continuai de fixer ses yeux clairs, incapable de déterminer quelle attitude adopter.

— Nos conversations sur le Falandrium… ton intérêt pour la culture tharisienne… ta fascination pour ma planète natale. Dès que nos entretiens s'étiraient en longueur, tu laissais tomber ton déguisement, Seki. Je ne peux pas croire qu'une personne aussi curieuse quant au mode de vie de mon peuple puisse nous vouer une telle haine. Je n'arrive pas à t'imaginer comploter pour faire exploser une bombe et ensuite démontrer une saine curiosité face à une espèce que tu détestes.

Je baissai à nouveau les yeux sur la table. Je n'avais pas la force de faire semblant, de tenter de le convaincre de son erreur.

– Tu es innocente, Seki Jones. J'en ai la certitude. Les raisons qui te poussent à vouloir protéger quelqu'un me sont inconnues, mais sache que je comprends que tu n'as pas commis les crimes dont on t'accuse.

Il se leva à nouveau et me tourna le dos. Ses épaules tombèrent légèrement et sa voix me sembla soudainement très lasse.

– Hélas, tu comprends très bien que je ne peux pas annuler le jugement du Gouverneur. Et encore moins le convaincre sur la base de mes impressions personnelles. À vrai dire, Seki, je me sens bien impuissant, en ce moment…

Troisième partie

[illegible] distants me tirèrent de ma méditation. Je me [illegible] sur mon lit et tendis l'oreille. Je ne percevais rien [illegible] mais le silence fut bientôt rempli par le déclenche[illegible] une alarme que je n'avais jamais entendue aupara[illegible] autres sons étouffés parvinrent à mes oreilles, puis [illegible] de la prison [illegible] Le vacarme était rap[illegible] je pouvais maintenant reconnaître le grésillement [illegible] Une fusillade dans la prison ? Y avait-il [illegible]

[illegible]

Des bruits distants me tirèrent de ma méditation. Je me redressai sur mon lit et tendis l'oreille. Je ne percevais rien d'autre, mais le silence fut bientôt rempli par le déclenchement d'une alarme que je n'avais jamais entendue auparavant. D'autres sons étouffés parvinrent à mes oreilles, puis le son strident de l'alarme disparut. Le vacarme s'était rapproché. Je pouvais maintenant reconnaître le grésillement de désintégrateurs. Une fusillade dans la prison... Y avait-il eu une émeute ? Non, le bruit des émeutiers m'aurait extirpée de mon repos bien avant cela. Des évènements très violents se déroulaient manifestement dans le pénitencier. Je tâchai de faire taire l'espoir fugitif qui prenait naissance en moi. Allais-je pouvoir profiter de la confusion pour m'échapper ? Il faudrait d'abord que la bataille qui faisait rage non loin endommage la porte de ma cellule. Sinon, il m'était impossible d'en forcer le grillage.

J'entendais maintenant des cris avec clarté. Ce devait être la pagaille là-bas. Les bruits étouffés que j'avais perçus auparavant se révélèrent être des explosions. On se battait apparemment avec de l'armement lourd. Je ne me souvenais pas d'avoir observé de gardes porter d'autres armes que leurs désintégrateurs standards.

Le combat durait depuis maintenant plus de dix minutes et il m'était impossible de deviner qui avait l'avantage entre les gardiens de la prison et les mystérieux agresseurs. Soudain, je distinguai des bruits de course dans l'allée qui menait à ma cellule. Mon cœur s'emballa. Et si on avait ordonné mon exécution immédiate pour éviter que je ne sois libérée ? Combattant mes membres tremblants, je me levai et tentai de me tenir droite. Je ne voulais pas qu'on m'abatte alors que je gisais recroquevillée sur mon oreiller.

Un homme apparut dans mon champ de vision. Seule une mince couronne de cheveux lui entourait la tête. Il portait un uniforme gris, un gris plus délavé que celui des soldats tharisiens, et tenait un désintégrateur à la main. De nombreuses grenades à défragmentation pendaient à sa ceinture. Son visage était marqué de traces de suie et son uniforme avait vraisemblablement été récemment malmené. Étonnamment, il semblait très calme pour quelqu'un qui venait de traverser l'enfer qui me parvenait en format sonore.

L'homme me détailla longuement de la tête aux pieds. Je n'avais toujours pas esquissé le moindre mouvement.

– C'est elle ? demanda-t-il.

Sa voix était basse, mais très puissante.

Kodos arriva derrière lui. Une armure de combat avait remplacé son trench-coat et lui couvrait maintenant le torse. Lui aussi avait un désintégrateur à la main. Visiblement essoufflé et épuisé, il me toisa et, d'une voix qui laissait transparaître toute la joie qu'il avait de me retrouver, grogna presque à regret :

– Oui Général, c'est Seki Jones.

L'homme qui possédait apparemment le grade de général braqua son arme de poing.

– Bouge de là, m'ordonna-t-il de son timbre rauque.

Je ne me fis pas prier pour obtempérer. À peine avais-je eu le temps de m'éloigner du grillage que le général envoya trois puissantes décharges dans la serrure de ma cellule. Accompagnée du grésillement caractéristique des désintégrateurs, la matière qui composait la porte de ma prison se répandit à quelques centimètres de moi, en une pluie de particules en fusion. Le général y flanqua un coup de pied et celle-ci céda d'un seul coup. J'étais abasourdie.

— Vous êtes venus pour moi ? Pour me sauver moi ? demandai-je, interloquée.

— Oui, me répondit l'homme chauve, alors magne-toi.

Il m'empoigna par le poignet et m'arracha à ma cellule. Déjà, il me traînait à sa suite dans le corridor. Derrière nous, Kodos nous talonnait. Je le dévisageai.

— Pourquoi ? fis-je à son intention.

— Nous t'expliquerons plus tard, Seki. Ce n'est vraiment pas le moment.

Le Général tira brusquement mon poignet vers le bas et me plaqua au sol.

— Baissez-vous !

Des rafales de tirs passèrent au-dessus de nos têtes. Je relevai prudemment les yeux et constatai que nous étions dans une large salle que je n'avais encore jamais visitée. D'autres insurgés avaient érigé une barricade de fortune, mais elle ne résisterait pas longtemps à l'assaut des gardes.

Le Général hurla des ordres à ses troupes.

— Laissez-nous une minute d'avance, puis repliez-vous sur la zone C !

Sans m'avertir, il reprit sa course en m'entraînant toujours à sa suite. Il me tenait le poignet tellement serré que mon sang n'arrivait plus à circuler dans ma main. D'autres tirs vrillèrent les murs près de nous et, au-dessus de tout ce vacarme, une pensée s'imposa dans ma tête.

— Attendez ! criai-je.

Kodos et le Général s'arrêtèrent sous un large bureau renversé. Tous les deux me fixèrent.

— Il faut aller chercher Lanz. C'est important.

Ils ne prirent pas même une seconde pour réfléchir à ma proposition et se relancèrent à la course.

— Arrêtez-vous, j'ai dit ! On ne peut pas partir sans lui.

— Foutaises, me répondit le Général. On n'a pas le temps de s'inquiéter de ton petit copain.

— Ce n'est pas mon petit copain ! m'objectai-je alors qu'il me tirait de plus belle.

— Seki ! On n'a pas le temps, lâcha Kodos. Les renforts vont arriver d'une minute à l'autre. Il faut foutre le camp d'ici.

Je cherchai désespérément un argument pour les convaincre.

— C'est un pilote de vaisseau ! hurlai-je.

Kodos s'arrêta. Le Général ne sembla pas s'en occuper.

— Ça nous est inutile, conclut-il en poursuivant sa course.

— C'est lui qui vous a remis ces armes, tentai-je.

Cette fois, le Général s'immobilisa à son tour.

— Merde ! fit-il en me lâchant la main.

Il sortit un réseau de sa poche et le porta à son oreille.

— Leeven ? La gamine veut qu'on libère un autre type. Un contrebandier qui nous aurait déjà fourni des armes.

— Lanz ! intervins-je. Il s'appelle Lanz.

Le Général n'accorda aucune attention à mes paroles. Il grommela quelques mots dans le réseau puis l'éteignit. Il se tourna vers moi, ses yeux gris perçants sous ses sourcils broussailleux.

— Tu sais dans quelle cellule se trouve ton copain ?

— Non, avouai-je. Je l'ignore.

— La galère...

Il me fourra son désintégrateur dans les mains et tira à nouveau son réseau portable de son uniforme.

— J'ai besoin de la localisation de la cellule d'un dénommé Lanz, pilote de vaisseau emprisonné pour contrebande et trafic d'armes.

Ah bon. Ainsi il feignait seulement de ne pas m'écouter.

Il patienta encore un peu puis sembla recevoir la réponse qu'il attendait. Il jura à quelques reprises en fouillant son uniforme et fit apparaître une nouvelle arme.

— Ton type est dans une autre aile, mais au moins il est sur le même étage. D'accord, je veux de la vitesse. On ne traîne pas. On me suit au pied. Je vous veux derrière moi en tout temps, les réflexes aiguisés. Vous voyez un Tharisien : vous le dégommez. On ne réfléchit pas. Kodos, tu couvres nos arrières.

Il partit à la course dans un autre corridor. Je le suivis au pas, plutôt surprise qu'un homme de son âge puisse courir avec tant d'énergie. Je lui donnais facilement dans la cinquantaine avancée. Les rares cheveux qui lui restaient étaient tous blancs et de nombreuses rides couvraient son front. Mais sa cadence effrénée et la vigueur avec laquelle il m'avait traînée tout à l'heure prouvaient qu'il maintenait une condition physique exceptionnelle.

Kodos, derrière nous, jetait sans cesse des regards autour de lui. Je ne pus m'empêcher de sourire intérieurement. Le résistant de la petite école n'imaginait pas que la révolution était si terrifiante.

Nous avions enfilé de nombreux corridors et passé à la hâte un tas de cellules. Mes pensées, se bousculant à toute vitesse dans mon crâne, avaient englué ma vigilance et je ne repérai pas un Tharisien sur notre gauche. Il eut le temps de décocher un tir qui nous frôla de près. Mes genoux manquèrent de flancher sous la surprise.

Le Général pivota instantanément et envoya plusieurs salves en direction du garde. Celui-ci réussit à se mettre à l'abri avant que le Général ne puisse ajuster son tir.

D'un signe, il ordonna à Kodos de continuer à mitrailler dans sa direction. Le vieil homme me poussa à l'écart et, tandis que Kodos s'efforçait de maintenir le soldat tharisien dans sa position précaire, le Général décrocha une grenade de sa ceinture. Il l'arma et la tint dans ses mains pendant ce qui me parut une éternité. D'un mouvement vif, il la balança dans le corridor vers l'endroit où le garde s'était réfugié. Des éclairs et une bouffée de chaleur soufflèrent dans notre direction.

Sans plus tarder, nous nous remîmes à courir.

– Concentration ! Ayez les nerfs à vif ! Allez, allez, allez ! nous encouragea-t-il. Nous ne sommes plus bien loin.

En effet, au détour d'un corridor, nous débouchâmes sur une autre aile de la prison. Je courus de cellule en cellule pour retrouver Lanz. Dans chacune d'elle, les détenus me regardaient, le visage rempli d'incompréhension. Soudain, j'entendis sa voix.

– Seki ! Ici !

J'arrivai à sa cellule, bientôt rejointe par Kodos et le Général.

– Ils sont venus pour toi ? La résistance est venue te libérer ? demanda-t-il, incrédule.

– Pousse-toi, ordonna le Général.

La serrure ne résista pas aux déflagrations du pistolet et Lanz fut libre. Celui-ci contempla longuement le Général et s'exclama :

– Général Tomas Iberius ?

Le Général le détailla à son tour.

– Oui, je me souviens de toi. On a eu recours à tes services par le passé, dit-il avant de se tourner vers moi. Maintenant, Majesté, j'espère que vous n'avez pas d'autres invités sur votre liste, parce que notre carrosse royal nous attend depuis un bon moment déjà.

– Non, Général, il est grand temps de quitter cet endroit, déclarai-je.

J'avais finalement un nom à mettre sur ce vieil homme à l'allure militaire. Celui-ci communiqua encore avec le dénommé Leeven pour qu'il lui fournisse l'itinéraire idéal pour rejoindre le reste des troupes. Nous empruntâmes un nouveau corridor et fonçâmes à toute allure. Derrière moi, Lanz m'indiqua que nous nous dirigions vers la cafétéria principale.

– Ce sera sans doute un endroit dangereux à traverser, précisa-t-il. Les gardes pourront utiliser la passerelle qui surplombe la salle pour nous canarder.

Des tirs nous accueillirent effectivement à l'entrée de la cafétéria. Iberius renversa aussitôt une table et me projeta derrière un muret de béton, là où s'accumulaient les cabarets vides après les repas. Les autres vinrent me rejoindre. Accroupis, nous étions à l'abri des déflagrations de désintégrateurs qui heurtaient le mur à quelques dizaines de centimètres au-dessus de notre tête.

– Il faut faire vite. Ils essaieront bientôt de nous contourner et notre couverture sera compromise, expliqua calmement le Général Iberius.

– Je peux les abattre, proposa Kodos.

— Ridicule, commenta Lanz. J'ai eu le temps de compter, ils sont six sur la passerelle.

Le général observait l'escalier qui montait vers la passerelle à moins de dix mètres de nous. Il sembla prendre une décision et décrocha les deux grenades restantes de sa ceinture. Il m'en confia une et remit l'autre à Lanz.

— Voici le plan : vous lancerez les grenades en essayant autant que possible d'atteindre la passerelle. Pendant l'explosion, je vais grimper cet escalier et les contourner. Kodos couvrira ma course en les arrosant. Compris ?

— Comment fonctionne ce truc, demandai-je ?

Il me pointa le mécanisme.

— Tu arraches ça et tu appuies très fort ici. Quand tu entends *clic*, il ne te reste que 5 secondes avant que ça n'explose. C'est clair ?

Je hochai la tête.

— Parfait, alors tu comptes jusqu'à trois et demie et tu lances.

— Trois et demie ? m'exclamai-je.

Les tirs autour de nous avaient diminué.

— Ils sont en train de bouger ! avertit Kodos.

Je dégoupillai la grenade et j'entendis Lanz faire de même. *Clic*. Chacun des battements de mon cœur résonna dans ma poitrine pendant que je comptais. *Boum, boum, boum,* UN, *boum, boum, boum,* DEUX, *boum, boum, boum, boum,* TROIS, *boum, boum, boum, boum,* LANCE ! J'observai le vol de la grenade au ralenti. Elle suivait parfaitement la trajectoire de celle de Lanz, qui était partie un peu plus tôt. Plusieurs Tharisiens plongèrent pour se mettre à couvert. Les grenades explosèrent dans un bruit irréel presque au moment où elles percutèrent la passerelle.

Iberius avait déjà commencé sa course lorsque Kodos ouvrit le feu sur la position des gardes restants. La passerelle tremblait toujours quand le Général bondit en haut de l'escalier et entreprit d'éliminer les Tharisiens blessés.

Trois déflagrations sinistres se répercutèrent en écho sur les murs beiges de la cafétéria.

Avant que j'aie pu comprendre ce qui se passait, tout était déjà terminé. Je venais de tuer des Tharisiens. Debout sur la passerelle déformée par l'explosion, le Général reprenait son souffle.

— Seki, dit-il, j'ai peut-être mal compté, mais il me semble que tu as lancé la grenade à *quatre*, pas vrai ?

— Moi, j'ai cru qu'elle ne la lancerait jamais, commenta Lanz, qui était un peu livide.

Kodos se leva, bousculant Lanz au passage.

— Dépêchons-nous, on n'a pas de temps à perdre.

Il se mit aussitôt en marche. Je passai mon désintégrateur à Lanz et nous poursuivîmes notre chemin. Nous rejoignîmes bientôt les autres membres de l'expédition de sauvetage. Ils surveillaient l'ascenseur principal qui menait à la surface. Le Général réclama un rapport sur la situation. Nous apprîmes que l'équipe chargée de défendre l'entrée au-dessus de nous avait sécurisé la zone, mais qu'elle craignait que des renforts viennent couper les axes de fuites.

— Parfait, on monte.

La vingtaine de rebelles armés prit place dans l'ascenseur et nous entreprîmes notre ascension. Je reconnaissais quelques visages que j'avais vus lors de mon altercation avec le Front de Libération d'Averia, mais la plupart des hommes et des femmes qui m'entouraient m'étaient inconnus. Il y en avait de tous âges, Iberius étant le plus vieux.

Lorsque nous fûmes arrivés au premier étage, le Général nous pressa de rejoindre l'équipe qui surveillait l'extérieur. La lumière du soleil accueillit violemment mes rétines. Je n'avais pas été incarcérée très longtemps, mais les rayons de soleil sur ma peau m'apparaissaient comme un éclatant miracle. À ma gauche, un autre rebelle s'approcha et s'entretint avec Iberius.

– Nos hommes à la position avancée A nous ont appelé il y a trois minutes pour nous dire que des aéroplanes de transport et d'interception venaient de décoller du spatioport.

Iberius hocha gravement la tête.

– Il est temps de disparaître avant que la cavalerie n'arrive, dans ce cas.

Le Général lança une série d'ordres et les résistants se mirent en action sans tarder. J'étais ébahie par leur organisation. Il ne s'agissait plus du petit mouvement étudiant qui jouait à la guerre dans les classes de l'université. Les rebelles découvrirent différents véhicules qu'ils avaient pris soin de camoufler. Kodos me fit monter à bord d'un aéroglisseur tout-terrain de petite taille. Je vis qu'on avait poussé Lanz dans l'un des véhicules plus spacieux.

– N'oubliez pas, rappela le Général. Dispersez-vous, prenez les routes qui vous ont été assignées. Leeven vous enverra le code menant au prochain quartier général d'ici deux jours. Bonne chance.

Sur ce, il s'élança sur sa moto. Il fut imité par les autres résistants. En moins d'une minute, il ne restait plus de traces de notre présence aux alentours de la prison. Kodos actionna également son glisseur et appuya à fond sur l'accélérateur. Le vent fouettait mon visage et je savourais la sensation de l'air frais dans mes poumons. J'avais de la difficulté à concevoir que je n'étais plus enfermée. On n'allait pas m'exécuter sur la place publique d'ici quelques jours. Déjà, cette idée semblait s'évanouir comme le souvenir d'un lointain cauchemar.

Kodos conduisait notre aéroglisseur avec un air sérieux. Nous glissions sur le roc et nous nous dirigions vers la forêt que je distinguais au loin. Les nombreuses dénivellations du terrain nous offraient une couverture partielle, mais j'avais hâte que nous soyons complètement à l'abri de la vue des aéroplanes tharisiens qui ne tarderaient pas à sillonner le secteur à notre recherche

— Merci d'être venu me chercher, Kodos. J'avoue ne pas comprendre pourquoi, et il me semble que c'est surprenant de ta part de t'être porté à ma défense, mais je t'en suis reconnaissante.

— Ce n'était pas mon choix, Seki. Tu le sais bien. Tu n'as jamais épousé notre cause et tu ne nous seras d'aucune utilité.

Mes cheveux me couvrirent le visage lorsque je me retournai vers lui. Je ne me sentais plus aussi reconnaissante tout à coup.

— Choix ? Tu parles de choix ? Est-ce qu'on m'a laissé le choix, Kodos Ivaron, lorsqu'on m'a acculé au mur en m'accusant d'avoir dénoncé les vôtres ? Est-ce que j'ai pu choisir lorsque tu m'as forcé à signer ce maudit manifeste ?

— C'est exactement ce que j'ai répété à Leeven et à Iberius ! Tu ne portes aucune sympathie envers le genre humain. Tu ne te joindras jamais à nous. Toute cette opération n'a mené à rien. Nous risquons de nous faire retracer par les Tharisiens pour sauver une traîtresse...

– Alors, tu aurais dû me laisser croupir en prison et me faire exécuter pour un attentat que je n'ai pas commis ! Me faire payer les fautes que TU as commises.

Kodos se crispait de plus en plus. Je pouvais observer les veines jaillir de ses bras et ses mains serrer les commandes directionnelles.

– Tu sous-entends que c'est moi qui ai fait sauter cette bombe ?

– Parfaitement ! Tu n'as pas digéré ta petite défaite au sein de ton groupe lorsqu'ils se sont tous ralliés à moi. Tu as décidé de nous plonger en enfer avec toi.

– Cette bombe a été le point de basculement, Seki ! Averia est au bord de l'insurrection ! Cette explosion a été une bénédiction pour notre cause.

– Une bénédiction ? criai-je. Si Averia se révolte à cause de cette bombe, ta *bénédiction* entraînera la mort de milliers d'innocents !

– Le sang *va* couler, Seki. C'est inévitable si on veut purger Averia du cancer qui la ronge. Notre liberté a un prix. Nous le paierons avec notre sang, le sang des Tharisiens, et celui des *innocents* et des égoïstes comme toi qui n'osent pas prendre part à ce grandiose épisode de notre histoire.

– Tu es complètement cinglé !

Nous glissions tellement vite maintenant qu'il nous fallait hurler pour nous faire entendre par-dessus le vent.

– Tu réfléchis comme le Gouverneur Karanth. Tu ne vaux pas mieux que les Tharisiens qui ont ôté la vie à nos parents, il y a vingt ans.

– Comment oses-tu me comparer à eux ? Ce sont les belligérants. Ils nous ont attaqués. Ils ont pris nos terres et nous ont réduits à l'esclavage.

– Et ta solution c'est d'égorger suffisamment de Tharisiens pour convaincre les autres de s'en retourner là d'où ils viennent ?

– Parfaitement ! Et s'il faut tous les égorger, je le ferai.

C'était pire que d'essayer de raisonner Myr. La pensée passa fugitivement dans ma tête que c'était ce que Myr se destinait à devenir si elle continuait de réfléchir de la sorte.

– Tu me méprises parce que j'arrive à envisager la coexistence avec les Tharisiens, et je te méprise parce que tu ne prévois que la violence comme solution à nos problèmes. Comme on ne s'entendra jamais, aussi bien ne plus se parler du tout.

– Tu as toujours d'excellentes suggestions, Seki. Tu m'impressionnes.

***

Vous me disiez donc que votre frère travaille comme garde de sécurité dans une prison tharisienne à haute sécurité ?

– *C'est exact.*

– *Et qu'il n'est pas revenu de son travail depuis les trois derniers jours ?*

– *Oui. Il était censé bénéficier de son congé bihebdomadaire, mais nous n'avons eu aucune nouvelle de lui.*

– *Dites-moi, quel genre de détenus est incarcéré dans cette prison ?*

– *Eh bien, monsieur Assaldion, officiellement, c'est censé être un secret. Ce genre d'informations est classifié et notre frère ne nous en a jamais parlé…*

– *Mais vous avez tout de même une petite idée sur ce qui se passe dans cet établissement, n'est-ce pas ?*

– *J'ai souvent entendu dire, entre les branches, que c'était là qu'on enfermait les terroristes humains jugés dangereux…*

– *Donc, si nous assemblons les faits dont nous disposons, votre frère, qui travaille dans une prison secrète tharisienne, n'a pas donné signe de vie depuis trois jours, ce qui correspond à l'apparition de la nouvelle sur le réseau clandestin de la libération de la terroriste Seki Jones. Croyez-vous que ces circonstances soient reliées ?*

– *Si c'est le cas, c'est une bien mauvaise nouvelle, monsieur Assaldion.*

– *Plus tôt aujourd'hui, nous avons tenté de joindre le Bureau du Gouverneur pour obtenir plus de détails, mais personne n'a voulu commenter ou confirmer une attaque d'envergure contre la prison à sécurité maximale.*

– *Tout ce que j'espère c'est que mon frère n'ait pas été blessé.*

***

— Regarde... je crois que c'est Seki Jones...

À mon arrivée au bunker, je ne passai pas inaperçue. C'était comme avec les prisonniers, mais en pire encore. Les gens chuchotaient sur mon passage.

Traversant des corridors bondés, encombrés d'armes entassées contre des murs couverts d'affiches et de feuillets, Kodos me guidait dans un endroit que j'avais déjà envie de fuir à toute jambe. Je rentrai les épaules, crispant involontairement les muscles de ma nuque. Les regards me pénétraient, touchaient ma combinaison orange et tâchaient de la percer. J'ignorais quelle tournure symbolique avait prise mon emprisonnement, mais je ne désirais pas qu'on me voie comme un martyr ou un leader de la révolution.

Laïka, premier visage invitant, vint m'accueillir. Elle se fraya un passage à travers les gens qui circulaient tout autour et se jeta dans mes bras. Surprise, je lui rendis maladroitement son étreinte, le nez dans sa fine chevelure blonde.

— Oh, Seki ! Je suis si heureuse de te revoir.

Elle me tâta le visage et les bras.

— Ils ne t'ont rien fait, j'espère ? Ils ne t'ont pas torturée, hein ?

J'eus une pensée pour Haraldion.

— Non, si on omet le fait qu'on m'ait condamnée à mort, j'ai été relativement bien traitée.

— Quand le Gouverneur a annoncé que tu serais exécutée en public, j'ai eu si peur pour toi. Tu aurais dû m'écouter, Seki, et venir te cacher avec nous...

— Oui... ainsi, j'aurais pu éviter qu'on me glorifie en mon absence.

Elle poussa un soupir, ses traits exprimant une peine sincère.

— Il y a tant de choses que je voudrais t'expliquer. Mais d'abord, viens ! Leeven et le Général souhaitent te rencontrer.

Elle s'aperçut finalement de la présence de Kodos. L'expression de son visage se transforma, s'éteignit. Son frère lui répondit d'une moue indéchiffrable.

— Es-tu contente, petite soeur ? Je suis allé la chercher, ta grande amie Seki Jones...

Je devinai par le malaise qui flottait dans l'air que ces deux-là avaient dû souvent se quereller à mon sujet pendant mon absence. Laïka ignora son frère et m'attrapa par la main pour me guider à travers le dédale de corridors. À nouveau sous terre, pensai-je, les passages illuminés et aseptisés remplacés par un labyrinthe sombre aux couloirs jonchés de tracts de la résistance, les gardiens tharisiens changés en insurgés, les désintégrateurs troqués pour les réseaux portables.

Laïka me conduisit jusqu'à une grande salle un tantinet mieux éclairée que les autres. Le Général Iberius, debout, discutait avec un homme dans la quarantaine, assis derrière son bureau. Fait étrange, ce dernier portait une paire de lunettes. Son visage, longiligne, était percé d'yeux bleus exagérés par ses verres correcteurs. Lorsque Laïka annonça mon arrivée, le Général se retourna et s'appuya sur le bureau en croisant les bras. L'autre homme, dans une attitude plus accueillante, vint à ma rencontre.

— Seki Jones ! Je suis si heureux de pouvoir enfin te rencontrer, commença-t-il. Vous n'avez pas eu d'ennuis à retrouver le quartier général ?

– Non, fis-je, tout s'est bien passé.

Il me tendit une main que je serrai machinalement.

– Je suis Martin Leeven. Même si j'ai l'air de m'occuper d'un paquet de choses, considère-moi comme un résistant parmi les autres.

– D'accord, répondis-je avec une petite pointe d'hésitation.

Je n'arrivais tout simplement pas à comprendre ce qu'ils attendaient tous de moi.

– Nous avons fait préparer des quartiers confortables pour toi. Nous espérons que tu nous feras l'honneur de rester parmi nous le temps de te remettre des émotions que tu as dû traverser et que nous trouvions une solution à ta situation. Qu'en dis-tu, Seki ?

– Oui, j'imagine que j'ai bien besoin d'un peu de repos.

– Parfait ! Je suis persuadé que Laïka se fera un plaisir d'aller te montrer ton petit coin personnel. D'ici là, je t'en prie, fais-moi signe s'il y a quoi que ce soit que je puisse faire.

Je le remerciai et il me sembla percevoir un regard moqueur de la part d'Iberius. Laïka me fit signe de la suivre et me traîna effectivement à une chambre spacieuse, dotée de toutes les commodités. À voir l'austérité des autres pièces que j'avais visitées jusqu'à maintenant, je devinais que celle-ci devait être l'une des seules ainsi équipées. Assise sur le lit, je la questionnai pendant qu'elle fouinait dans les armoires et les penderies de la pièce.

– Qui sont tous ces gens ?

Laïka me choisissait des morceaux de vêtements et les étalait sur le matelas.

— Je me doutais bien que tu ne voudrais pas continuer de te balader toute la journée avec ton habit de prisonnier, alors j'ai fait les boutiques pour toi.

Je la contemplai un instant, puis entrepris de me changer. Je défis un à un les boutons de ma grosse combinaison orange. Alors que je me dévêtais, Laïka soupira.

— Ils ne t'ont pas beaucoup nourrie là-bas, hein ?

Avais-je maigri à ce point ? Je pris un moment pour observer mon corps et je découvris que mes côtes paraissaient effectivement un peu plus saillantes que dans mon souvenir. Je terminai d'enfiler les vêtements que m'avait procurés Laïka, optant pour une simple chemise blanche et un pantalon noir. Ça correspondait à peu près à ce que je portais en temps normal pour aller à l'université. En contemplant ma tenue orange, sale et en boule sur le plancher, je repensai à Lanz et à sa montagne de purée.

— Non, lui dis-je, c'est la nourriture qui était infecte.

Laïka se mit à rigoler et je ne tardai pas à me joindre à elle. J'allai m'asseoir sur le lit et il me sembla que rire avec quelqu'un m'enlevait un poids de sur les épaules. Cela donnait un peu de consistance à cette complicité que Laïka tentait de forger de toutes pièces avec moi. Au bout d'un moment, les rires de Laïka se transformèrent presque en sanglots.

— Comme j'aurais aimé que tu viennes avec nous. J'aurais tellement souhaité t'éviter tout ça, me confia-t-elle.

Mal à l'aise, je me relevai. Je n'avais pas vraiment envie de me lancer dans ce genre de mélodrame. Je préférai donc l'interroger sur le quartier général et ses occupants.

— Laïka, qui sont tous ces gens ? Que s'est-il passé pendant mon absence ?

Elle cligna rapidement des paupières pour sécher ses yeux et entreprit de me raconter les événements des derniers temps.

— Ce sont des vétérans de la guerre, m'expliqua-t-elle. Des héros qui ont combattu les Tharisiens il y a vingt ans. Le Général Iberius et Martin Leeven ont fait partie de la dernière milice coloniale à rendre les armes sur Averia.

— Je n'ai jamais entendu parler d'eux.

— C'est parce que tu ne t'es jamais intéressée à ça, Seki. Ces deux hommes sont des légendes vivantes. Ils ont tout donné, jadis, pour préserver la liberté d'Averia. Apparemment, depuis la défaite, ils œuvrent dans la clandestinité pour amasser des armes. Mais ils restaient méfiants. Leur opération était connue seulement de quelques résistants. C'était nécessaire pour garder le secret des stocks qu'ils dérobaient aux tharisiens ou qu'ils se procuraient par la contrebande.

— Comme avec Lanz. Il passait des armes aux insurgés.

— C'est ce que j'ai entendu dire. Tu imagines le danger d'une telle entreprise ?

Je m'appuyai sur le mur brun de ma nouvelle chambre et Laïka changea de position sur le lit pour me faire face.

— Mais alors, questionnai-je, s'ils désiraient à ce point rester dans l'ombre, pourquoi cet endroit grouille-t-il de monde ? Et que font les membres du Front de Libération d'Averia parmi eux ?

— Les choses ont changé avec ton emprisonnement, Seki. Tu es devenue un symbole de la résistance. Ton nom circule partout sur le réseau. Les actions du Gouverneur Karanth n'ont fait qu'amplifier le phénomène. Dès son arrivée, Karanth a supprimé la plupart de nos droits. Il a ordonné des arrestations de masse et à chaque nouvel attentat, il durcissait le ton, les représailles se faisant de plus en plus cruelles.

– De nouveaux attentats ?

Elle hocha la tête, une lueur dans le visage.

– Oui, Seki. C'est la pagaille dans la cité. La situation a dégénéré très rapidement. Lorsque la nouvelle a circulé que Karanth te condamnait à mort, les forces tharisiennes n'ont pas pu contenir les manifestations. Il y a eu beaucoup de grabuge. Des gens ont ouvert le feu sur la chambre d'Assemblée parce que la population était horrifiée de voir que nos représentants ne tentaient rien pour te sortir de là. Depuis, le Haut-Plateau est hermétiquement fermé. Plus personne n'y a accès. Tous les humains qui y travaillaient ont été expulsés. Averia est au bord du soulèvement, Seki. On dirait presque que la population n'attend qu'un signe pour...

– Mais ça ne m'explique pas ce que vous faites avec le Général et l'autre.

Laïka se mit à chuchoter.

– Rapidement après ton emprisonnement, quelqu'un sur le réseau nous a mis en contact. Ce n'était plus le temps de rester cachés, tu comprends ? Ils avaient des armes, nous avions des bras pour appuyer sur la détente...

– Quelqu'un sur le réseau... fis-je, pensive.

– Oui ! Ce qui se passe sur le réseau est fascinant. De façon anonyme, les éloges pour toi se sont multipliés. Ton histoire est allée chercher les gens droit au cœur, Seki. Puis, d'ici, nous avons chargé des agents d'aider les groupes de résistants à coordonner les efforts. Tu sais qu'il y avait même des gens en prison qui réussissaient à nous passer des renseignements ? Ça nous a été très précieux pour préparer la mission de sauvetage. Nous aurions probablement échoué si quelqu'un ne nous avait pas fait parvenir un plan de la prison à la toute dernière minute.

– Qui était ce contact ?

– Aucune idée. La plupart de nos informateurs sont anonymes.

Un frisson me parcourut le dos. Serait-il possible que Haraldion soit allé jusque-là pour me sauver ? Trahir son propre peuple ? Non, même s'il me croyait innocente, il n'aurait pas pu aider à organiser cette attaque sur la prison. Cela n'avait pas de sens. Mais en même temps, l'informateur devait être haut placé pour fournir le plan de la prison aux insurgés. Si Haraldion avait commis un tel acte, c'était sans doute parce qu'il jugeait que mon exécution aurait des répercussions encore plus désastreuses que mon évasion.

– Ça va, Seki ? Tu fais une drôle de tête.

– Non, ça va. Je… je pensais à un ami.

Un ami. Tharisien. Bon sang, qu'est-ce que Myr penserait de tout ça ?

* * *

J'étais maintenant privée de sortie. Mon père estimait qu'Averia était devenue trop dangereuse. Si seulement il savait que j'avais largement contribué à créer ce climat de violence. Nous étions tous les deux nerveux depuis l'annonce de la libération de Seki, mais pour des raisons très différentes.

— C'est pour quand ? me demanda Jonas sur le réseau.

— Bientôt.

Assise sur mon lit, les genoux repliés sous le menton, je jubilais d'avance. Je recevais sans arrêt des appels des membres des cellules de résistants placés sous ma supervision. Je leur disais tous la même chose : patientez. Il ne fallait pas brûler nos moyens avant la grande opération qui ne tarderait pas à venir.

Par mesure de sécurité, Kodos et les autres avaient rompu les communications momentanément, malgré les leurres censés rendre nos échanges imperméables. Ils devaient préparer la grande insurrection et ne pouvaient prendre le risque d'être maladroitement interceptés sur le réseau.

— Alors garde tes forces, lui conseillai-je encore. Ne fais pas de bêtises. L'offensive est imminente.

Jonas mâchouilla sa gomme en grommelant quelques mots et je mis fin à l'appel.

Seule dans ma chambre, je savourais les moments à venir. J'imaginais Seki déclarer la guerre aux Tharisiens, lancer le signal de départ, appeler la population d'Averia à se soulever et à prendre part au glorieux combat révolutionnaire qui mènerait à notre libération définitive. Elle allait finalement remplir le rôle que je lui avais préparé depuis sa fuite. J'étais impatiente d'entendre son appel. Impatiente qu'elle me demande de me joindre à elle...

Bientôt, les Tharisiens seront balayés de nos rues, ils déserteront le Haut-Plateau et fuiront vers leurs étoiles lointaines. Nous décimerons nos ennemis jusqu'à ce que nous obtenions la victoire qui nous est due.

Nous n'attendions plus que ma soeur, Seki Jones...

D'un pas léger, je descendis à la cuisine. Assis au comptoir, mon père avait le nez rivé sur le réseau. Depuis que la rumeur courait que Seki s'était évadée, il ne lâchait plus les actualités.

J'entrepris de me faire un sandwich.

— Combien de Tharisiens jureront de venger leurs parents si ta soeur fait ce que les rebelles attendent d'elle, à ton avis ?

Le frigo, désespérément vide, me souffla un rideau d'humidité sur le visage. La question, arrivée de nulle part, m'immobilisait, même si mon père n'avait toujours pas levé le regard sur moi.

— Qu'est-ce que tu veux dire ? fis-je avec prudence, en ramassant le paquet de dinde qui traînait sur une tablette tachée.

— C'est ce que font les jeunes, n'est-ce pas, lorsque leurs parents leur sont enlevés ?

Je restai plantée dans la cuisine, muette et nauséeuse, la porte prise dans la main. Ça y est, papa ? Tu as finalement décidé d'aborder le sujet avec ta fille ? De jeter un œil au champ de bataille qui fait rage sous son crâne ?

Mon père abandonna l'écran du comptoir et se tourna vers moi. Son visage, rasé depuis je ne sais plus quand, exprimait une lourdeur que je n'avais jamais perçue auparavant. Il me fouilla longtemps des yeux avant de poursuivre.

– Écoute, Myr, commença-t-il en me prenant la viande des mains. Comme tu sais, j'ai déjà été arrêté pour avoir pris part au même genre de grabuge qui se déroule en ce moment.

Il tira mon assiette vers lui, saisit le couteau et beurra tranquillement les morceaux de pain que j'avais dénichés dans l'armoire. Je n'osais toujours pas bouger.

– Il y avait tant à venger. J'étais si en colère…

Mes muscles se relaxèrent. Oh, pensai-je, mitigée. Ainsi, ça ne me concerne pas. Ce n'est pas mon âme qu'on dissèque, mes failles et mes plaies qu'on creuse.

– Et une fois, c'est allé trop loin. Beaucoup trop loin, Myr.

Une à une, mon père étala les tranches de dinde restantes sur le pain.

– Récemment, un de mes collègues à l'usine a cru repérer le garçon d'un des types qui… qui a eu la malchance d'être un Tharisien au mauvais moment, il y a six ans. L'enfant serait à peine plus âgé que toi. Il habiterait le quartier mixte et…

– Voilà ce que tu allais faire dans ce trou à rats ! m'exclamai-je. Tu tentais de retrouver ce Tharisien !

Mon père posa le couteau sur le rebord de l'assiette et la poussa vers moi. Il hocha lentement la tête.

– Et ? demandai-je.

– Ce n'est pas lui. Il est très en colère, mais ce n'est pas le fils d'Akkalassal.

Soudainement, la vaisselle se mit à trembler sur le comptoir et dans les armoires. La vibration, aiguë, monta en intensité, s'harmonisant avec le grondement de l'aéroplane qui passait en trombe quelques centaines de mètres au-dessus de la maison.

— Alors ? fis-je en attrapant le couteau, mettant fin à la note qui n'en finissait plus de s'étirer. Je ne comprends pas vraiment le rapport avec Seki.

— Ce n'était pas lui, Myr, mais ce gamin existe. Quelque part, un garçon tharisien me maudit, me reproche de lui avoir arraché sa famille.

Je tranchai lentement mon sandwich en deux parties égales.

— Si Seki apparaît sur le réseau, si elle exhorte les humains à se soulever contre nos voisins, c'est son visage à elle qui restera à jamais gravé dans l'esprit de ces futurs orphelins. C'est elle qu'ils maudiront, elle qu'ils voudront immoler pour se venger…

Les paroles de mon père s'accrochèrent longtemps à mes pensées. Je n'avais pas réfléchi une seule seconde à cette dimension… *humaine* du conflit. Bah, tranchai-je, à l'issue de l'insurrection, les Tharisiens auront tous quitté Averia…

— Crois-tu aux rumeurs ou penses-tu que ta soeur est encore emprisonnée ? me demanda mon père.

Je reposai maladroitement le couteau dans l'assiette. Le tintement retentit dans la pièce. Bien sûr, mon père ignorait que Seki avait été libérée. Ni qu'elle avait trouvé refuge auprès des autres résistants. Qu'elle était à l'abri, protégée par Kodos, Leeven et Iberius. Qu'elle ne risquait plus d'être exécutée sommairement par Astran Karanth.

Alors que moi je savais. Je pouvais mettre fin à sa torture. Le rassurer.

Mais ça compliquerait beaucoup les choses.

– Je… je suis sûre qu'elle va bien, fis-je d'une voix éreintée.

Mon père souffrait. Ses traits étaient tirés, livides. Il ne dormait plus du tout, ne mangeait pas beaucoup plus, traînait des idées sombres… Et je ne pouvais rien lui dire, car je lui révélerais mes liens avec la résistance. Il saurait pour les textes, pour le danger que j'ai fait peser sur notre famille. Une boule se forma dans ma gorge, tellement grosse que même mon père vit mon trouble.

– Myr ? Ça va ?

– Oui ! dis-je d'un ton qui se voulait enjoué.

Je laissai mon assiette sur le comptoir et je fis demi-tour.

– Myr, appela-t-il encore. Ton sandwich.

– Je n'ai plus faim, prétendis-je.

J'escaladai les escaliers en vitesse, tâchant de disparaître avant que ne se déclenche le mécanisme. Avant de saisir pleinement à quel point j'étais un monstre et que j'attirais le malheur sur mes proches…

* * *

Les quelques jours qui suivirent se passèrent de façon similaire. Je dormais énormément et je prenais de longues douches. Laïka et moi mangions ensemble et nous bavardions de choses et d'autres. Je n'avais toujours pas revu Lanz. Leeven prétendait qu'il était parti en mission, mais qu'il ne devait pas tarder à revenir. Leeven, Iberius et Kodos s'entretenaient souvent ensemble. Je les croisais dans les corridors bondés, toujours à discuter avec énergie, se livrant à des débats animés. Ils donnaient l'impression de composer le triumvirat des résistants. Leeven le cerveau, Iberius le vieux guerrier et Kodos le jeune loup. Chaque fois qu'ils se rendaient compte de ma présence, le même manège se répétait : Leeven se faisait mielleux et se renseignait sur mon confort, Iberius m'ignorait avec un air moqueur et Kodos m'était franchement hostile.

Je profitais de ma liberté retrouvée, mais sans trop savoir quoi en faire. Aussi après trois jours passés dans les souterrains mornes du quartier général, j'allai trouver Leeven et lui formulai une demande.

— J'aimerais revoir ma famille.

Il était penché sur un tas de cartes. Certaines, à très petites échelles, représentaient des quartiers d'Averia. D'autres illustraient la région du Haut-Plateau. Lorsque je l'interrogeai, il leva la tête vers moi et eut l'air ennuyé par cette idée.

— C'est dangereux, Seki. On ne peut pas te laisser faire ça.

Je fis quelques pas vers lui.

— Je me doute bien que la maison est surveillée. Surtout depuis que je me suis évadée. Mais j'imagine qu'il serait possible d'organiser un rendez-vous ailleurs. On peut sans doute contacter Myr sur le réseau et inventer une histoire. Une rencontre parent-professeur, ou quelque chose du genre.

Martin Leeven secouait la tête.

— Je suis désolé, Seki. Tu l'ignores peut-être, mais les écoles sont fermées à présent. De toute façon, on ne peut pas courir ce risque. Il serait trop bête que tu te fasses capturer à nouveau. Je ne peux acquiescer à ta demande.

— Acquiescer à ma demande? dis-je, incrédule. Je ne quémandais pas votre permission, Leeven, j'espérais votre aide pour organiser ce rendez-vous.

— Mais tu ne peux pas sortir d'ici, Seki, le risque est trop élevé.

Je croisai les bras et fis des yeux le tour de la minuscule pièce dans laquelle Leeven travaillait.

— Ah! Alors en fait, j'ai simplement été transférée dans une cellule plus spacieuse, c'est ça?

— Voyons! Tu n'es pas en prison, Seki. Je te demande seulement de ne pas mettre ta vie en péril en quittant notre quartier général. Tu comprends ça? Non seulement tu t'exposes à un grand danger, mais tu peux aussi mener les Tharisiens droit sur nous.

Le silence s'étira un moment. Pensive, je brassai l'air des mains.

— Dans ce cas, serait-ce possible de les faire venir ici? Peut-on amener papa et Myr parmi nous?

Les doigts toujours posés sur la pile de cartes qui encombraient son bureau, Leeven secoua la tête à nouveau.

— Tu l'as dit toi-même… ta famille est sans doute surveillée en ce moment. Ce serait leur faire courir un trop grand risque.

Il enleva ses lunettes et entreprit de les nettoyer.

– Ne le prends pas mal, Seki. Mais je ne peux pas compromettre la sécurité de tous les résistants. Je sais très bien que ta famille te manque, mais c'est un sacrifice nécessaire pour l'instant. Tu comprends ?

Je hochai la tête et observai Leeven frotter ses lentilles avec un petit chiffon bleu.

– Pourquoi n'avez-vous pas subi de chirurgie oculaire ? demandai-je.

La question demeura suspendue quelques secondes entre nous deux, un peu comme quand j'avais interrogé Haraldion au sujet de sa culture pour la première fois.

– Tu es très curieuse, me dit-il en souriant. Hélas, le mal qui affecte mes yeux ne s'opère pas ni ne se guérit par régénération cellulaire.

Comme je n'esquissais pas de geste, Leeven se sentit obligé de poursuivre son explication.

– C'est causé par une irradiation que j'ai subie pendant la guerre. C'est une longue histoire Seki, et je n'ai pas vraiment le temps de te raconter ça aujourd'hui...

Je lui fis signe du menton que je comprenais puis, après un dernier regard sur la petite pièce, je pris congé.

Lanz rentra effectivement au QG dans la journée. Il eût un interminable débriefing avec le triumvirat et manifesta ensuite le désir de me voir. Il vint me trouver dans ce qui faisait office de cafétéria. Lorsqu'il arriva, Laïka fit mine de s'en aller, mais je lui demandai discrètement de rester. Lanz traîna une chaise jusqu'à notre table et y prit place.

– Seki, je tenais à te remercier d'être venue me chercher dans la prison et...

Je levai la main pour l'interrompre.

Depuis mon évasion, je m'étais beaucoup interrogée. J'ignorais pourquoi j'avais soudainement eu l'impulsion de sauver Lanz, de l'amener avec nous. Dans la prison, alors que les déflagrations de désintégrateurs grillaient l'air au-dessus de ma tête, ça s'était imposé à moi. Mais maintenant…

Tant que je ne comprenais pas mieux ce qui m'avait poussé à le libérer, je ne souhaitais pas que Lanz s'imagine des choses ou qu'il se méprenne sur mes intentions.

— Ce n'est rien. Ça ne vaut même pas la peine d'en parler, tranchai-je.

Cette interruption dut le prendre de court, car il ne dit plus rien par la suite.

— Parle-nous de ta mission, lui demandai-je. Qu'est-ce que tu faisais ?

— Je… Je n'ai pas le droit d'en dévoiler les détails.

— Ah bon… fis-je en laissant clairement transparaître mon mécontentement.

Un malaise s'installa entre nous trois. C'est Laïka qui brisa le silence.

— Seki m'a dit que tu connaissais le Général Iberius ?

— Oui. Je l'ai connu il y a quelques années de ça, avant d'être capturé. J'avais d'ailleurs déjà entendu parler de lui avant de le rencontrer en personne.

— Raconte-nous, l'encouragea Laïka.

— À moins que ce ne soit un secret ça aussi…

Lanz se balança vers l'arrière sur sa chaise et tenta du mieux qu'il put de ne pas montrer son désarroi face à ma soudaine hostilité.

— Tomas Iberius a commencé sa carrière dans les forces d'armée coloniale à un très jeune âge et avait déjà servi sur plusieurs fronts lorsque la guerre avec les Tharisiens a été déclenchée. Je sais qu'il occupait le grade de lieutenant lorsqu'il a été envoyé sur Averia, en prévision de l'invasion imminente de l'Armada tharisienne. Manquant de troupes régulières et entraînées, Averia mettait sur pied des milices locales. Iberius était affecté à l'une d'entre elles. La 3e milice coloniale d'Averia, si ma mémoire est bonne. C'est dans cette unité qu'il a organisé la défense de la colonie lorsque la planète a été assiégée. Sa stratégie a été si efficace qu'ils ont réussi à tenir le coup pendant presque un an. Vous vous rendez compte ? Alors que les autres forts et les autres colonies tombaient, Averia, loin derrière la ligne de front, résistait toujours avec acharnement.

— Ce doit être à cette époque qu'il a rencontré Leeven, extrapola Laïka.

— Sûrement, confirma Lanz. Toujours est-il que, une fois la colonie conquise, les milices ont bien évidemment été dissoutes par l'envahisseur. Iberius s'était alors converti en contremaître ouvrier pour aider à la reconstruction. Cependant, dans l'ombre, Leeven et lui travaillaient à l'élaboration d'un réseau fermé de résistance. Ils avaient décidé de prendre leur mal en patience et de ne pas se lancer ouvertement en guerre contre l'occupation. Ils ont d'abord tenté de récupérer discrètement l'arsenal qu'on avait remis aux Tharisiens. En ne faisant confiance qu'à un groupe limité de contacts, ils ont établi des dizaines de caches d'armes dans la Colonie. De temps à autre, ils ont armé certains groupes de résistants, mais jamais ils ne se sont mouillés eux-mêmes. Ils préféraient attendre le bon moment. Toutefois, mettre la main sur davantage d'équipement devenait de plus en plus dangereux. C'était très risqué d'infiltrer ou de détourner les dépôts tharisiens. C'est ainsi qu'ils ont fait appel à la contrebande. C'est aussi à cette époque qu'Iberius s'est donné lui-même le grade de Général.

— C'était moins dangereux d'importer des armes de l'extérieur ? De faire traverser à des commerçants des cargaisons illégales par des frontières hermétiques ? dis-je avec sarcasme.

— C'était moins dangereux pour *eux*, précisa Lanz en riant.

Je vis apparaître à nouveau les rides au coin de ses yeux.

— Sinon, ce serait eux qui auraient été jetés en prison, commenta inutilement Laïka.

— En effet, poursuivit Lanz. Le plan était plutôt simple. Nous nous arrangions pour éviter les balayages de cargaison et lâchions manuellement les conteneurs dans la nature pendant notre approche du spatioport. Les résistants n'avaient plus qu'à récupérer les armes dans la forêt. Non, le plus dangereux, c'était quand nous devions nous poser dans un lieu de rendez-vous. Lorsqu'on apportait des explosifs de haute puissance, nous ne pouvions évidemment pas les balancer par le hublot… Alors, il fallait éviter les vaisseaux en orbite, déjouer les scanneurs et repartir à toute vitesse. C'est lors d'un de ces rendez-vous que j'ai croisé le Général Iberius. Pendant la descente dans l'atmosphère, mon copilote et moi avions eu la certitude que les capteurs tharisiens nous avaient repérés. Au sol, le Général avait décidé de ne pas risquer de tout compromettre et de remettre la transaction à plus tard. Il a fait camoufler le vaisseau et nous a aidés à nous cacher dans un refuge qu'il avait aménagé dans la forêt. À peine quelques minutes plus tard, l'espace aérien grouillait d'aéroplanes tharisiens. Nous avons dû rester terrés pendant près de quatre jours avant de pouvoir repartir à bord de notre vaisseau. C'est pendant ce temps que j'ai pu en apprendre un peu sur l'histoire du Général. Un homme fort austère, si vous voulez mon avis.

Nous posâmes quelques questions supplémentaires à Lanz, mais celui-ci ne put nous donner beaucoup plus de détails sur la personnalité d'Iberius.

— Donc, c'est pendant un rendez-vous de ce genre que tu t'es fait arrêter ? lui demandai-je.

— Eh oui, soupira-t-il. On avait reçu comme instruction de se rendre dans un coin très reculé d'Averia. À plus de mille kilomètres de la cité ou du Haut-Plateau, en plein désert. Ces détails auraient dû nous mettre la puce à l'oreille. Sur place, des Tharisiens dissimulés sous les dunes ont ouvert le feu sur nous. Tharisia, leur planète d'origine, est pratiquement un immense désert. C'était pour eux le lieu idéal pour tendre un piège. J'ai été blessé et capturé, mais mon copilote a réussi à fuir, bien qu'il soit probablement mort dans cette mer de sable. De toute évidence, des espions Tharisiens avaient observé notre manège et s'étaient fait passer pour des résistants.

— Avez-vous été dénoncés ?

— Je l'ignore, dit-il en haussant les épaules. Peut-être que des chasseurs nous avaient remarqués. Ou alors nous n'étions pas aussi invisibles aux capteurs tharisiens que nous le croyions. C'est impossible de savoir, maintenant.

Lanz regardait au-dessus de nos têtes. Il devait penser à son ancien camarade disparu. Laïka et moi observâmes un silence respectueux, jusqu'à ce que Lanz, nous faisant légèrement sursauter, quitte subitement sa torpeur pour exiger quelque chose à manger.

— J'ai une faim incroyable ! nous informa-t-il.

Laïka lui apporta un plat et je ne fus pas le moindrement surprise de le voir remuer tout le contenu de son assiette pour en faire une gibelotte un peu louche. Il mangea avec appétit, au grand amusement de Laïka. De mon côté, mes pensées vagabondaient et firent revenir à la surface un petit détail qui s'était logé dans le fond de mon crâne.

— Que s'est-il passé sur Zarya ?

Lanz avala de travers.

— Hein ? Qu'as-tu dit ?

— Il s'y est déroulé quelque chose d'important, répétai-je. Tu dois être au courant, non ?

— Qui t'a dit qu'il s'était passé quelque chose là-bas ? répliqua-t-il en posant ses ustensiles.

— Le Gouverneur Karanth.

Les rides aux coins des yeux de Lanz se creusèrent, mais aucune joie ne perçait son visage.

— Mieux vaut que tu ne saches pas ce qui est arrivé sur Zarya…

— Lanz, j'en ai marre qu'on me cache des choses. Je suis une grande fille. Je dois savoir.

— Je ne te connais pas énormément Seki, mais je suis convaincu que tu n'aimeras pas cette histoire.

— Il me faut l'entendre, Lanz. C'est important.

Il nous regarda, Laïka et moi, tour à tour. Après une profonde inspiration, Lanz commença son récit.

— Zarya était une minuscule colonie installée aux confins de notre territoire. C'était une exploitation minière qui dépendait exclusivement du ravitaillement extérieur pour subvenir à ses besoins. Cette planète n'était qu'une immense roche. Rien n'y poussait. Des précipitations arrosaient bien son sol, mais il fallait filtrer l'eau avant de pouvoir la consommer. On racontait qu'elle était si chargée en minéraux qu'elle pouvait vous déchirer la gorge si vous l'ingurgitiez à l'état naturel. C'était probablement la planète la plus inhospitalière que nous avions décidé d'exploiter. Le coût pour maintenir cette colonie était exorbitant. Mais il y avait une raison pour laquelle on se donnait tant d'effort à coloniser Zarya : la richesse de ses minéraux. On y extrayait des ressources hautement stratégiques. C'est d'ailleurs sur la question de cette colonie qu'a été déclenchée la guerre avec les Tharisiens…

» Il était évidemment très difficile de défendre Zarya. Aux confins de notre territoire, entourée de systèmes hostiles, elle a été la première à être saisie par l'ennemi. Dès sa capture, les Tharisiens ont tenté de relancer les opérations d'extraction. C'était vital pour la poursuite de leur guerre. Ils ont continué à ravitailler les ouvriers humains pour qu'ils puisent les ressources au profit de l'Alliance tharisienne. Mais pour ces colons, travailler de la sorte en aidant l'ennemi constituait un acte de trahison. De nombreuses grèves paralysaient l'effort de guerre. Lorsque les colons ont réussi à endommager la foreuse principale, ils ont dangereusement compromis la capacité de production de la colonie. Tant que les Humains continuaient de saboter les installations, il n'y avait aucun espoir pour les Tharisiens de mettre la main sur les ressources que recélait cette planète.

» D'après les rumeurs, le Colonel Karanth a proposé aux Amiraux de faire plier les mineurs par la faim. Ils ont donc quitté Zarya en décidant de couper tous les ravitaillements destinés aux travailleurs. Ils ont avisé les habitants de la planète qu'ils ne recevraient aucune nourriture tant qu'ils n'accepteraient pas d'œuvrer pour eux. D'un commun accord, les colons ont refusé cette offre… signant par le fait même leur arrêt de mort.

» Trois cents colons ont été laissés pour compte. Zarya était devenu l'enfer. L'agonie de ces hommes et femmes a dû être insupportable… Lorsque les humains ont tous été emportés par la famine, les Tharisiens sont retournés sur Zarya, ont poussé les corps dans une fosse profonde et se sont attelés à la reconstruction des installations minières…

Un frisson me parcourut le dos pendant le récit de Lanz quand je compris ce qui était arrivé aux colons de Zarya. Laïka parla la première.

– J'ai toujours espéré que ce n'était qu'une légende, qu'il ne s'agissait que d'une invention qui avait circulé pendant la guerre, mais si Seki l'a entendu de la bouche de Karanth…

C'était une horreur si grande qu'il était difficile d'en saisir l'ampleur. Comment imaginer la souffrance de trois cents hommes et femmes qui dépérissent à petit feu ? Comment peut-on se faire une idée juste de ce qu'ils ont pu vivre ? Trois cents vies perdues semblent être une statistique insignifiante dans le bilan total de la guerre. Mais ces colons sont morts dans des circonstances qui rendent ce nombre insupportable. Comment peut-on prendre une telle décision ? Qui peut être assez cruel pour ordonner une telle mise à mort ? Comment peut-on être à ce point dénué d'empathie ? À l'époque, si nous n'étions pas Tharisiens, nous n'avions aucune valeur aux yeux de nos ennemis.

Ma rage se dirigeait également contre les colons de Zarya. Pourquoi avoir refusé l'offre des Tharisiens ? Pourquoi avoir placé plus d'importance dans l'honneur que dans la vie ? Comment peut-on en arriver à préférer la mort ? Une mort horrible, qui plus est.

– Tout ça m'est incompréhensible, finis-je par dire.

– Nous aurons notre revanche, Seki, poussa Lanz sans grande conviction.

Laïka sembla mieux comprendre ma colère. Elle posa une main sur mon bras et le caressa doucement, ses yeux gris cherchant à s'agripper aux miens.

– Les gens sur Zarya ne vivaient pas comme nous vivons ici, dit-elle. Ils ne pouvaient pas s'instruire, décider un tant soit peu de leur avenir. La seule voie qu'ils pouvaient emprunter était de travailler indéfiniment dans les mines pour le compte des Tharisiens. Une existence réduite à l'esclavage pour aider un ennemi qui continuait à faire la guerre contre notre peuple…

– Ça reste un sort plus enviable que de crever de faim sur cette maudite planète.

Je me demandai combien de Seki sur Zarya avaient été forcées de choisir la mort à cause des idées révolutionnaires d'un Kodos. Lanz sembla rattraper le cours de mes pensées. Il se pencha vers moi et passa ses doigts dans sa chevelure rebelle.

– Attends… Tu es en colère contre les *colons de Zarya* plutôt que contre les Tharisiens ?

– Je ne sais plus… dis-je en me prenant la tête entre les mains. Je suis en colère contre cette foutue guerre !

– On ne peut pas changer le passé, Seki.

– Non, mais on peut essayer d'éviter de répéter les mêmes erreurs, plaidai-je.

Lanz me considéra longuement.

— Parfois, il y a des erreurs qu'il vaut mieux réparer qu'éviter...

Dans la soirée, nous fûmes convoqués à une réunion prioritaire, rassemblés dans une salle un peu sombre du sous-sol du quartier général. Iberius, appuyé sur le mur derrière Leeven, nous toisait alors que Kodos se tenait contre la porte, les bras croisés. Étrangement, je me sentais le centre de gravité de l'atmosphère écrasante qui pesait sur la pièce. Ni Lanz, ni Laïka, ni moi n'avions d'idées sur ce qui se tramait. Leeven, comme à son habitude, se montrait courtois et se voulait rassurant.

— Si je vous ai rassemblés ici aujourd'hui, c'est que j'avais envie de partager avec vous ce que nous avons vécu il y a vingt ans lors de la guerre avec les Tharisiens.

Je jetai un regard à Laïka qui haussa légèrement les épaules. Aucune idée d'où lui venait cette envie soudaine. Leeven poursuivit son discours. Distraite, j'attrapai un feuillet qui gisait sur la table que je pliai et dépliai au creux de ma main.

— Il y a vingt ans, le conflit qui nous opposait aux Tharisiens tournait en notre défaveur. Par une série d'erreurs sur le front, le commandement allié de nos troupes perdit l'initiative face à l'Armada. Nos forces furent refoulées sur une ligne de défense plus profonde et nous dûmes abandonner les colonies périphériques telles qu'Epsilon IV, Pax Proxima et Ostro Mineure. Au lieu de tenter de détruire les nombreuses flottes de l'amirauté tharisienne dans des batailles décisives qui, en raison de la supériorité de l'état-major ennemi, tournaient à notre désavantage, il fut décidé d'adopter une stratégie de défense en profondeur. Il fallait faire payer cher aux Tharisiens chacune de leurs intrusions dans notre territoire.

» Cette nouvelle tactique a fait d'Averia une place forte de grande valeur militaire dans le plan de défense de nos stratèges. Nous fîmes en sorte que, pour poursuivre son offensive, l'ennemi devait impérativement prendre possession de ce système. Nous étions le premier obstacle. Il était entendu que si les installations orbitales devaient être neutralisées par l'adversaire, les flottes assignées au soutien d'Averia se replieraient sur la prochaine ligne fortifiée. Cependant, pour préserver la Colonie et, surtout, pour dériver les ressources militaires tharisiennes ailleurs que sur le front, on envoya sur Averia les meilleurs écrans de protection terrestres. Il nous fallait devenir le rocher contre lequel viendrait se briser la vague ennemie.

» Le plan se déroula comme prévu. Nos flottes infligèrent de lourds dégâts aux Tharisiens, mais se retirèrent avant d'être détruites. Ensuite, notre réseau de défense continua d'exercer une résistance farouche à leurs tentatives d'invasion. C'est à cette époque que j'ai été enrôlé dans la 3e milice coloniale d'Averia, avec Tomas Iberius comme officier supérieur. Nous avions été affectés à l'opération du canon orbital : un engin d'une capacité de destruction si immense que nous pouvions tenir à distance la totalité de la flotte tharisienne. Pendant des mois, nous avons réussi à protéger l'espace aérien au-dessus de la Colonie. Aucun vaisseau ennemi ne parvint à bombarder les installations coloniales de défense et nous pûmes mettre en échec l'invasion directe de la cité. Un seul de nos tirs pouvait gravement endommager les plus grands croiseurs de l'Armada, et ce, même s'ils évoluaient en orbite autour d'Averia.

» Nous ne pûmes toutefois empêcher les Tharisiens de débarquer leurs troupes sur la planète. Par contre, ils durent le faire à des milliers de kilomètres de la cité pour éviter de subir les tirs de notre canon. Leurs soldats ne purent jamais être appuyés par soutien aérien. Ils se brisèrent alors, vague après vague, sur le réseau défensif de la Colonie.

» Avec ce canon entre nos mains, nous pouvions tenir indéfiniment. Nous espérions que, devant toujours s'enfoncer plus profondément dans le territoire humain et subissant de lourdes pertes face à la résistance acharnée de nos hommes, les forces ennemies s'étioleraient et que la flotte du commandement allié finirait par reprendre l'initiative.

» Nous avons persévéré et tenu bon pendant près d'un an, attendant que les événements tournent en faveur de nos flottes. Un jour, toutefois, nous avons reçu un message du Gouvernement et de l'état-major de nos forces militaires. On nous ordonnait de cesser toute résistance et de déposer nos armes. Ce que nous refusâmes de faire.

J'interrompis le récit de Leeven.

– La Terre venait de livrer Averia aux mains des Tharisiens ?

– C'est exact. D'après les termes du traité de Pax Proxima, Averia, ainsi que d'autres colonies périphériques de moindre envergure, passèrent sous contrôle tharisien. Averia, joyau parmi les colonies humaines, avait été exigée par les Tharisiens pour servir de symbole de la reddition. C'était davantage pour humilier les Humains que pour s'approprier les ressources de notre planète. Le traité de paix spécifiait également d'autres détails tels que la limitation de l'espace colonisable par les Humains, un maximum de tonnage de vaisseaux lourds et des compensations financières et matérielles versées à nos ennemis.

» Toujours est-il que nous avions décidé de désobéir aux directives externes et choisi de poursuivre le combat. Après tout, nous tenions déjà en échec les forces d'invasions tharisiennes depuis près d'un an. La Colonie était autosuffisante, protégée par un puissant bouclier, épargnée par les bombardements...

– Que s'est-il passé ? Parce que, manifestement, vous avez fini par être renversés, dis-je.

– Nous avons été trahis, lança Iberius, toujours appuyé contre le mur.

Il gratta son début de barbe grisonnante et poursuivit de sa voix rauque.

– Des lâches ont préféré précipiter notre perte plutôt que de se battre jusqu'à leurs dernières forces.

– La rumeur de la reddition de la Terre était parvenue aux oreilles de plusieurs de nos soldats, continua Leeven. Le mécontentement s'est propagé. Plusieurs estimaient qu'il était illogique de poursuivre le combat alors que nos alliés nous avaient vendus et ne viendraient plus nous libérer. Un groupe s'est organisé et a aidé les Tharisiens à pénétrer notre périmètre de sécurité. Débordés de toutes parts, nous avons été forcés d'abandonner le canon orbital. Dès que nos ennemis s'en furent aperçus, ils déversèrent sur Averia un déluge de flammes. Le feu concentré de leurs meilleurs navires de guerre bombardait la cité jour et nuit. Lorsqu'ils eurent finalement cessé leur pilonnage, Averia était pratiquement rasée. Nous n'eûmes pas d'autre choix que de rendre les armes.

— Vous avez fait preuve d'un tel esprit combatif, commenta Laïka, admirative.

Je devais admettre que cette histoire imposait le respect. Cette guerre absurde avait beau me répugner, le parcours de ces hommes, qui tinrent en échec la puissance militaire qui avait fait plier les forces réunies de tous les Humains, impressionnait. Je reconnus qu'à l'époque, les gens avaient de bonnes raisons de se battre. J'étais capable de faire la différence entre lutter de toutes ses forces pour défendre son sol natal et s'attaquer aux innocents parce qu'on est en colère.

— C'est un récit inspirant, avouai-je. Mais je ne comprends toujours pas pourquoi vous nous avez tous réunis pour nous raconter ça aujourd'hui.

Leeven se leva et ajusta ses lunettes.

— Il y a effectivement une raison pour laquelle je vous ai minutieusement narré ces événements du passé. Je ne vous cache pas que, même si nous avons jadis baissé les bras, Iberius et moi, nous comptions seulement faire un pas en arrière pour pouvoir mieux reprendre le combat. Nous avons longuement attendu le moment propice pour relancer l'effort de la libération d'Averia. L'étude de l'histoire de l'humanité nous a enseigné que, malgré toutes les causes internes et externes identifiables, les révolutions naissent dans l'embrasement soudain de la population pour une cause émotionnelle. Une fois le peuple soulevé, il appartient ensuite à un petit groupe expérimenté de canaliser la force et la colère de la population dans un plan d'action qui mènera à l'insurrection.

Je fixai mon regard sur celui de Leeven. La pièce s'englua dans le silence, Leeven me rendant mon regard sans qu'aucun muscle de son visage ne bouge. Il se contentait d'ajuster ses lunettes d'une main effilée. Avec lenteur, parlant d'une voix grondante, je finis par verbaliser ce que toutes les personnes dans cette salle avaient compris depuis longtemps.

— Vous voulez vous servir de moi pour lancer votre révolution, constatai-je avec noirceur.

— Toutes les pièces de l'échiquier sont en place, Seki, continua Leeven.

— Vous voulez que je lance un appel à la révolte, dis-je encore.

— C'est la chose à faire, intervint Lanz à mes côtés. Pour réparer les erreurs du passé.

Une bouffée de chaleur m'assaillit violemment.

— Et pour faire quoi ? Vous avez bien caché quelques armes ici et là, mais nous n'avons aucune chance d'avoir le dessus sur les Tharisiens.

— Nous avons un plan, s'opposa Leeven.

— Ah oui ? Lequel ? Armer chaque citoyen d'Averia et lui demander de se sacrifier au nom de la liberté ?

— Nous allons nous emparer du réseau de défense de la Colonie, s'immisça Kodos, derrière moi.

Je me retournai, le regard mauvais.

— Justement, le réseau n'a-t-il pas été démantelé il y a vingt ans, lorsque les milices ont déposé les armes ?

— Certes, mais les Tharisiens ont commis une grave erreur, me répondit Leeven. La technologie de notre canon orbital les avait trop impressionnés. Ils n'y ont pas touché.

Lanz se pencha sur moi, sa main hésitant à rencontrer les miennes sur la table.

— C'est vrai, Seki, murmura-t-il. Je l'ai vu de mes propres yeux, il y a quelques jours. Ma mission était de m'assurer qu'il était toujours opérationnel.

— Tout ce dont nous avons encore besoin, renchérit Leeven, c'est du soutien inconditionnel de la population d'Averia. Et tu es la seule qui peut nous garantir l'implication du peuple.

Le feuillet de papier, tordu entre mes mains, se froissa brusquement.

— Vous vous trompez, m'affolai-je, je n'ai pas un tel pouvoir.

— Mais si, s'en mêla Laïka, je t'ai montré tout ce qui s'est passé sur le réseau. Si quelqu'un peut mener Averia à l'insurrection, c'est bien toi.

Je perdais encore une fois le contrôle. On était en train de m'acculer au mur à nouveau. On allait me pousser à prendre une décision contre mon gré.

— Je ne peux pas faire ça. Je ne demanderai pas au peuple de se lancer dans un combat auquel je ne crois pas.

Kodos s'approcha d'un pas pesant derrière moi, probablement pour m'intimider.

— Il est trop tard pour reculer, Seki. Le mouvement est déjà enclenché.

— Je n'ordonnerai pas aux citoyens de se dresser contre les Tharisiens ! Ce serait les envoyer droit au massacre.

— Tu as pourtant vu ce dont Karanth est capable, non ? Tu as eu un aperçu de sa psychologie. Si nous ne faisons rien, il continuera de réprimer inexorablement les Humains d'Averia. Il n'y aura pas de fin aux malheurs de nos frères et sœurs tant que nous ne prendrons pas les moyens nécessaires pour faire cesser les injustices.

– Karanth a été nommé à ce poste en réponse à l'attentat ! C'est une *conséquence* de notre violence. Il n'y aura pas de fin à cette guerre tant que nous l'alimenterons, vociférai-je.

Il me semblait que c'était l'évidence. Tout le monde s'entendait pour dire que ce qui s'était passé il y a vingt ans avait brisé notre peuple, mais ils étaient tout de même prêts à se lancer à nouveau dans une guerre idiote. Si je pouvais les convaincre, comme je l'avais fait avec le Front de Libération d'Averia, que la clé à long terme était la solution pacifique…

– Je vous avais bien dit que cette petite garce ne nous serait d'aucune utilité, railla Iberius. Nous aurions eu un meilleur résultat en la laissant se faire lapider sur la place publique.

Laïka se leva d'un trait, furieuse, fusillant le Général de ses yeux gris.

– Comment osez-vous dire une chose pareille ?

Je me levai à mon tour, très lentement. Je tremblais à l'intérieur, mais je le refoulai au plus profond de moi.

– Laisse, Laïka, ne t'occupe pas de lui. Leeven, *Lieutenant* Iberius, je crois que nous n'avons plus rien à nous dire.

Alors que je leur tournais le dos, Leeven m'apostropha, la voix posée mais ferme.

– Prends bien le temps de réfléchir, Seki. C'est encore ici que tu es le plus en sécurité…

Devant la porte, Kodos me barrait le chemin. Le menton pointé vers lui, je lui adressai mon plus beau sourire.

– Te rappelles-tu ce qui est arrivé à ton petit copain qui ne voulait pas me laisser passer ?

— J'aimerais bien te voir essayer de me faire la même chose, brava-t-il en croisant les bras.

Comme j'inspirais posément, me préparant à bondir sur Kodos, Laïka repoussa son frère avant que nous ne mettions nos menaces à exécution. Je quittai aussitôt la pièce, sans jeter de regard en arrière. Laïka sur les talons, je marchai d'un pas rageur dans les corridors encombrés du quartier général.

— Que vas-tu faire maintenant, Seki ?

— Je n'en ai pas la moindre idée.

Que pouvais-je bien faire ? Leeven avait raison. Si je sortais, je risquais d'être interceptée par les Tharisiens ou de tomber sur d'autres insurgés qui voudraient faire de moi leur porte-étendard.

— Seki, si tu pars, je viens avec toi. Je vais te suivre.

Je m'arrêtai net et me retournai vers elle. Nous étions seules dans l'étroit corridor mal aéré et sombre. Laïka me regardait, les yeux pleins d'attentes. Je la pris par les épaules.

— Laïka, quel est ton avis sur toute cette histoire ?

— Que veux-tu dire ? balbutia-t-elle.

— Au fond de toi, que penses-tu de l'occupation d'Averia par les Tharisiens ?

Elle baissa les yeux et chercha ses mots.

— N'invente pas une réponse qui me fera plaisir. Quelle est ta véritable opinion ?

— Je… Je leur en veux, Seki. J'aimerais voir Averia telle qu'elle était avant l'invasion.

Je lui frictionnai les bras par-dessus les manches de sa veste verte.

— Dans ce cas, si je décidais de partir, ta place serait ici, avec les autres résistants.

– Mais... protesta-t-elle.

– Je ne suis pas fâchée contre toi, Laïka. Je sais que tu n'es pas une partisane de la violence à tout prix. Je comprends que tu veuilles aider les résistants à renverser les Tharisiens. Mais il y a une grande force intérieure en toi, Laïka. Apprends à t'affirmer plutôt que de suivre toujours aveuglément. Compris ? Ne me suis pas comme tu suivrais Kodos...

Elle hocha la tête.

– Je te jure que je viendrai te voir si jamais je décide de quitter le quartier général. Mais pour l'instant, j'aimerais mieux être seule, d'accord ?

* * *

Je mangeais avec mon père, retournant mollement la cuillère dans mon bol de soupe. Soupe que mon père avait de toute évidence concoctée sur le pilotage automatique. J'avais dû vider la moitié de notre réserve d'épices dans le grand chaudron avant qu'elle ne daigne goûter quelque chose.

— Je crois... commença mon père. Je crois que c'est de ma faute.

Je levai les yeux sur lui.

— Ah ? fis-je, incertaine.

Il n'avait toujours pas touché à son bol et regardait l'écran sur le comptoir, sans le voir. J'y avais synchronisé mon réseau pendant qu'il préparait le souper et Charal continuait de débiter ses âneries habituelles.

Mais mon père n'expliquait pas le fond de sa pensée. Il ne disait rien.

— Ce n'est pas de ta faute, papa, tentai-je.

Il n'eut pas de réaction. Son visage était voilé, tourné vers un monde intérieur qui m'était inaccessible.

— Personne ne s'attendait à ce que Seki ait le courage de...

Je ne terminai pas ma phrase. Ce n'était probablement pas une tournure qui plairait à mon père.

— Peut-être que Seki en gardait trop à l'intérieur, repris-je.

J'appuyai ma tête contre le dossier de la chaise. Le crépuscule du soir filtrait par la grande fenêtre de la cuisine, se découpant à travers les rideaux et couchant sur le mur d'en face une lumière brûlée. Distraite, je fis valser la cuillère dans le liquide.

— Peut-être que Seki n'est pas aussi bien dans sa peau qu'elle ne le laisse paraître, soupirai-je. Qu'elle a eu envie de pousser un grand cri.

Des picotements s'agitèrent au bout de mes doigts.

— Que l'occupation la rendait malade. Secrètement. Que quelque chose dans le visage des Tharisiens lui rappelait... un... un gros trou noir qui grouille quelque part dans ses tripes. Quelque chose qui la fend en deux, qui lui écrase le visage contre le sol, qui lui donne envie de tout déchirer. De s'écorcher la peau, de... de...

Bip bip ! Bip bip !

Mon réseau interrompit le flot de mes pensées.

Bon sang, qu'est-ce que je racontais encore ? Je levai à nouveau les yeux vers mon père, soudain très inquiète, mais il ne semblait pas avoir porté une réelle attention à mes paroles. Il se perdait toujours quelque part dans ses pensées. Je reposai la cuillère, la faisant cliqueter sans le vouloir sur le bol.

Je saisis mon réseau et le déconnectai de l'écran. Quelqu'un m'avait envoyé un message.

Myr, j'ai besoin de te voir. Sois à l'université devant la fontaine à 20 h ce soir. S.

Mon cœur s'emballa, poussant dans mes tempes un sang trop léger, trop aéré pour irriguer convenablement mon petit crâne. Seki me donnait rendez-vous. J'allais enfin revoir ma soeur.

— Je... Je vais me coucher tôt ce soir, prétendis-je en fourrant mon réseau dans ma poche.

Je me levai, le visage en feu. L'émotion me gagnait, me faisait vibrer. Je grimpai les escaliers à toute vitesse sous le regard voilé de mon père.

Seki. Je pourrai lui demander des explications. Ce n'était pas trop tôt. Elle avait des comptes à me rendre. Des tonnes de comptes à rendre, en fait ! Mais surtout, elle pourrait faire la lumière sur un détail qui m'inquiétait de plus en plus : qu'est-ce qu'elle attendait pour déclencher la révolution ?

* * *

J'eus à peine le temps d'envoyer un message à Myr qu'on frappa à ma porte. Une série de coups secs et brusques, comme si on en clouait le bois mince. J'ouvris et Iberius entra d'un pas lourd dans la pièce.

— Qu'est-ce que vous venez faire ici ? lui demandai-je en laissant transparaître toute mon hostilité.

— Leeven croit que je devrais expliquer ma réaction de tout à l'heure.

— Ce n'est pas nécessaire, dis-je de mon ton le plus condescendant.

Je pus presque entendre le grincement de dents d'Iberius. Il serra sa mâchoire carrée, mais sembla pourtant ravaler sa fierté.

— Il faut que tu comprennes l'importance des enjeux, Seki. Tu ne saisis pas à quel point nos vies peuvent basculer.

— Non, je suis bien trop idiote et étourdie pour comprendre ce que les grandes personnes attendent de moi.

Ses poings se serrèrent. Je commençais vraisemblablement à le pousser à bout. D'un moment à l'autre, il allait soit tourner les talons et ficher le camp, soit me frapper. Iberius se rapprocha.

— Nous sommes trop près du but pour laisser les considérations éthiques à peine affirmées d'une gamine morveuse entraver notre plan, lâcha-t-il entre les dents.

— Je ne serai pas votre pantin, Lieutenant. Désolée.

— Tant pis, dit-il en haussant les épaules, je n'ai jamais été bien habile dans les discours.

Avant que je n'aie pu réagir, il m'empoigna par le bras et me tira brusquement vers lui. Il commença à me traîner, exactement comme il l'avait fait pour m'aider à m'évader de prison. Je protestai énergiquement, mais Iberius continuait de me tirer à sa suite dans le corridor. Il me serrait le poignet si fort que je craignais qu'il ne me broie les os. D'un mouvement que j'avais appris de mon maître d'arts martiaux, je tentai de me défaire de son emprise, mais sans succès.

– Lâchez-moi ! ordonnai-je.

Iberius ne m'écoutait pas. Je paniquai. J'ignorais où il m'amenait et ce qu'il comptait faire de moi. Sous une poussée d'adrénaline, je lui décochai un violent coup de pied dans les tibias. Il vacilla sous le coup et relâcha sa prise un moment. Je me défis de sa poigne dans un mouvement circulaire du bras et m'apprêtai à lui envoyer un second coup de pied, mais il anticipa mon action et se projeta sur moi au moment où mon pied fendait l'air. Il me plaqua durement contre le plancher, me retourna et me tordit le bras sans ménagement. Je ne pus réprimer un cri de douleur. Il me releva prestement du sol et me poussa en avant.

Plusieurs personnes étaient accourues pour découvrir la cause de tout ce vacarme, mais Iberius ne leur accorda aucune attention. Il continuait de me faire avancer, maintenant mon bras dans un angle douloureux. Il me fit pénétrer dans une salle qui servait de lieu de détente pour les résistants qui logeaient au quartier général. Depuis les chaises de bois craquelées et les fauteuils percés, une dizaine de visage m'accueillirent avec étonnement.

– Regarde, me dit-il en pointant une femme dont le bras reposait dans une écharpe. Cette femme a failli perdre son bras lors de l'assaut contre la prison. Veux-tu lui expliquer que nous avons libéré la mauvaise personne ?

J'allais répondre, mais Iberius me tordit le coude avant que je ne puisse parler. Étouffant avec difficulté la plainte qui montait dans ma gorge, je mordis l'intérieur de mes joues. Sans retenue, il me poussa encore à travers la cafétéria. Ce petit manège attirait de plus en plus l'attention des gens dans la pièce.

— Cette femme a perdu son mari lors de cette mission, grinça-t-il. Aurais-tu l'amabilité de lui dire que le père de ses enfants est mort pour rien ? Que tu ne crois pas en la cause pour laquelle il a donné sa vie ?

La femme leva les yeux vers moi. Je tentai de me détourner, mais Iberius agrippa mes cheveux et me força à regarder la veuve. Le Général parlait maintenant pour que tous l'entendent.

— Allez Seki, explique-lui que tu n'en as rien à foutre de la révolution. Dis-lui que tu penses que vivre sous l'occupation tharisienne est un moindre mal. Allez, explique-leur. Dis-leur que tu ne souhaites que retrouver ta petite vie d'étudiante privilégiée. Vas-y ! Laisse tomber tous ces gens qui ont cru en toi. Crache sur leur désir de liberté, sur leur désir de s'affranchir des chaînes et de l'humiliation que leur font subir nos ennemis.

— Mais je n'ai jamais rien demandé… chuchotai-je dans un souffle rauque.

— Ah ! Elle n'a jamais rien demandé ! Alors, il est légitime qu'elle brise les espoirs de tout un peuple. Petite ingrate…

Une voix perçante s'éleva par-dessus les accusations d'Iberius.

— Tom ! Ça suffit maintenant !

C'était Leeven. Iberius et lui échangèrent un long regard avant que le Général ne daigne relâcher sa prise sur mon bras. Je portai aussitôt la main à mon épaule puis à mon coude meurtri, hoquetant de douleur malgré moi. Tout le monde m'observait. Je m'aperçus trop tard que des larmes avaient coulé le long de mes joues. Je quittai précipitamment la pièce sous les regards indéchiffrables des autres résistants.

***

Mon départ, abruptement devancé par mon altercation avec Iberius, fit en sorte que j'arrivai près d'une heure d'avance au rendez-vous que j'avais donné à Myr. Par insouciance ou par provocation du destin, je n'avais pas réellement pris de mesure pour me camoufler. Je portais une veste rouge, semblable à celle que je traînais avant mon incarcération, pour me protéger de la tiédeur du soir et je m'étais assise sur un banc près de la fontaine. À cette heure-ci, la place était déserte. J'aurais pu aisément me croire seule au monde, jusqu'à ce que me reviennent en tête les paroles de Laïka. Elle m'avait expliqué que le Gouverneur Karanth avait suspendu le droit à l'éducation.

Plus d'université.

J'attendais, furieuse. Les événements de la journée défilaient comme un film dans ma tête. Impossible de chasser ces images. J'avais dit à Iberius que je n'avais jamais rien demandé à qui que ce soit et je crois ne jamais avoir été aussi claire quant à ma situation. Je n'avais jamais voulu être impliquée dans tout cela. Je n'avais jamais désiré devenir le point de ralliement pour cette cause. Je n'avais jamais souhaité incarner l'espoir des habitants d'Averia.

Alors que je ressassais ces idées dans ma tête, je vis une silhouette apparaître en haut des marches qui menaient à la fontaine. C'était Myr. Elle était venue. Je sentis mon estomac se nouer. Elle portait un petit manteau noir dont les pans ondoyaient avec la brise. Elle s'approcha à pas feutrés et se planta devant moi.

— Tu as coupé tes cheveux ? constatai-je.

C'était la première chose qui m'était venue à l'esprit.

— Oui, répondit-elle avec gêne en se passant une main dans sa chevelure un tantinet plus courte que lorsque nous nous étions quittées, il y a une éternité de cela.

Un silence embarrassant s'installa entre nous deux. Un coup de vent balaya la fontaine et je reçus quelques gouttes d'eau.

— Comment va papa ?

— Oh, bien. Mais c'est dur à dire. Tu le connais.

À nouveau, une brise.

— Et toi, Myr, comment vas-tu ?

— Bien aussi. On m'a interdit d'aller à l'école depuis que tu es recherchée pour terrorisme.

Elle énonça ceci comme on discute de la météo avec un inconnu. Mais le ton de sa voix cachait autre chose. Une accusation.

— Je suis désolée de vous avoir causé tant d'ennuis… Papa doit être très en colère.

— Je ne sais pas. Il ne m'en a pas vraiment parlé.

Myr, les mains dans les poches de son manteau, me détaillait, ses petits yeux brillants scrutant chaque trait de mon visage. Je sentais dans son attitude qu'elle se retenait. Qu'elle luttait pour garder quelque chose en elle.

— Myr, ma petite sœur, si tu savais comme tu m'as manquée. Il y a tant de choses que j'aimerais te dire, mais j'ignore par où commencer. J'espère que tu ne m'en veux pas pour tout ce qui s'est passé…

Elle cligna lentement des paupières.

— Au début, oui. Je t'en ai voulu, m'avoua-t-elle. J'étais très en colère contre toi, Seki. Toutes ces années à essayer de me convaincre que la résistance était inutile. Toutes ces années où tu t'es efforcée de me faire sentir idiote de rêver à la liberté. Toutes ces disputes stupides que nous avons eues au sujet de l'occupation. Tout ce temps où tu m'as frustrée avec ton indifférence. Et un bon matin, pouf, j'apprends que tu as fait exploser une bombe chez le Gouverneur.

— Non, Myr, je ne…

— Laisse-moi finir ! m'ordonna-t-elle d'une voix étrange.

Ses yeux, pétillants dans la noirceur du soir qui tombait, me perçaient de part en part.

— Pour une fois, laisse-moi parler, m'avertit-elle.

Je baissai le regard. Myr inspira avant de reprendre plus doucement.

— Les Tharisiens débarquent à la maison. Ils amènent papa et m'interrogent pendant des heures sur toi et tes activités. Ils fouillent partout et me demandent si je suis au courant que ma grande sœur est une dangereuse terroriste. Ils passent au peigne fin tout ce qui leur tombe sous la main. Ils cherchent à incriminer papa dans l'affaire. Moi, je joue la gamine effrayée. Je verse des larmes, je leur dis que je ne sais rien, mais au fond de moi, je vibre de fierté. Ma grande sœur Seki a réussi à terrifier les Tharisiens. Elle a flanqué un grand coup de pied dans les fondations mêmes de l'instrument avec lequel ils nous maintiennent en esclavage.

— Myr, il faut que je t'explique, tentai-je en vain encore une fois.

— Tais-toi ! Je n'ai pas terminé. Alors tu fuis dans la clandestinité. Pour protéger ta famille et pour continuer le combat de la résistance. Et moi, je suis consumée par la colère. C'était moi, Seki, qui aurais dû suivre cette voie. C'est moi qui aurais dû être à ta place. Tu m'as volé ma destinée ! C'est moi qui ai toujours voulu mener les résistants.

— Je ne l'ai jamais voulu ! éclatai-je. Je n'ai pas choisi d'être entraînée dans cette pagaille.

Myr m'observa, une moue indéchiffrable sur la bouche, à mi-chemin entre la grimace et les pleurs.

— Vas-tu me laisser parler ou vas-tu me frapper encore ?

Je me tus. L'éclairage de la fontaine jetait sur son visage une lumière laiteuse qui contrastait avec sa chevelure noire.

— Mais j'ai tout de même réussi à mettre ma rage de côté et à prendre une décision de sœur. Les médias tharisiens et leurs lèche-bottes humains n'ont pas cessé de te décrire comme une dangereuse terroriste. Alors j'ai utilisé les mêmes armes qu'eux pour te venir en aide...

— C'était toi ? C'est toi qui as fait circuler toutes ces histoires sur moi sur le réseau ?

— Oui, c'était moi, répondit-elle. C'est moi qui t'ai apporté le soutien de toute la population d'Averia !

— Si tu savais comme ça m'a nui lorsque j'étais en prison, et comment ça continue de me pourrir la vie, lui dis-je, dégoûtée.

— Ça t'a nui en prison ? hurla-t-elle. Si je n'avais pas réussi à dénicher des contacts, tu aurais été exécutée ! C'est moi qui ai mis en relation ta petite bande d'amateurs avec Iberius et Leeven. Sans moi, personne ne serait venu te tirer de là ! Et tu oses te plaindre que je t'ai nui !

J'ouvris la bouche toute grande.

— Qu'est-ce que tu racontes, Myr ? Tu... tu travailles avec ces gens-là ?

— Oui ! lâcha-t-elle avec fierté. J'ai rempli de nombreuses missions pour Kodos. J'ai été si efficace qu'on m'a confié des gars sous mes ordres.

Elle avait donc participé à plonger Averia dans cet état. Myr, ma petite sœur de quatorze ans, avait ordonné et planifié des attentats. Elle avait exigé la mort depuis son clavier. J'étais bouleversée, je ne pouvais imaginer que ma soeur s'était avilie de la sorte.

— Dans ce cas, nous n'avons plus rien à nous dire, soufflai-je en me levant et en la dépassant.

Elle m'agrippa le bras, le même qu'Iberius avait tordu dans tous les sens, une heure plus tôt.

— Tu vas m'écouter, oui ? Pour une fois vas-tu me traiter comme une égale et me laisser finir ce que j'ai à te dire ?

Je la pris moi aussi par les épaules.

— Je ne suis pas subitement devenue une révolutionnaire assoiffée de sang, Myr ! lui criai-je à la tête. Je ne suis pas celle que tu as décrite sur le réseau !

— Je sais ! hurla-t-elle à son tour avant de reprendre plus calmement. Je sais bien. Je l'ai compris quand tu n'as fait que passer tes grandes journées à ne rien faire après ta libération. Je t'ai conféré un pouvoir inimaginable et tu ne l'utiliseras même pas.

— Je ne veux pas lancer Averia dans la guerre. Je ne veux pas qu'Averia connaisse la violence à nouveau. Ce n'est pas à moi de décider ce genre de choses.

— Tu ne comprendras jamais rien ! rugit-elle.

Ma petite sœur était allée jusqu'au bout de sa folie. Consumée par sa haine pour les Tharisiens, elle m'inspirait maintenant la peur. Une grande culpabilité m'envahit. J'avais toujours cru qu'ignorer ses comportements de révolte était la meilleure chose à faire, mais je constatais aujourd'hui quelle grave erreur cela avait été. J'aurais dû tenter de dialoguer, de l'aider à expulser la colère qui dormait en elle.

J'aurais dû essayer de comprendre ma petite sœur au lieu de m'énerver contre elle. Maintenant, un animal féroce brillait dans les yeux de Myr. Je la sentais tellement loin de moi que cela me blessait. J'avais perdu ma petite sœur et cela me causait une souffrance inimaginable. Les larmes poussaient derrière mes yeux.

— Je comprends ta colère, dis-je avec douceur, en posant mes mains sur ses épaules. Mais ça ne ramènera jamais maman, tu le sais.

La bête se raidit, aux abois.

— Laisse-la en dehors de ça ! me menaça-t-elle. Arrête d'essayer de me blesser !

— Je ne dis pas ça pour te blesser, Myr. Je ne veux pas te faire de mal ; je veux que tu cesses de t'en infliger. J'ai eu beaucoup de temps pour réfléchir en prison. J'ai beaucoup pensé à toi.

— Ah oui ? Tu devais te demander si ton idiote de sœur était encore en train de jouer les petites rebelles !

— Myr… Je comprends la souffrance que tu dois ressentir.

— Ah oui ? J'ignore de quoi tu veux parler.

— Je comprends que tu rendes les Tharisiens coupables de la mort de maman…

— Arrête ! Tu ne comprends rien ! me cria-t-elle.

Elle commença à se débattre, mais je la retins de toutes mes forces.

— Myr ! Maman savait ce qu'elle faisait. Elle a pris sa décision en sachant ce qui allait arriver…

— Arrête ! Lâche-moi Seki !

Je tentai de la prendre dans mes bras, d'agripper ma petite sœur et de la serrer très fort pour chasser toute cette haine qui inondait son corps, mais Myr s'agitait furieusement. Deux sœurs en larmes tourbillonnaient à côté de la fontaine.

— Maman t'a mise au monde malgré la mort qui l'attendait. Elle a choisi ta vie plutôt que la sienne. Crois-tu qu'elle aurait voulu que sa fille soit animée d'une telle soif de vengeance ? C'est le genre de vie qu'elle souhaitait pour toi ?

Myr laissa échapper une longue plainte. Comme lors de notre dernière dispute. Myr, l'animal blessé. Nous sanglotions toutes les deux. Ma petite sœur s'effondra sur le sol. Je n'osais plus la toucher, j'ignorais quelle serait sa réaction. Elle leva sur moi un visage torturé, fripé par la douleur.

— Maman est morte, Seki. Maman est morte à cause de moi et c'est si injuste. Maman est morte et moi je n'aurais jamais dû naître.

— Non ! Ne dis pas ça, je t'en supplie.

Je la cueillis dans mes bras et la berçai.

— Je vous ai enlevé maman, pleura-t-elle. Je vous ai arraché maman, à papa et à toi, et tout ce que je vous ai apporté en échange, c'est *ça*.

Je levai la tête vers le ciel. Des millions d'étoiles semblaient partager notre chagrin, à Myr et à moi. Elle pleura encore un long moment dans mes bras. Je pris conscience que je m'étais trompée sur ma soeur. C'est la haine qu'elle éprouve pour elle-même qui la consume, qui la fait véritablement souffrir. Les Tharisiens ne sont qu'un prétexte. C'est elle qu'elle hait avec tant d'énergie. Avant que j'aie pu trouver quelque chose à dire pour la réconforter, Myr sembla ravaler ses sanglots. Je l'aidai à se relever. Ses yeux, rouges d'avoir versé tant de larmes, brillaient encore plus que tout à l'heure.

– Que vas-tu faire maintenant ? me demanda-t-elle.

– Je l'ignore, Myr…

Elle serra les dents.

– Quand vas-tu cesser de ne penser qu'à toi, Seki ?

– Quoi ? Mais c'est à la vie de tous ces innocents que je pense ! m'obstinai-je. Tu voudrais que j'exige leur sacrifice au nom d'une cause à laquelle je n'adhère pas ?

Myr déglutit avec difficulté.

– Non Seki. Tu ne te soucies pas des autres, en ce moment. Tu as la trouille. Tu ne penses qu'à toi. Tu ne veux pas préserver la vie des Humains ou des Tharisiens. Tu souhaites seulement éviter que le projecteur soit braqué sur toi. Tu as peur de choisir. Tu as peur de prendre une décision.

– C'est absolument faux. Mon opinion a toujours été la même : on peut coexister pacifiquement.

– Dans ce cas, ton opinion a-t-elle plus de valeur que celle des milliers de gens qui espèrent se libérer des Tharisiens ? Vas-tu leur refuser ce qu'ils attendent de toi ?

– S'ils la désirent à ce point, leur révolte, qu'ils la fassent ! Je n'ai pas besoin de m'en mêler, criai-je.

– Que tu le veuilles ou non, Seki, tu personnifies l'espoir. Pour nos parents, ceux qui ont connu la défaite, tu représentes la possibilité de laver leur génération de la honte d'avoir perdu Averia aux mains de l'ennemi. Tu peux réparer les erreurs du passé. Pour les jeunes comme nous, tu symbolises l'espoir de voir Averia s'épanouir d'elle-même. Seki ! Tu as entre les mains le *pouvoir de changer le monde.*

— Changer le monde en envoyant des gens vers la mort… La violence engendre la violence, Myr. Tout ça n'aura jamais de fin.

Quelque chose se brisa dans l'air autour de nous. Les yeux de Myr perdirent leur éclat. Les étoiles ne semblaient plus veiller sur nous. Myr parut soudainement très lasse et fatiguée.

— Dans ce cas, tu peux arrêter de me considérer comme ta sœur, murmura-t-elle.

Elle se retourna et grimpa lentement les marches. Je l'appelai, en colère.

— Je ne pense qu'à moi, Myr ? Vraiment ? Et lorsque j'ai pris le blâme, en prison, pour tous les textes que tu faisais circuler, c'était égoïste de ma part ? Lorsqu'on m'a condamnée à mort et que j'ai continué à garder mon masque pour te protéger, c'était parce que je te déteste, c'est ça ?

Mais Myr ne se retourna pas.

* * *

Les mains enfoncées dans les poches de mon manteau noir, je marchais à vive allure. Je piétinais ainsi pour éviter d'être interceptée par une patrouille tharisienne après le couvre-feu, mais je me démenais surtout pour me décharger de ma rage.

Je reniflai une fois ou deux et m'essuyai le nez d'une main tremblante. Mes joues, encore humides, pesaient sur mon visage.

Seki ne comprenait rien. Il était bien trop important pour elle de continuer de se réfugier derrière sa petite carapace de confort plutôt que d'affronter la réalité et d'assumer le rôle qu'elle devait jouer.

Laïka m'avait avertie. Seki ne coopérerait pas avec nous.

Je balançai mon pied de toutes mes forces sur un morceau de pavé craquelé qui gisait sur le trottoir. Celui-ci s'écrasa dans un bruit sourd dans l'obscurité.

Seki n'avait pas participé à l'attentat. Je le comprenais maintenant. Tout ça n'était qu'un malentendu, un lamentable quiproquo. J'avais été si idiote de croire que quelque chose nous réunissait finalement, Seki et moi. Non, je continuais d'être sa petite soeur encombrante qui lui causait des ennuis. Selon elle, c'était moi qui avais failli la faire tuer. Quelle soeur parfaite je fais !

J'avais pourtant demandé à Laïka. Je voulais savoir ce que Seki faisait, ce qu'elle attendait depuis sa libération. Mais d'après Laïka, Seki ne faisait rien. Elle paressait toute la journée et évitait de se mêler aux autres. Bon sang, il y avait même ce type, cet ancien contrebandier qui lui tournait autour et Seki ne daignait pas lui démontrer de l'intérêt.

Ma sœur traînait toujours le même problème, la même blessure, pensai-je alors que je glissais dans la nuit, fendant l'ombre d'une ruelle à l'autre. Elle avait changé pendant l'incarcération de notre père. De l'enfant normale et enjouée qu'elle avait été jusque-là, elle était devenue distante. Elle avait eu trop mal. Perdre notre père lui avait laissé une cicatrice trop profonde. Seki avait pris la décision de ne plus aimer.

« Papa ne nous appartient pas », m'avait-elle dit un jour. Elle avait décidé qu'en ne créant pas d'attaches, elle ne souffrirait plus lorsque ces liens seraient rompus. Elle ne l'avait jamais exprimé de manière explicite, mais j'avais fini par le deviner. À l'école, elle avait laissé tomber ses amies une à une, ne formant plus que des relations superficielles. Papa et moi demeurions les seules personnes avec qui elle réussissait toujours à tisser des liens.

Seki était davantage capable d'éprouver des sentiments pour l'univers en entier que de se laisser aborder par un étranger. Elle se souciait du sort des Humains et souhaitait leur éviter de subir la violence, mais était incapable de tomber amoureuse.

C'était la façon qu'elle avait trouvée de supporter la douleur, d'échapper aux nouvelles déchirures.

Quant à moi, j'avais trouvé un autre moyen de survivre…

***

Laïka passa un autre coup de brosse dans mes cheveux. Avec un petit pinceau, elle me poudra délicatement la joue. Penchée sur moi, elle croisa mon regard.

— Tu es au bord des larmes, me dit-elle. Ça paraîtra à la caméra.

Plus loin dans la pièce, le triumvirat finissait de visionner la dernière prise. Lorsque ce fut terminé, ils se lancèrent dans une discussion animée. Assis derrière eux, Lanz affichait une mine sombre.

De retour à mon visage, Laïka s'appliquait à redonner du naturel aux traces de brûlures et aux ecchymoses qu'on avait maquillées sur moi. Laïka, m'inspectant d'un air grave, chuchotait.

— Tu n'es pas obligée de faire ça, Seki. Tu le regrettes déjà. Je le sens.

Leeven se leva et vint me voir, son réseau portable à la main. Il me le mit sous le nez en pointant une partie du texte.

— Crois-tu que tu peux ajouter un peu plus d'émotion sur ce bout-là ? me demanda-t-il.

Je hochai la tête. Laïka termina les retouches à mon maquillage et, après que Leeven eut compté jusqu'à trois, le silence le plus complet tomba sur la pièce. Je relevai lentement la tête pour fixer l'objectif de la caméra. Je savais qu'on avait cadré l'image très serrée autour de mon visage. Chacune de mes expressions serait amplifiée lors du résultat final. Je déglutis avec peine avant d'entamer mon discours d'une voix cristalline.

— Peuple d'Averia, je me nomme Seki Jones. J'ai dix-huit ans et je suis étudiante en science à l'université. Jusqu'à tout récemment, je tentais de mener une existence normale. J'essayais d'ignorer que nous vivions sous l'occupation d'une force étrangère hostile au développement pacifique de notre peuple. Je ressentais la souffrance d'être captive dans mon propre pays dans le silence et la résignation. Le souvenir de la perte de nos êtres chers dans la guerre qui a ruiné la vie de nos parents est demeuré vif en moi.

» Toutefois, j'ai toujours réprouvé l'utilisation de la violence. La peur de voir les Tharisiens déchaîner contre nous les châtiments démesurés jadis imposés à nos ancêtres lorsque ceux-ci avaient eu le courage de se dresser contre eux me paralysait. Je sais que nos ennemis sont cruels. J'ai eu l'occasion de le vérifier.

» Les Tharisiens tentent de nous leurrer avec de faux espoirs. Ils nous offrent la possibilité de nous autogouverner, mais se gardent un pouvoir absolu sur chacune des décisions de notre Gouvernement Autonome. Cette hypocrisie a fini par avoir raison de ma patience.

» Récemment, j'ai commis un acte irrationnel. Avec l'aide de camarades qui partagent mon refus de l'indifférence face au destin de notre peuple, nous avons perpétré un attentat contre le symbole ultime de l'oppression que nous font subir les Tharisiens. Ceux-ci n'ont pas tenté de comprendre les raisons de notre acte. Ils n'ont pas essayé de tendre la main pour stopper la violence d'un peuple qui se sent en danger. Ils ont répliqué en nommant au poste de Gouverneur un tyran qui entend nous faire taire par les armes.

» Je souffre énormément de vous faire cette demande, frères et sœurs d'Averia. Je sais que beaucoup d'entre vous m'ont soutenue depuis mon emprisonnement. Votre soutien inconditionnel me touche droit au cœur. J'ai longtemps réfléchi depuis ma libération au sens de mon acte et aux raisons de votre support. Je ne peux, aujourd'hui, que vous demander humblement de vous joindre à moi pour terminer ce que j'ai entrepris.

» En utilisant tout le poids de notre nombre, et toute la force de notre détermination, nous pouvons chasser les Tharisiens d'Averia. Nous pouvons nous dresser, leur démontrer la volonté d'un peuple qui ne sera plus jamais vaincu. Si nous nous lançons tous ensemble dans cette audacieuse entreprise, je peux vous garantir que le jour sera proche où nous pourrons marcher fièrement sur les terres de notre planète et dire : nous sommes libres !

Je fixai encore un moment l'objectif de la caméra avant de me lever et de quitter la salle.

– Il n'y aura pas d'autres prises, dis-je d'un ton qui interdisait toute objection.

* * *

Nous sommes en ce moment en direct du palais qui abrite le Bureau du Gouverneur où, comme vous pouvez le constater, une importante foule hostile s'est réunie. Rappelons rapidement les récents événements qui ont mené à cette manifestation spontanée.

Répondant massivement à l'appel de Seki Jones, activiste humaine condamnée à mort s'étant récemment évadée de prison, des centaines d'Humains se sont mobilisés dans le but de réclamer davantage d'autonomie dans le développement d'Averia. Selon des sources militaires qu'il nous est impossible de vous dévoiler pour le moment, ce mouvement spontané est un leurre. Ces manifestants seraient appuyés par un réseau de terroristes ayant accès à un vaste stock d'armes illégales. Toujours selon les mêmes sources, l'agitation qui sévit sur Averia depuis quelque temps aurait pour finalité d'expulser les Tharisiens de la planète.

Le Moniteur Haraldion est allé rencontrer les manifestants et leur a suggéré d'adresser leurs demandes à leurs représentants de l'Assemblée. Selon des témoins, la rencontre se serait rapidement envenimée et il y aurait eu certaines effusions de violence. On ne sait pas, à l'heure qu'il est, ce qu'il est advenu du Moniteur et de ses adjoints. Par la suite, les rangs des Humains ont considérablement grandi et ils ont décidé d'exprimer directement leurs plaintes au Gouverneur Karanth.

Les Humains ont pu forcer l'accès au Haut-Plateau, les soldats postés en périphérie de la ville n'ayant pas reçu l'ordre d'utiliser la force pour les contraindre. Les manifestants ont donc envahi le périmètre de sécurité qui a été érigé d'urgence au cours des dernières semaines.

Les protestataires sont maintenant massés devant le Bureau du Gouverneur, mais celui-ci est absent depuis quelques jours. On s'attend à son arrivée d'un moment à l'autre. Plusieurs Tharisiens interrogés depuis ce matin redoutent ce climat explosif et espèrent de la part du Gouverneur une solution rapide à cette crise.

Les soldats assurant la protection du Bureau ont plusieurs fois lancé à la foule un ultimatum pour la disperser, mais en vain. La situation est statique, même si plusieurs officiers des forces tharisiennes se demandent si leurs hommes pourraient résister à la vague de manifestants hostiles si ceux-ci décidaient de lancer un assaut.

Des analystes extérieurs estiment que le contexte sur Averia est préoccupant. Les événements des dernières semaines font l'actualité des médias dans toute l'Alliance et plusieurs craignent que la crise déstabilise le Gouvernement central. Certains croient que le manque de réaction et de fermeté à l'égard des insurgés discrédite le pouvoir tharisien.

On m'annonce que la rumeur court dans la foule à l'effet que le Gouverneur est arrivé par une porte dérobée, de l'autre côté de la Place des Amiraux. En ce moment même, il doit être mis au courant de la situation par ses adjoints. Je rappelle qu'il nous est impossible d'entrer en contact avec les autorités à l'intérieur du Bureau. Toutes les communications avec les proches du Gouverneur sont bloquées et nos contacts habituels ont reçu la consigne de ne pas s'entretenir avec les gens des médias.

J'ai peine à me faire entendre, car, comme vous pouvez sans doute le constater vous aussi, la clameur a monté d'un cran. Le niveau de décibels a considérablement augmenté depuis la rumeur de l'arrivée d'Astran Karanth. L'atmosphère ici est fébrile. La tension est palpable. En tant que journaliste, j'éprouve de la difficulté à ne pas laisser cette turbulence transparaître dans mes propos. L'ambiance est surréaliste. J'estime que plusieurs milliers de manifestants vibrent et protestent juste sous la fenêtre du Gouverneur. L'énergie qui circule dans cette marée humaine est écrasante. Si rien n'est fait pour calmer cette foule, je n'ose imaginer les conséquences que cela pourrait entraîner.

Il semble y avoir une bousculade dans les premiers rangs du rassemblement. Je n'arrive pas à distinguer ce qui se passe. Un mouvement anime la foule. Je vais tenter de me frayer un chemin pour constater l'origine de cette agitation. Des tirs ! J'entends des tirs. C'est la panique totale, ici, sur la Place des Amiraux. Des déflagrations fusent depuis les barricades. On procède à des échanges de tirs, vraisemblablement entre les soldats Tharisiens et les insurgés. Mais d'où viennent ces armes ? Un vent d'affolement s'empare des manifestants. C'est la frénésie. Des vagues d'Humains tentent de se lancer à l'assaut du Bureau du Gouverneur tandis qu'un raz de marée de civils cherche à échapper au massacre certain qui les attend.

C'est la folie. Je vois des corps. De nombreux Humains gisent par terre. Impossible de savoir s'ils ont été blessés ou s'ils sont morts. Je suis repoussé par la masse qui s'efforce de fuir. J'ai peine à garder contact avec mon caméraman. Les soldats tirent dans la foule, depuis leurs barricades. Ils arrosent les manifestants de déflagrations mortelles. Les insurgés utilisent les statues des Amiraux pour se protéger. La plupart des monuments de la Place ont été projetés par terre et servent d'obstacles improvisés pour se mettre à l'abri des tirs.

Une explosion ! Une autre ! Je crois que des grenades viennent d'exploser du côté des soldats tharisiens. D'ici, j'estime que la moitié des manifestants a évacué la Place. Il est difficile de déterminer si ceux qui restent sont armés ou pas. Il y a encore un mouvement de panique. Les soldats tirent sur tout ce qui bouge. J'ai vu plusieurs Humains qui tentaient de quitter cet enfer se faire prendre pour cible par nos soldats.

Pour ceux qui viennent de se joindre à nous, je vous rappelle que nous suivions l'évolution de la manifestation de la Place des Amiraux devant le Bureau du Gouverneur lorsque la situation s'est subitement détériorée. Il nous est impossible de confirmer qui a ouvert le feu en premier, mais la Place des Amiraux a été métamorphosée en champ de bataille. Nous nous sommes réfugiés sous une statue à l'écart des combats et nous tentons de couvrir pour vous les événements en direct.

Je distingue d'autres insurgés armés qui viennent de s'introduire sur la Place. Une nouvelle vague d'Humains arrive en renfort. Plusieurs d'entre eux se dirigent par ici. Ils essuient les tirs des soldats et vont se mettre à couvert tout près de nous.

Nous venons de recevoir un message en provenance du Bureau du Gouverneur. Il nous confirme que ce sont les Humains qui ont déclenché le combat. Je répète, d'après les autorités du Haut-Plateau, ce sont les insurgés humains qui ont ouvert le feu en premier.

Je crois que nous avons maintenant été accidentellement pris pour cible par les soldats tharisiens, car nous essuyons à présent plusieurs tirs sur notre position. On a dû nous confondre avec les rebelles qui se sont abrités près de nous. Mon caméraman et moi allons tenter de nous replier plus loin afin de poursuivre notre reportage spécial sur…

Attention !

Grzzzzzzzzzzzzt…

* * *

Je suivais avec avidité les images que nous présentait le journaliste Charal Assaldion. Après la diffusion du message de Seki, Kodos m'avait finalement fait parvenir ses ordres. La révolution était en marche. Toutes les cellules avaient reçu comme instruction d'organiser la manifestation au bureau du Gouverneur. Il fallait rassembler la plus grande masse d'Humains possible sur la Place des Amiraux pour provoquer l'ennemi.

Tout s'était déroulé comme prévu. Même si ce crétin de Charal affirmait avoir été informé que les Humains avaient ouvert les hostilités, le résultat restait le même : l'insurrection était déclenchée.

Les dés étaient jetés, pensai-je. Nos ennemis périront par le feu, ou alors nous mourrons jusqu'au dernier.

Je clignai abruptement des yeux, me rendant compte que mon regard se brouillait et que je ne distinguais plus ce que projetait l'écran. Pourquoi me sentais-je aussi nauséeuse ? Pourquoi la révolution imminente ne me transportait-elle pas ? Seki avait pourtant bien lancé l'appel, tel que je le souhaitais depuis des jours, des semaines, des années. Depuis toute ma vie...

Soudain, l'image de Charal Assaldion, à l'écran, recroquevillé pour se protéger des tirs de ses semblables, s'évanouit dans un grésillement. Plus de signal. Je ne pouvais plus suivre en direct l'évolution de l'affrontement. C'était contrariant.

Je tentai de contacter Kodos ou Laïka, mais ceux-ci ne répondirent pas.

Frustrée, je m'étendis sur mon lit, les bras croisés. Je tendis l'oreille, mais c'était d'une stupidité. Impossible d'entendre quoi que ce soit d'ici alors que l'affrontement avait lieu à quelques kilomètres. Le visage de Seki lors de son message diffusé sur le réseau me revint en tête. Je superposai à cette image les paroles qu'elle avait échangées avec moi lors de notre rencontre.

Je me redressai, promenant mon regard sur les babioles inutiles dont j'avais décoré ma chambre. Avais-je eu tort de juger ainsi ma soeur ? Éprouvait-elle réellement un tel mépris à mon endroit, si elle avait tout fait pour me protéger lorsqu'elle avait été emprisonnée ?

Aurais-je eu le courage de faire la même chose à sa place ? Écraser, renier mes convictions pour sauver Seki ?

Mon regard s'accrocha à mon miroir. Des photos de copines y étaient logées dans les coins. Myr et ses copines au marché. Myr et ses amies au spectacle de danse.

Ces photos avaient été prises quand j'avais douze ans. Autant dire dans une autre vie.

Je reniflai de dédain en observant ces images souriantes, ignorant l'impression diffuse qu'on m'écorchait la peau depuis le bout des doigts.

Mes yeux se posèrent sur une vieille feuille jaunie par le soleil coincée dans le cadre du meuble. Je me levai pour l'examiner. Une planète grossièrement tracée y figurait, colorée d'un bleu fané par le temps. Sur la planète, deux silhouettes enfantines au-dessus desquelles une main mal assurée avait écrit en très grosses lettres « Seki et Myr sur la Terre ».

C'était signé Myr.

Le miroir vola en éclats.

* * *

Nous marchions en file indienne dans la forêt. On m'avait confié un désintégrateur et je portais une armure, un truc noir et luisant, censée pouvoir encaisser quelques déflagrations. Je n'avais toutefois pas l'intention de mettre l'armure à l'épreuve pour le vérifier. Notre groupe était composé d'Iberius, Leeven, Kodos, Laïka, Lanz et moi. Selon le plan du « Général », d'autres escouades progressaient également vers le canon orbital. Nous allions tenter de le prendre d'assaut depuis différentes directions. D'après les informations que Lanz avait obtenues lors de sa mission d'espionnage, le personnel affecté au canon était au minimum.

— De toute façon, avec ce qui se passe dans la Colonie et sur le Haut-Plateau, c'est le dernier endroit vers lequel les Tharisiens penseront à déployer des troupes, expliqua Leeven alors que nous nous déplacions toujours lentement dans la forêt.

— Ouais, renchérit Iberius, qui ouvrait la marche. Ce salaud de Gouverneur a fait exactement ce qu'on attendait de lui. Il a ouvert le feu sur la foule.

Je réprimai l'envie de tester *son* armure anti-déflagration. Ils utilisaient consciemment mon appel à la révolution pour envoyer des innocents mourir sous les désintégrateurs tharisiens. Ils exploitaient les gens selon leurs besoins et ne se souciaient aucunement de leur sort. Ça me donnait des envies de meurtre.

— Apparemment, ç'a eu l'effet escompté, ajouta Kodos. Le réseau s'enflamme de menaces de représailles. Le message de Seki circule de plus en plus rapidement. Bientôt, Averia au grand complet sera soulevée.

Un regard pesait sur ma nuque. Je me retournai et vis que Lanz, d'après les profondes rides qui se creusaient autour de ses yeux, ne semblait pas non plus être en accord avec la tournure que prenaient les événements. J'en pris note mentalement.

La forêt laissa progressivement place à un sol plus rocailleux et bientôt, je vis apparaître la silhouette colossale du canon orbital. Il s'agissait vraiment d'une construction imposante. Comme un immense poing dressé ver le ciel. Sa seule vue ordonnait le respect. Je n'eus pas de difficulté à imaginer le tir d'énergie foudroyant s'échapper du canon et déchirer le ciel pour aller punir les vaisseaux s'aventurant au-dessus de la Colonie.

Lanz tenta de m'en expliquer le fonctionnement.

– Regarde Seki, la structure que tu vois à la base, c'est la centrale qui alimente le canon. Tu n'as pas idée de la quantité d'énergie que nécessite un tir soutenu de ce genre de dispositif de défense. Le canon en tant que tel, c'est ce truc-là. En orientant les panneaux, on peut arriver à toucher une cible dans n'importe quel angle. Cette arme est une merveille technologique.

– L'instrument de notre victoire, murmura Kodos.

Notre petit groupe resta un moment dans la contemplation de cette silhouette massive à l'horizon. Leeven souriait de toutes ses dents. Le reflet du soleil sur ses lunettes masquait ses yeux.

– Ça fait remonter un tas de vieux souvenirs.

Je le dévisageai en coin. Comment pouvait-on sourire au souvenir de la guerre qui a laissé tant de cicatrices sur Averia ? Cela me dépassait complètement. Iberius rassembla le groupe et nous montra sur une carte virtuelle le trajet que nous devions suivre pour nous assurer de ne pas être repérés par d'éventuelles patrouilles tharisiennes.

L'avancée se révéla pénible. Le soleil me brûlait les épaules et me donnait mal à la tête. Nous progressions en silence. Seul Iberius parlait de temps en temps, soit pour nous diriger, soit pour se tenir au courant, via son réseau, de la position des autres équipes. Jusqu'à maintenant, leur plan semblait se dérouler comme ils l'avaient prévu. Cependant, plus nous avancions, plus la pression montait. Profitant d'une halte pour nous désaltérer, à l'ombre d'une crevasse creusée par une ancienne rivière, Lanz exprima son inquiétude quant à l'opération.

— Que va-t-il se passer lorsque les Tharisiens se rendront compte que nous nous emparons du canon orbital ?

— Ils n'auront pas le temps de réagir, annonça Kodos d'un ton assuré. Ils seront trop occupés à mater la révolte dans la ville.

— Oui, mais ils ne sont pas idiots non plus. Ils se doutent du genre de dégâts que nous pouvons faire avec une pièce d'artillerie d'une telle envergure. Je suis certain qu'ils vont rappliquer ici en un rien de temps.

— Nous garderons toutes les entrées, reprit Kodos. Nous transformerons le canon en citadelle impénétrable.

Laïka s'en mêla après un moment de silence.

— Et s'ils le font exploser ? Avec nous tous à l'intérieur ? On sera bien avancé.

Leeven intervint.

— Ils ne feront pas une telle chose. C'est une arme à la puissance jamais égalée. Il y a une bonne raison pour laquelle ils ne l'ont pas démantelée en même temps que le reste des installations de défenses d'Averia.

— À quoi ça peut bien leur servir ? demandai-je.

– Ce serait un atout majeur advenant une nouvelle guerre avec la Terre.

Je haussai les épaules. Cette idée me paraissait ridicule. Iberius mit fin à la discussion en ordonnant que nous reprenions la route, malgré la chaleur. J'avais l'impression que nous traversions un désert.

– Je peux enlever cette foutue armure ? me plaignis-je, surtout pour embêter Kodos, ce qui sembla réussir.

– Non, c'est trop dangereux. Ce serait dommage que la grande leader de la révolution tombe au combat parce qu'elle était trop précieuse pour la boucler et garder son armure.

Je lui répondis de mon plus ravissant sourire. Nous approchions maintenant de notre objectif. Iberius nous obligea à vérifier nos armes. Pendant que nous patientions pour que les autres groupes sécurisent leurs positions, je sentais la sueur couler le long de mon dos et tremper mon chandail. L'image de l'explosion de la grenade que j'avais lancée en prison me revenait en tête. La chaleur du soleil sur mon visage me rappelait l'horrible souffle qui avait emporté les gardiens. Je contemplais mon désintégrateur et j'espérais ne pas avoir à m'en servir. Je ne désirais pas m'entacher de la mort d'autres Tharisiens. C'était étrange. Je pouvais parfaitement m'imaginer en train de tordre le cou de Kodos ou d'Iberius, mais l'idée de tuer des Tharisiens me laissait une sensation amère dans la bouche (à l'exception notable de Karanth).

Pendant notre attente, Laïka s'était rapprochée, se blottissant presque contre moi. Je devinais aisément son trouble. La peur de se retrouver sous le feu ennemi la terrifait.

— Quoiqu'il arrive, fais ce qu'Iberius te dit de faire, lui suggérai-je. Reste à ses côtés, tu seras en sécurité.

Ses grands yeux gris continuaient de bouger dans tous les sens, cherchant à s'ancrer je ne sais où sur mon visage.

— Je sais bien, Seki, mais je suis quand même nerveuse.

— Crois-moi, il a l'expérience de ce genre de situations.

Cela me coûtait de le reconnaître, mais je devais bien admettre que, même si je méprisais le Général pour ses convictions et ses méthodes, dans une situation de combat, le vieil homme savait ce qu'il faisait. Celui-ci se retourna justement vers nous.

— C'est le moment. Nous allons nous diviser en deux groupes pour effectuer notre approche du canon. Je partirai avec la première équipe et nous gravirons cet escarpement, là-bas. Vous nous couvrirez pendant que nous nous déplacerons. Si quelque chose tourne mal, vous serez déjà dans une bonne position défensive. Attendez mon signal avant de nous suivre à votre tour.

J'observai la masse inquiétante du canon orbital. De près, le béton de la structure paraissait usé et lourd, me faisant l'effet d'une citadelle sombre et lugubre. Je serrai instinctivement la poignée de mon désintégrateur.

Iberius, Lanz et Laïka s'élancèrent, sprintant d'un obstacle à l'autre, gardant un profil bas. Ils utilisaient toutes les couvertures naturelles que pouvait leur offrir le relief accidenté qui nous entourait. Iberius s'arrêtait souvent pour scruter les alentours du canon, progressant en silence de rocher en rocher. Lorsqu'ils furent à proximité de l'entrée secondaire par laquelle nous comptions nous introduire, le

Général nous fit signe de les rejoindre. Kodos en tête et Leeven derrière moi, nous imitâmes le parcours du premier groupe.

Mes bottes soulevèrent une traînée de poussière alors que je gravissais rapidement le monticule, zigzaguant à travers le relief accidenté. Mais à mi-chemin, la voix de Lanz retentit, paniquée.

— Attention ! Couchez-vous !

Avant même d'avoir le temps de réagir, des éclairs de déflagrations m'aveuglèrent. Quelqu'un me plaqua durement contre le sol et nous déboulâmes le petit escarpement sur lequel nous nous tenions. Plusieurs tirs passèrent au-dessus de ma tête. Lorsque j'eus repris mes esprits, Kodos rampait à côté de moi et envoyait des salves vers nos assaillants.

— Il faut qu'on bouge de là ! cria-t-il par-dessus le tumulte. On est trop à découvert.

Je bondis sur mes pieds et m'élançai vers un aplomb rocheux que je venais de repérer à ma droite. Mais au moment de m'y rendre, un tir fit exploser la terre à mes pieds. Un morceau de pierre me percuta la tête et je perdis l'équilibre. La douleur, spectaculaire, éclata aussitôt au-dessus de mon oeil gauche. Je déboulai à nouveau une partie de l'escarpement. Le crâne en feu, je réussis à ramper pour me mettre à l'abri. Cette fois, c'en était trop. Les salauds qui me prenaient pour un pigeon d'argile allaient en voir de toutes les couleurs. Je cherchai mon arme, mais je me rendis compte que je ne l'avais plus en ma possession. J'avais dû l'échapper dès qu'on avait commencé à nous canarder. Quelle idiote je faisais !

Bientôt les tirs cessèrent. Je sortis de ma cachette et manquai d'entrer en collision avec Kodos et Lanz qui étaient partis à ma rescousse.

— Ça va ? Tu n'es pas blessée ? me demanda Lanz.

— Non, ça va. Ils m'ont pris par surprise, c'est tout.

Kodos me rendit mon arme avec un sourire moqueur. Je n'eus pas le temps de lui dire quoi que ce soit pour faire disparaître cette grimace condescendante de son visage, car Iberius nous interpella, criant de rappliquer tout de suite.

Les autres nous attendaient près d'une petite porte secondaire, jaune et métallique, qui menait à l'intérieur de la structure du canon. À leurs pieds gisaient les cadavres des Tharisiens qui avaient ouvert le feu sur nous. Je détournai les yeux, mais pas assez rapidement pour ne pas remarquer les déchirures béantes qu'avaient laissées les désintégrateurs dans leur chair.

Laïka, inquiète, se précipita vers moi, ce qui eut pour effet de faire grogner Kodos.

— Elle n'a rien, maugréa-t-il.

Laïka m'inspectait.

— Tu as une coupure au front, constata-t-elle.

Je passai une main sur mon front et en épongeai le sang. Je ne me rappelais plus si je m'étais fait cette entaille lors de mes nombreuses chutes ou lorsqu'une des déflagrations avait soufflé une partie du relief sur moi. Bizarrement, c'était seulement depuis que Laïka m'en avait fait la remarque que cette blessure devenait douloureuse à nouveau. Elle fouilla dans son sac et en sortit une bande adhérente stérile qu'elle posa sur mon front.

— Les soldats ont sans doute donné l'alerte, s'inquiéta Lanz. Nous ferions mieux de nous dépêcher.

Iberius s'enquit du statut des autres équipes d'infiltration.

— Les autres sont déjà à l'intérieur, nous informa-t-il.

Sans plus attendre, nous nous engouffrâmes à notre tour dans les entrailles du canon orbital.

***

Nous sommes maintenant en direct de la conférence de presse que donne le Gouverneur Karanth devant la Place des Amiraux qui, à peine quelques heures auparavant, a été le théâtre d'un affrontement musclé entre les insurgés humains et les forces tharisiennes chargées de défendre le Bureau du Gouverneur. La situation, ici, évolue de minute en minute et, malgré le danger, mon caméraman et moi sommes toujours sur la première ligne pour vous apporter les informations les plus fraîches qui soient. Nous tenons d'ailleurs à remercier tous les réseauspectateurs qui nous ont contactés plus tôt dans la journée lorsque notre caméra a été endommagée lors de l'émeute.

Je rappelle donc les informations que Karanth a révélées jusqu'à maintenant. Il semblerait que son absence des derniers jours ait été causée par une série d'entretiens privés avec des membres haut placés de l'Amirauté. Le Gouverneur Karanth s'est vu octroyer l'envoi de quatre régiments de soldats ainsi que le déploiement d'une flotte capable d'intervenir en haute altitude pour bombarder les principaux foyers de résistance.

Le Gouverneur dit s'être senti conforté dans sa décision de faire venir une armée sur Averia lorsque les rebelles ont ouvert le feu ce matin sur les hommes qui gardaient l'entrée de son Bureau.

Tiens ! Je crois que le Gouverneur va s'adresser à nous de nouveau. Son discours avait été interrompu il y a une dizaine de minutes lorsque des membres de sa garde personnelle avaient cru repérer un danger dans la foule amassée sur le champ de bataille improvisé… Karanth s'approche du micro…

* * *

Le centre de commandement du canon se révélait impressionnant de complexité et pourtant, aux dires de Leeven, relativement simple à opérer. On n'avait qu'à désigner les cibles ainsi que leur priorité et l'ordinateur s'occupait de faire le reste : calculer la distance, la vitesse de l'ennemi et la puissance nécessaire pour l'annihiler.

Laïka, à qui on avait confié la tâche de surveiller ce qui se passait sur le réseau, suivait avec passion le discours de Karanth.

— Vous avez vu de quelle façon il nous décrit? s'offusqua-t-elle.

— Moi, c'est davantage ce que tu as dit à propos des troupes et des vaisseaux de combats qui me préoccupe. Nous ferions mieux de nous dépêcher de rendre ce canon opérationnel.

Leeven, agité, consultait les écrans, réglait des détails et faisait les cent pas en nettoyant ses lunettes. L'état du générateur d'énergie l'angoissait. Apparemment, les Tharisiens avaient longtemps laissé la centrale tourner à faible régime puisque, de toute façon, il était inutile de maintenir le canon en état de combat. Il redoutait de ne pas pouvoir faire grimper le niveau d'énergie de la centrale avant que nos ennemis ne viennent pilonner notre position.

Kodos et Iberius réapparurent dans la salle de commandement, annonçant avoir terminé de positionner leurs hommes dans les accès de la base afin de repousser une quelconque contre-attaque tharisienne.

— De plus, avec le réseau de caméras qui quadrille le périmètre, ils ne peuvent nous approcher sans qu'on ne les remarque, déclara Kodos.

Je me tournai vers lui.

– Ah bon ? Tout comme les Tharisiens ont pu nous empêcher d'envahir ce lieu…

Kodos s'appuya sur une console grise et ouvrit la bouche pour répondre, mais Laïka fit plutôt sursauter tout le monde en s'égosillant.

– Ah le salaud ! Comment ose-t-il parler comme ça !

* * *

– ...et nous avons encore une fois eu la preuve de la barbarie de ce peuple chaotique et imprévisible. Cette race indocile et ingrate s'est encore laissée emporter dans un élan capricieux de révolte injustifiée contre notre vénérable et estimée civilisation. Nous avons été suffisamment patients. Nous avons été trop généreux avec eux. Il est grand temps que nous domptions l'animal sauvage qu'est l'humanité. Nous allons leur faire ravaler leur fierté mal placée jusqu'à ce qu'ils se soumettent inconditionnellement aux véritables maîtres de leur destinée.

Le conseil de l'Alliance tharisienne a refusé de façon catégorique de nous accorder le soutien militaire. Pire, ils envoient des « observateurs » pour contrôler la situation. Et ce n'est que du bout des lèvres que les Amiraux ont consenti à nous envoyer des renforts. Mais je puis vous affirmer une chose : je n'en ai rien à faire de l'opinion publique des autres planètes de l'Alliance ! Ce ne sont pas eux qui sont forcés de cohabiter avec ces terroristes assoiffés de notre sang. Les Humains pensent qu'ils tiennent les nobles habitants du Haut-Plateau en otage, mais nous leur prouverons le contraire. Nous réduirons les rues d'Averia en cendres. Nous leur porterons un coup si dur que cent générations ne suffiront pas à rebâtir leur cité. Nous les mettrons hors d'état de nuire afin qu'une situation comme celle-ci ne se reproduise jamais et pour que les Tharisiens puissent finalement s'épanouir librement sur le sol de cette planète sans être inquiétés du comportement destructeur de cette sous-race violente.

* * *

J'étais tétanisée. Cette violence ne prendrait jamais fin. Je l'avais toujours su.

— Ce discours ne passe pas inaperçu, commenta Laïka. Même chez les Tharisiens !

Laïka nous informa que les réactions des Tharisiens étaient mitigées sur le réseau. Alors que certains applaudissaient le discours de Karanth, d'autres se demandaient s'il n'avait pas complètement perdu la carte. Apparemment, les propos du Gouverneur n'avaient fait qu'enflammer la colère des humains d'Averia.

— D'après mon contact, rajouta-t-elle, le message que tu as enregistré sert de cri de ralliement pour la population.

— Ton contact, fis-je, pensive.

Je baissai les yeux sur mes pieds. Les grosses bottes qu'on m'avait fait enfiler en prévision de l'assaut du canon étaient sales de poussières. Elles ressemblaient à celles que portait ma soeur. Soupirant intérieurement, je posai la question à Laïka, même si j'étais persuadée que ma prémonition était juste.

— Elle s'appelle Myr, n'est-ce pas ?

Laïka me fixait de ses grands yeux gris, un éclat d'incompréhension dans son regard.

— Comment le sais-tu ?

— C'est ma soeur, lâchai-je en expirant bruyamment.

La surprise sur le visage de Laïka m'amusait. Cette révélation devait sans doute lui faire comprendre bien des choses, mais comme je n'étais pas d'humeur à me payer sa tête, je la laissai là.

La remise en marche complète du générateur d'énergie prit du temps. Seuls Leeven et moi possédions une base de connaissance en science et je devais admettre que je ne déployais pas énormément d'efforts pour l'aider. Après quelques heures, Leeven réussit tout de même à relancer la centrale à sa pleine capacité.

— Il ne reste plus qu'à attendre que les renforts commandés par Karanth arrivent, dit-il, visiblement soulagé.

Quelque chose sonna soudainement l'alerte en moi. Comme si une sirène lugubre, qui me vrillait le crâne, annonçait un danger à la périphérie de mes sens.

— Attendez. Que se passera-t-il une fois que les vaisseaux tharisiens seront en orbite ?

— Ne sois pas idiote, me répondit Kodos. Nous ouvrirons le feu sur eux.

— Et ensuite ?

Le soleil se couchait au loin et plongeait ses rayons mourants à travers la baie vitrée de la salle de commandement du canon orbital, découpant les silhouettes grises de Kodos, d'Iberius et de Leeven.

— Et quoi ensuite ? fit Kodos. C'est la révolution, Seki. Nous travaillons à renverser le régime tharisien sur Averia.

— Que s'était-il passé il y a vingt ans déjà ? Les Tharisiens ont débarqué ailleurs et ont assiégé la cité !

Leeven jetait de longs regards à Iberius, mais personne n'intervenait. Kodos et moi continuions de nous affronter.

— Oui, mais cette fois nous remporterons la victoire ! Personne ne viendra nous trahir et livrer le canon orbital aux ennemis.

Mes cheveux se dressèrent sur ma nuque.

— Mais ! Et Averia ? m'insurgeai-je. À l'époque, elle était protégée par un réseau de défense. Aujourd'hui, les Tharisiens n'en feront qu'une bouchée ! Des innocents vont mourir.

— Les citoyens sont déterminés, Seki. Nous les avons armés. Ils se battront jusqu'au bout pour recouvrer leur liberté. Ils ont fait leur choix.

— Ils ont été manipulés, tu veux dire ! Votre plan nous mène tout droit vers une impasse. Vous avez vu comment Karanth a réagi. Il ne s'arrêtera pas tant qu'Averia ne sera pas rasée.

Kodos désigna la salle de commandement qui nous entourait d'un large geste du bras.

— Nous disposons d'un levier efficace pour le forcer à changer d'avis, Seki. Nous avons pris possession de l'arme la plus puissante de la planète.

— Ça n'empêchera pas Averia de se faire massacrer. Le canon est impuissant face aux fantassins tharisiens. Toute la cité est vulnérable. Tout ce que vous souhaitez, hurlai-je à l'intention de Leeven et d'Iberius, c'est rééditer votre exploit d'il y a vingt ans. Vous allez sacrifier Averia au grand complet uniquement pour raviver votre gloire passée.

Leeven se décida à intervenir. Il parlait sur le ton de la confidence.

— À vrai dire, Seki, nous comptons sur deux possibilités pour mettre fin au conflit. Tu as dû remarquer que ce que nous percevons comme l'empire Tharisien ne forme pas tout à fait un bloc monolithique. Les autres membres de l'Alliance semblent désapprouver les mesures prises par Karanth pour régler la crise. L'opinion publique tharisienne verra d'un mauvais œil la mort de ses soldats dans un conflit pour préserver la domination d'une colonie humaine éloignée. Nous espérons que Karanth perde rapidement les appuis qu'il a obtenus et qu'on lui enlève les ressources dont il a besoin pour nous tenir tête.

— Si je comprends bien, vous aller massacrer le plus de soldats possible et laisser mourir les gens d'Averia jusqu'à ce que la population tharisienne soit ennuyée de cette guerre ?

— Il y a autre chose, reprit-il. Notre petite révolution ne passe pas inaperçue, que ce soit du côté Tharisien ou du côté des Humains…

Je le dévisageai.

— Où voulez-vous en venir ?

En anticipant la réponse de Leeven, un désagréable frisson me parcourut le dos.

— En ce moment même, nos frères humains rassemblent des flottes de combat. Le gouvernement de la Terre exerce en ce moment des pressions sur nos amis tharisiens pour qu'on nous rende notre liberté. Notre insurrection fait peser la menace d'une reprise de la guerre. Karanth et ceux qui partagent son avis qu'il faut mater la rébellion dans le sang sont isolés. Le Conseil tharisien craint que sa brutalité ne déclenche un conflit avec les Humains. Tu vois, Seki ? Dans tous les cas, nous sommes gagnants. Qu'il y ait une guerre ou non, Averia sera libre.

— Qu'il y ait une guerre ou non, répétai-je, incrédule. Vous voulez dire que nos actions peuvent déclencher une deuxième guerre galactique ?

— C'est un risque que nous sommes prêts à prendre, avoua Leeven. C'est, à vrai dire, l'issue sur laquelle nous comptons.

Je raidis les bras le long de mon corps, hurlant presque sur Leeven, le cou étiré vers lui.

— Vous ne vous souvenez donc pas des tragédies qu'a entraînées cette guerre ? Des horreurs qu'elle a engendrées ? Il faut empêcher à tout prix qu'il y en ait une nouvelle !

Iberius se leva et fit quelques pas vers moi, contournant la console sur laquelle se penchait Kodos.

— Nous attendons depuis trop longtemps le moment de prendre notre revanche. Les circonstances sont parfaites. Nous avons enfin une occasion de faire payer aux Tharisiens le prix de ce que nous subissons depuis vingt ans. Tu ne viendras pas tout gâcher.

Je le défiai du menton.

— Oh ! Iberius. Allez-vous encore tenter de me briser un bras ?

— Seki, s'interposa Leeven, tu dois comprendre : tout est déjà enclenché. Nous ne pouvons pas rebrousser chemin.

— Rappelez-moi, fis-je, tout à coup acide. Est-ce le bien-être d'Averia que vous recherchez ou s'agit-il de votre vengeance personnelle ?

J'étais seule pour affronter le triumvirat des leaders révolutionnaires. Laïka et Lanz se taisaient.

— Tu ne peux rien faire pour nous arrêter, Seki, continua Kodos. Il y a vingt ans, le plan a échoué parce que des traîtres à la cause humaine grouillaient parmi les soldats. Aujourd'hui, nous ne commettrons pas la même erreur.

— Est-ce une menace ? Vous vous êtes servis de moi pour rallier la population à votre insurrection. Si vous me faites du mal, vous perdrez leur soutien.

Iberius eut un sourire mauvais.

— La nouvelle pourrait circuler sur le réseau que la jeune chef de la rébellion est tombée au combat, mortellement touchée par l'ennemi alors qu'elle défendait la révolution d'Averia de tout son cœur. Je crois même que tu nous serais davantage utile morte que vivante.

D'un mouvement vif, il se saisit de mes poignets et me rapprocha de son nez.

— Alors Seki, qu'en dis-tu ? Serait-ce une bonne idée de se servir de ton cadavre encore chaud comme porte-étendard de la révolution ? Averia enflammée par le désir de venger la jeunesse volée de sa population ?

Après un court moment de réflexion, je lui crachai au visage. Il me repoussa avec vigueur et je tombai au sol. Laïka, surprise, laissa échapper un petit cri étouffé. Alors que je me relevais, Lanz passa en trombe à mes côtés et se lança sur Iberius. Celui-ci, surpris, chancela sous l'impact. En chutant, il envoya un poing au menton de Lanz.

Le sang se mit à battre dans mes tempes. Réagissant à la poussée d'adrénaline, mes jambes se déplièrent et je bondis vers Iberius. Mais une main m'agrippa par les cheveux et freina douloureusement ma course.

— Aie !

Kodos me tira en arrière et tenta de m'immobiliser en me prenant à la gorge. Les mouvements d'autodéfense que j'avais mis tant d'effort à assimiler depuis des années refirent surface spontanément. Je lui assénai un coup de coude rapide dans les côtes, ce qui lui fit perdre l'équilibre. M'emparant de son auriculaire, je le pliai sans ménagement avant de finalement basculer mon assaillant par-dessus moi. Complétant instinctivement la séquence, une fois

Kodos au sol, je lui tordis le bras de manière à le clouer sur place.

Derrière moi, Iberius lâcha un petit rire moqueur. Il pointait avec nonchalance un désintégrateur sur Lanz.

– Ainsi, nous avions deux vipères dans le sous-sol, dit le Général. C'est parfait, nous allons pouvoir purger nos troupes de ses éléments indésirables.

– Laissez Lanz en dehors de ça ! Il est avec vous. Il appuie votre cause. N'était-il pas un trafiquant d'armes avant d'être emprisonné ?

Kodos se débattait faiblement sur le sol. Chacun de ses mouvements ranimait la douleur dans son bras que je tenais fermement dans un angle désagréable.

– Si le pauvre Lanz préfère voler au secours de la jeune demoiselle en détresse plutôt que de voir clairement où résident ses intérêts, tant pis pour lui. Qu'en penses-tu, Lanz ?

– Laissez-nous partir, articula-t-il.

– Tu te souviens, Lanz, de ce que nous avions fait aux types qui nous avaient trahis, à l'époque ? Je te l'ai raconté, j'en suis sûr. Tu souhaites quand même te porter à la défense de cette gamine ? Vraiment, c'est une décision peu rationnelle.

Toujours en m'appuyant sur Kodos, je m'adressai à Leeven, les dents si serrées que ma mâchoire en devenait douloureuse.

– Vous allez laisser faire ça ?

– C'est qu'Iberius n'a pas tout à fait tort, Seki…

– Ah bon ! Alors, vous croyez vous aussi que vous feriez mieux de m'éliminer et d'exhiber mon cadavre pour attiser la colère d'Averia ?

– Non, mais je juge que nous vivons en ce moment des circonstances exceptionnelles. Nous avons la chance de nous libérer de l'emprise des Tharisiens. Nous devons profiter de cette occasion en or.

Iberius secouait la tête.

– Il faut l'éliminer, Martin. C'est la seule façon de l'empêcher de tout faire foirer.

– Je ne peux m'y résoudre, Tomas. Il ne s'agit pas d'un soldat qui manigance une mutinerie, Seki n'est qu'une étudiante qui a été entraînée dans cette histoire contre sa volonté.

– Ça ne change rien au résultat final. On a tiré d'elle tout ce dont nous avions besoin. Maintenant, si on la laisse faire, elle risque de réduire à néant tous nos efforts des vingt dernières années.

Leeven semblait encore plongé dans une intense réflexion. L'odeur rance de la transpiration de Kodos me montait au nez pendant que j'attendais, immobile et raidie. Iberius s'impatientait.

– Tu sais que des tas d'idiotes comme elle vont mourir dans la révolution. Quelle différence ça fera ? Des innocents mourront pour la libération, nous nous débarrassons de celle-là pour protéger notre plan. Ça ne fait aucune différence.

Au moment où Leeven allait répondre, une alarme stridente résonna dans la pièce. Des voyants s'allumèrent sur les écrans de contrôle et les consoles s'animèrent, affichant une série de représentations graphiques de l'espace aérien d'Averia. Laïka annonça en criant que des vaisseaux tharisiens venaient d'arriver en orbite. Leeven se désintéressa instantanément de nous pour se diriger vers les postes de commande.

— Leeven ! Qu'est-ce qu'on fait d'eux ? demanda Iberius.

— Laisse-les ! aboya Leeven. On a des choses plus importantes à faire en ce moment.

Lanz me fit un signe du menton et je relâchai ma prise sur Kodos pour m'élancer hors de la pièce. Lanz ne perdit pas de temps non plus et se lança à ma poursuite. Profitant de la confusion, nous réussîmes à nous échapper de la salle de commandement.

Nous marchions d'un pas rapide dans les corridors. Lanz jurait tout bas.

— J'ai bien cru qu'il nous abattrait sur place comme des chiens.

Je cherchais la sortie. Un panneau, sur ma gauche, raviva quelques souvenirs en moi. Nous courions dans la bonne direction.

— Lanz, pourquoi t'en être pris à Iberius comme ça ? Tu es pourtant dans leur camp, non ?

— Je n'allais pas rester là à ne rien faire pendant qu'il te brutalisait.

— Oui, mais... hésitai-je. Maintenant, tu es un traître à leurs yeux.

Lanz resta silencieux un long moment avant de répondre. Je sentais son regard sur ma nuque.

— Peut-être as-tu raison, après tout. J'ai beaucoup réfléchi au sens de nos actes ces derniers temps, Seki. Ce que tu dis est peut-être vrai : nous n'obtiendrons jamais la paix par la violence. Ça ne veut pas nécessairement dire qu'il faille accepter notre sort et baisser les bras. Mais nous ne réussirons qu'à provoquer plus de misère si nous continuons dans cette voie.

Je continuai de courir.

— Mais...

— Et toi ? me coupa-t-il. Pourquoi as-tu accepté de lancer l'appel à la population ?

Parce que... Parce que j'en avais marre de toute cette pression, eus-je envie de me plaindre. Marre qu'on me dise tout le temps quoi faire et quoi penser. Marre qu'on me secoue toujours dans une direction puis dans une autre. Marre de décevoir tous ceux qui m'entourent. Marre de n'être rien aux yeux de ma sœur, de la perdre un peu plus chaque jour.

— Parce que je suis une idiote, soufflai-je.

Nous arrivâmes devant des gardes qu'Iberius et Kodos avaient postés à l'une des entrées. Ceux-ci, vraisemblablement surpris de nous voir, nous laissèrent passer sans trop savoir comment réagir.

L'humidité nous accueillit. Le soleil se couchait derrière nous et le canon projetait une gigantesque ombre menaçante sur le relief rocailleux. En me retournant, j'aperçus de vives lueurs parcourir le sommet du canon orbital.

— Viens, me dit Lanz. Mieux vaut ne pas traîner dans les parages.

Comme nous nous éloignions de la structure, j'entendis les gardes se précipiter à notre suite. D'instinct, je me jetai par terre et me mis à rouler. La poussière du sol s'infiltra aussitôt dans mon nez et le goût du sable envahit ma bouche. Des tirs passèrent au-dessus de nos têtes. L'un des soldats avait sans doute demandé des instructions à Leeven et Iberius et ceux-ci leur avaient ordonné de nous éliminer.

Avec Lanz sur les talons, je courus me mettre à l'abri. En me retournant, je vis qu'on nous poursuivait encore. Ni Lanz ni moi n'étions armés. Il fallait donc les semer. À toute allure, nous courions dans le petit ravin que nous avions utilisé pour nous approcher en douce du canon orbital. Lorsque, les poumons en feu, je m'autorisai finalement à prendre une pause, j'écoutai avec attention les bruits environnants.

— Nous ne sommes plus poursuivis, annonçai-je.

Lanz peinait à reprendre son souffle. Plié en deux devant moi, il avalait l'air avec impatience. Derrière lui, le spectacle le plus terrifiant de ma courte existence se dessinait contre l'horizon violet. Se découpant contre le ciel foncé du soir, le canon orbital pointait vers les étoiles naissantes. Ce qui ressemblait à une immense bulle d'énergie bleutée se concentrait en un faisceau aveuglant entre les miroirs du canon avant de jaillir vers l'espace dans un bruit de désintégration insoutenable. La lueur se réfléchissait sur mon visage et j'eus l'impression que l'air autour de moi avait subitement été vidé de son oxygène.

Le tir emplit l'atmosphère et s'abîma dans les profondeurs du ciel étoilé. Puis un autre alla le rejoindre dans l'infini de la voûte céleste. Et un autre encore. J'étais debout, les bras ballants, subjuguée par la puissance qui se déchaînait par vagues successives.

* * *

Sur le flux d'images projeté par le réseau de satellites…

Une myriade de vaisseaux apparut dans l'orbite d'une immense planète aux reflets bleus. Les navires spatiaux, diversifiés en dimensions et en apparence, glissaient sans effort vers la planète. La symétrie parfaite de leur formation et la fluidité avec laquelle ils se dirigeaient vers leur objectif donnaient l'impression d'un défilé militaire cosmique.

Soudainement, la beauté et l'équilibre de cet agencement se brisèrent. Les embarcations s'écartèrent de leur trajectoire et se dispersèrent avec urgence. Dans un ballet chaotique, les silhouettes affinées des vaisseaux tharisiens semblèrent vouloir fuir un danger mortel.

Surgissant de la planète en dessous d'eux, une série de flashs lumineux percuta les navires spatiaux, déchirant les structures ouvragées des vaisseaux qui approchaient. Après que les dernières explosions eurent fini de mettre en pièces les bâtiments pris dans le faisceau des tirs du canon orbital, le silence du vide absolu vint engloutir les épaves des renforts tharisiens.

Les vaisseaux survivants s'écartant à toute vitesse de l'orbite d'Averia, le calme revint dans l'espace, une délicate pluie d'étoiles filantes s'abattant dans l'atmosphère de la planète.

* * *

Mon estimée collègue Jorulia Vassal, qui a eu la chance de quitter la planète depuis le dernier vol vers Tharisia avant que les rebelles ne s'emparent du canon orbital, bloquant ainsi tout transit civil avec le reste de la galaxie, m'a informé ce matin d'un événement qui pourrait avoir des répercussions majeures sur Averia et sur le reste de l'Alliance.

Le Conseil, réuni à huis clos depuis les ruptures diplomatiques avec les Humains, n'a toujours pas commenté l'événement. L'Amirauté, en revanche, s'est dite prête à réagir à toute action hostile et a déjà, sans l'accord des Conseillers, mobilisé l'Armada en préparation d'éventuels combats.

Est-ce à dire qu'une guerre est imminente ?

Sur Averia, la question ne se pose pas. La cité et ses banlieues sont déjà transformées en champs de bataille. Les vaisseaux de combats envoyés en renfort, tenus en respect par le canon orbital dont les insurgés se sont emparés, ne peuvent bombarder la Colonie. Toutefois, une armée de soldats a été déployée à la périphérie d'Averia et s'efforce de prendre possession des points névralgiques de la cité.

Il nous est impossible d'estimer les pertes, autant chez les Tharisiens que chez les rebelles humains, mais il va sans dire que les affrontements sont meurtriers. La quantité d'armes dont disposent les insurgés est stupéfiante. Les forces tharisiennes ne s'attendaient vraisemblablement pas à devoir combattre un ennemi si organisé.

Le Gouverneur Karanth, injoignable depuis quelques jours, continue d'ordonner des attaques massives sur la cité. Les habitants du Haut-Plateau, isolés des forces tharisiennes ayant dû atterrir à l'extérieur du rayon d'action du canon orbital, ne peuvent compter que sur de maigres effectifs de maintien de la paix pour assurer leur défense.

Ici, la situation est de plus en plus inquiétante. Avec les récentes détériorations des relations diplomatiques avec les humains, l'espoir de voir la crise d'Averia se résorber pacifiquement s'amincit d'heure en heure. Le feu de la révolution pourrait bientôt enflammer la galaxie tout entière.

Les tristes événements que nous vivons présentement donneront-ils raison à l'Exécuteur Harrissal Milidrion, ancien ministre sous le règne des Assalia ? Rappelons-nous qu'il avait prophétisé, au lendemain de la signature du traité de Pax Proxima, que le document qui venait de mettre fin à la guerre ne constituait pas un traité de paix, mais bien un armistice de vingt ans…

C'était Charal Assaldion, en direct d'Averia.

* * *

Quelques jours s'étaient écoulés depuis notre évasion du canon orbital. Jusqu'à maintenant, le plan d'Iberius et de Leeven fonctionnait à merveille. Par la fenêtre de l'appartement délabré dans lequel Lanz et moi nous étions réfugiés, j'observais Averia qui s'enflammait, de plus en plus ravagée par l'insurrection. Des patrouilles tharisiennes lourdement armées lançaient des raids dans la cité et des milices populaires improvisées s'organisaient pour les repousser. Iberius et Leeven avaient fait du bon travail pour armer la population. Les caches d'équipements avaient été révélées et leur contenu, distribué aux habitants d'Averia. Surfant sur la vague de mon message lancé presque une semaine plus tôt, les rangs des insurgés ne cessaient de grossir.

Néanmoins, les renforts qui ne furent pas détruits par le canon orbital lors de leur approche avaient réussi à se poser et leurs incursions laissaient de plus en plus de cicatrices sur la cité. Elle ressemblait maintenant à l'image que je m'étais faite d'Averia au temps de la guerre. En observant les débris d'un bâtiment qui, quelques heures plus tôt, avait été le théâtre d'un affrontement entre une patrouille tharisienne et des rebelles, j'étais fascinée de voir comment il avait été facile d'entraîner les citoyens d'Averia dans cette guerre.

Il avait suffi qu'on fasse mon éloge sur le réseau pour attiser la fibre patriotique de la population. Myr, apparemment, avait beaucoup contribué à faire circuler ces histoires. Ensuite, on a choqué les gens avec ma condamnation à mort. Leeven et Iberius ont manipulé les émotions des humains d'Averia pour les dresser contre Karanth et les méchants tharisiens. Pour finir, il avait seulement fallu qu'on retransmette mon minois sur le réseau pour déclencher une révolte armée.

A-t-on la mémoire si courte ? A-t-on si facilement oublié le désastre, la misère et les morts de la dernière guerre ? Ou alors cette manipulation n'a-t-elle servi qu'à révéler la colère enfouie d'un peuple à la liberté bafouée ?

J'avais pris les quelques jours suivant notre fuite pour réfléchir à ce que je devais faire maintenant. Lanz essayait de me convaincre que le meilleur plan d'action était de se procurer des armes, puis de se cacher pour survivre à la violence qui ne manquerait pas de venir engloutir Averia. Pendant que je restais immobile et pensive, Lanz s'occupait de notre sécurité et veillait à combler nos besoins en nourriture. De toute façon, il était dangereux pour moi de me promener à visage découvert dans les rues de la cité. Ma présence pouvait déclencher une émeute ou attirer une attention inutile sur moi. De plus, étant vraisemblablement identifiée comme une des leaders de la révolution, on risquait fort de m'exécuter sur place si je tombais sur des soldats tharisiens.

Ainsi, lorsque Lanz, un sac de provision entre les mains, revint de sa ronde dans le quartier pour tâter le pouls de l'insurrection, j'avais eu le temps d'imaginer une stratégie. Je ne l'avais jamais désiré, mais j'avais tout de même été enchaînée à toute cette histoire. J'avais fini par craquer en raison de la pression de mon entourage et j'avais lancé ce message de ralliement. Mais maintenant la spirale s'accélérait : les manifestants donnaient libre cours à leur violence, violence aussitôt réprimée avec brutalité par les Tharisiens. Karanth semblait déterminé à nous renvoyer à l'âge de pierre. Iberius, Kodos et Leeven venaient de massacrer les renforts envoyés par les Amiraux... Et de mon côté, j'avais compris que je n'avais fait que me plaindre et m'apitoyer sur mon sort. Oui, j'étais encore très en colère contre les circonstances qui m'avaient entraînée jusque-là, mais j'avais suffisamment perdu mon temps. Le destin m'avait propulsé au premier plan de cette révolution instable, je devais en assumer les conséquences.

– C'est du suicide, Seki.

Lanz me tenait par les épaules, mais moi j'observais l'agitation de la rue par la fenêtre. À travers les carreaux tachés, j'y voyais une dame qui tentait de guider son petit garçon parmi les décombres.

– Est-ce que tu m'écoutes au moins ?

– Oui, Lanz...

– Je te répète que je connais bien Iberius. Il n'hésitera pas une seconde à te réduire en cendres.

Dehors, une patrouille tharisienne tourna le coin d'une rue. La femme et le petit garçon ne les avaient pas encore aperçus.

– Et on n'a aucune idée de la réaction que les Tharisiens auront ! Si tu te retrouves de nouveau en prison, je peux te garantir qu'aucune mission de sauvetage ne viendra te délivrer de leurs griffes. Cette fois, ils t'exécuteront pour de bon.

– C'est une possibilité, dis-je, plus absorbée par ce qui menaçait de se dérouler sous mes yeux.

– Une possibilité ? Une certitude, si tu veux mon avis. Quelle conséquence ça aura, selon toi, sur la rébellion que tu tentes de stopper ? Que se passera-t-il lorsque les Tharisiens agiteront ton cadavre sous le nez des insurgés ?

Les Tharisiens s'étaient approchés et avaient interpellé la dame et son fils. Leurs armes, bien en évidence, pointaient dans leur direction, les immobilisant au milieu des gravats. Je distinguais nettement la terreur sur le visage de la femme, comme si je me tenais juste à ses côtés. Je pouvais la ressentir. Elle me vrillait le cœur.

Allez, me dis-je, donnez-moi une bonne raison de ne pas risquer ma vie pour stopper ce stupide bain de sang… Montrez-moi que Myr emprunte le bon chemin.

— Tu es complètement fêlée si tu crois que je vais te laisser tenter ce plan, continuait Lanz.

Le petit garçon se mit à mimer un fusil avec ses mains et fit semblant de tirer sur les Tharisiens qui les entouraient. *Pow ! Pow ! Pow !* Sa mère, livide, n'osait pas bouger. Je serrai la mâchoire.

— Seki, je suis sérieux. On ne peut plus rien faire pour arrêter le massacre. La tempête se dirige tout droit sur nous. Ce sera la guerre à nouveau. La seule solution sensée est de trouver un lieu sûr.

Une déflagration vint faire exploser un mur de pierre aux côtés des Tharisiens. La poussière et les éclats envahirent la ruelle. Je vis la mère, le visage éraflé et son garçon sous le bras, courir désespérément pour se mettre à l'abri. L'échange de coups de feu commença. Des rebelles dissimulés dans un édifice surplombant la rue arrosaient la patrouille tharisienne. Ceux-ci tentèrent d'utiliser le mur nouvellement écroulé comme couverture. Comme je fermais les yeux, éblouie par les éclairs qui zébraient la rue, Lanz me poussa brusquement pour m'éloigner de la fenêtre, me ramenant à la réalité de l'appartement déserté où nous nous cachions. L'odeur du pain chaud et du café que Lanz avait dénichés je ne sais trop où se mélangeait, combattait l'effluve renfermé et moisi qui régnait sur les lieux.

— Je peux essayer d'empêcher *ça*, Lanz, fis-je en pointant dehors. Myr et les autres m'ont transformée en symbole. Je peux utiliser ça pour mettre fin à cette foutue spirale qui n'en finit plus d'accélérer. Tu comprends ?

Lanz jeta un coup d'œil prudent par la fenêtre.

— Ils appellent des renforts, dit-il en m'ignorant. Dans vingt minutes, ce quartier sera transformé en champ de bataille. Il faut nous en aller.

Je l'agrippai par la manche de sa chemise et le forçai à me regarder dans les yeux.

— Lanz ! Je n'ai pas choisi d'être mêlée à tout ça. Mais je peux choisir d'y mettre fin. J'en ai le pouvoir.

Lanz affronta mon regard sans sourciller.

— Non, Seki. On ne contrôle plus rien ici. Tu n'as plus de prise sur ce qui se passe.

Je poussai Lanz vers la fenêtre et le forçai à observer la scène. On pouvait encore apercevoir la femme terrorisée et son enfant fuir l'affrontement.

— Si je peux faire quoi que ce soit pour prévenir ce genre de choses, je dois le faire. Si je peux empêcher qu'une autre génération soit détruite par la guerre, si je peux faire en sorte que ce gamin ne soit pas consumé par sa haine comme Myr l'a été, je dois tenter ma chance.

Quelques tirs atteignirent notre bâtiment et Lanz m'attira encore une fois à l'écart, me plaquant contre un mur au plâtre effrité.

— Ce que tu proposes de faire est désespéré, Seki.

Je croisai les bras.

– Et lorsque tu te baladais avec toute une cargaison d'armes illégales au-dessus de l'atmosphère, ce n'était pas désespéré ça ? Envoyer quelques désintégrateurs à d'anciens militaires et croire que ça suffirait à libérer Averia, n'était-ce pas sans espoir ? N'as-tu pas risqué ta vie pour cette cause perdue d'avance ?

Lanz ne dit rien. J'en profitai pour m'enfoncer davantage dans la brèche que je perçais dans ses défenses.

– Personne ne m'a offert de choix, ces derniers temps, Lanz. Ça peut paraître prétentieux, mais les circonstances ont fait de moi une cause directe de la révolution que nous connaissons aujourd'hui. Le Front de Libération, l'attentat, les rumeurs sur le réseau, le message pour rallier la population… Mais aujourd'hui, je fais un choix. Le premier vrai choix que je fais depuis une éternité.

Lanz restait encore silencieux.

– Personne n'a essayé de te dissuader de faire de la contrebande pour aider les résistants d'Averia, non ?

Un voile passa devant ses yeux, obscurcissant ses traits autrefois rieurs. Je pris soudainement conscience que j'en savais bien peu sur mon camarade d'infortune.

– Oui, on a essayé de m'en dissuader, Seki.

Je ne sus pas quoi répondre. Gênée, j'évitai son regard, même si Lanz ne semblait plus réellement me voir.

– Quelqu'un qui tenait énormément à moi a tenté de me faire changer d'avis.

Je devinais la douleur sous son regard énigmatique. Quelle idiote je faisais…

— Mais j'ai appris à vivre avec les conséquences de ma décision, continua-t-il. Es-tu seulement consciente du risque insensé que tu prends, Seki ?

— Oui, Lanz. C'est ma décision.

Il poussa un long soupir et ses épaules s'affaissèrent.

— Dans ce cas, je vais faire ce que je peux pour t'aider…

* * *

Je me tenais sur l'herbe, devant la maison. Aucun nuage à l'horizon. Ni vent, ni nuage. Rien qu'un ciel bleu que venait lécher la fumée des nombreux incendies qui se déchaînaient dans la cité. Au loin me parvenait le bruit des affrontements que se livraient les Tharisiens et les milices populaires armées par le Front de Libération d'Averia. Comme j'aurais aimé me joindre à eux. Les combats n'avaient toujours pas gagné notre quartier, mais ça ne saurait tarder.

Derrière moi, mon père frappa une autre série de coups de marteau avant de redescendre de l'échelle sur laquelle il était juché pour saisir une autre planche. Je me retournai. Il avait pratiquement terminé de barricader l'immense vitrine du salon.

— Myr ? appela-t-il. Tu peux m'aider ?

Je me traînai les pieds jusque sous la fenêtre et je tins un bout de la planche pendant que mon père en clouait l'autre extrémité.

Pfff, pensai-je. C'était d'un ridicule. S'emmurer dans la maison. Se terrer alors que le grandiose combat qui allait nous libérer de l'oppression tharisienne battait son plein, juste sous nos yeux.

Un autre clou, d'autres vibrations dans mes bras.

— C'est bon, merci.

Mon père traîna l'échelle à l'autre bout de la fenêtre et prit une pause pour observer son travail. J'allai me repositionner plus loin devant la maison, tentant de capter quelque chose des escarmouches qui enflammaient la cité un peu partout.

Je jetai un oeil au réseau, mais il ne s'y déroulait rien de neuf. Charal Assaldion, le seul journaliste suffisamment courageux pour couvrir les affrontements, n'était pas en ondes. C'était contrariant. J'avais beau le détester, lui et l'autre idiote, Jorulia Vassal, il restait tout de même ma meilleure source d'information.

Je passai une main sur mon front mouillé de sueur et promenai le regard sur le quartier. Un tas de maisons tranquilles. Un petit coin tout propre, barricadé et sécuritaire. Alors qu'en ce moment même, des héros comme Kodos se battaient corps et âme, luttant de tranchée en tranchée, d'immeubles démolis en ruines fumantes pour rendre la liberté au peuple enchaîné.

Une idée se glissa dans mon cerveau, se faufila dans mon corps et se logea dans mon estomac, mordant mes entrailles.

Et si j'allais les rejoindre…

Je m'imaginais, le visage couvert de suie, être accueillie par les combattants révolutionnaires. Kodos qui passe une main sur ma joue et m'offre un désintégrateur de l'autre. Laïka qui me félicite, qui me prend dans ses bras. Et Seki qui… qui…

Une détonation secoua l'air au-dessus de nos têtes. Je fis volte-face. Ça m'avait semblé si proche.

— Myr ! appela mon père, visiblement paniqué.

Je tentai de discerner d'où provenait l'explosion. Plus loin, un nuage de poussière brune s'élevait tranquillement. C'était à trois ou quatre pâtés de maisons seulement.

La main de mon père se posa sur mon épaule.

— Rentre, Myr. C'est dangereux.

Toujours en lui tournant le dos, je sentis mon visage se friper malgré moi. Qu'est-ce que ça change pour toi ? pensai-je. Quelle différence ça fait s'il devait m'arriver quelque chose ?

— Je m'en fiche, murmurai-je.

J'avais dû chuchoter plus fort que je ne l'imaginais, car mon père posa son autre main sur moi et me fit pivoter. Il chercha mon regard, mais, gênée et les yeux rougis, je tentai de me détourner de lui.

Ses deux mains pesantes et chaudes me maintenaient fermement en place. Je me sentais lourde et nauséeuse. À fleur de peau. Je souhaitais me dérober à son regard. Disparaître. Ne plus être ni souffrance ni embarras pour qui que ce soit.

— Myr... entama-t-il. Ce n'est peut-être pas le bon moment, mais je crois qu'il est grand temps que nous ayons une bonne discussion tous les deux...

Le venin s'écoulait dans mes veines. Il crépitait sous la surface, prêt à rompre mon épiderme et à se répandre sur mes blessures. Alors? C'était l'occasion? Je lui déballe mon sac maintenant. Je me déchire devant ses yeux, je lui montre les plaies vives avec lesquelles je vis depuis l'enfance?

Je hurle, je crie, je pleure. Pour ensuite courir jusqu'à l'évanouissement. Me réfugier auprès des insurgés. Plaider ma place auprès de Kodos et finalement m'arracher à cette famille, les délivrer de ma présence.

C'était maintenant?

Je levai mes yeux humides sur mon père, la gorge traversée d'une poutre. Je ne trouvais ni les mots, ni la force d'ouvrir les valves d'un grand coup. Toutes les phrases qui s'accumulaient dans ma tête sonnaient creuses, insipides et enfantines. Toutes comme une détonation, un point de non-retour que je n'étais pas sûre de vouloir franchir.

Mon père attendait une réaction. Je déglutis douloureusement à nouveau.

– Je…

Quelque chose derrière lui attira mon attention. Dans le ciel, très loin à l'horizon, un petit point lumineux s'élevait lentement dans les airs. Une longue traînée blanche et diffuse suivait. Qu'est-ce que ça pouvait bien être…

– Myr, dit mon père sans avoir remarqué ce que je fixais dans le lointain. Rentre, d'accord ? Je termine de barricader la fenêtre et ensuite…

Bip bip ! Bip bip !

Mon réseau s'anima et, alors que je plongeais machinalement la main pour le saisir, j'eus un mauvais pressentiment.

* * *

Le silence régnait sur le spatioport d'Averia. Aucun trafic aérien. La raison était évidente : tout décollage mettrait les vaisseaux directement à portée de tir du canon orbital. Je contemplais l'impressionnante structure du spatioport avec intérêt. Il avait été construit par les Tharisiens et répondait à tous leurs codes culturels d'architecture. Je regardais les tours de contrôle élancées pointer gracieusement vers le ciel et me demandais jusqu'à quel point il serait difficile de s'infiltrer à l'intérieur. Apparemment, Lanz partageait les mêmes inquiétudes.

— Cet endroit a l'air désert, vu d'ici, mais ça ne veut pas dire qu'on ne rencontrera pas de résistance. Il faudra se montrer prudent.

Bien sûr, il était hors de question d'entrer par la porte principale. En contournant largement le bâtiment, Lanz et moi finîmes par nous approcher d'un hangar qui, nous l'espérions, permettait l'accès au reste du spatioport. Nous dûmes forcer une porte, mais celle-ci ne semblait heureusement pas reliée à un système d'alarme.

Le hangar servait à entreposer des outils. Malgré la taille du bâtiment, il n'y avait aucun appareil à l'intérieur. Lanz inspecta rapidement les différentes machines et les pièces détachées qui reposaient en désordre sur les tablettes et annonça qu'il n'y avait rien ici qui pouvait nous être utile.

Alors que Lanz tâtonnait un morceau d'alliage argenté, nous entendîmes une porte coulisser devant nous. Un Tharisien entrait dans le hangar. Accrochée à sa ceinture pendait une série d'outils hétéroclites. Nous tenant au beau milieu de la pièce, nous n'avions aucune chance de bondir à l'abri de son regard sans attirer son attention. Le Tharisien, étonnamment petit pour les standards de sa race, leva lentement les yeux sur nous.

– Vous n'avez pas le droit d'être ici, s'écria-t-il, mi-surpris, mi-affolé.

Sa voix, autoritaire malgré l'étonnement de nous trouver en ce lieu, me figea sur place. Il nous dévisageait tour à tour, Lanz et moi, son visage jaune nous inspectant intensément. Le Tharisien pointa finalement un doigt vers moi.

– Tu... tu es l'Humaine qui dirige l'insurrection, non ?

– Non, répondis-je spontanément.

C'était la meilleure idée qui m'était venue à l'esprit. Le Tharisien ne sembla pas convaincu, car il continua de me scruter.

– C'est pourtant bien ton visage que j'ai vu sur le réseau. C'est toi qui as fait exploser cette bombe chez le Gouverneur, n'est-ce pas ?

– Non, dis-je après un long silence. Moi, j'ai seulement signé le manifeste d'égalité...

Lanz intervint.

– Écoutez, nous ne vous voulons aucun mal, Tharisien. Nous ne sommes pas ici pour perpétrer un acte terroriste. Passez votre chemin et ignorez notre présence.

Il restait planté là à nous observer dans la semi-pénombre du hangar. Nous restions immobiles, figés dans l'attente. Je me concentrais, mais n'arrivais pas à percer ses pensées. Le visage du Tharisien ne livrait aucun indice sur le raisonnement qui avait lieu dans sa tête.

– Je ne comprends pas le but de votre présence ici, déclara-t-il. Le spatioport est déjà hors service. Plus rien ne décolle à cause du canon orbital. Cela ne vous sert à rien de vouloir le saboter.

— Nous ne souhaitons pas saboter le spatioport, répondit Lanz. Je vous le répète : nous ne vous voulons aucun mal.

— Dans ce cas, que faites-vous ici ? martela-t-il.

Lanz me jeta un coup d'œil. Cela ne servait à rien de cacher nos projets à ce Tharisien. Rien ne l'empêchait de fuir immédiatement et de donner l'alerte.

— Nous avons besoin d'un vaisseau spatial, annonçai-je. C'est tout.

Son regard tentait de me transpercer et de deviner mes intentions. Après un moment de réflexion, il déclara :

— Vous ne trouverez aucun vaisseau armé ici. De toute façon, si vous ouvrez le feu sur les bâtiments de l'Armada, vous serez décimés.

— Nous n'avons pas besoin d'armes.

Le Tharisien réfléchit à cette nouvelle information. Il sembla étudier une autre hypothèse.

— Si vous souhaitez détourner un vaisseau pour le faire s'écraser sur le Bureau du Gouverneur, sachez que c'est tout aussi inutile. Karanth se cache très probablement ailleurs. C'est un suicide qui ne servira strictement à rien.

— Vous n'avez aucune raison de nous faire confiance, mais je vous assure que ce ne sont pas nos intentions.

— Mais que voulez-vous faire d'un vaisseau spatial, dans ce cas ? demanda-t-il, exaspéré.

Les mains moites, je repoussai une mèche de cheveux qui me tombait sur le visage. Mon regard croisa celui de Lanz. Je pris une grande inspiration. J'espérais arriver à le convaincre. Moi-même, pensai-je, aurais bien besoin d'être convaincue.

— Je veux empêcher la guerre.

Le Tharisien ouvrit les yeux, incrédule. Il continua de me dévisager. Je ne pouvais être plus sincère avec lui. Je devais sans doute paraître ridicule à ses yeux. Pour lui, j'incarnais le dangereux leader de la révolution qu'il avait vu sur le réseau. Et voilà que j'apparaissais devant lui et, toute gamine que j'étais, prétendais stopper le conflit qui menaçait de déferler sur Averia. À sa place, j'aurais éclaté de rire.

— Aussi invraisemblable que cela puisse paraître, c'est la vérité.

Il ne cessa pas son observation, fixant intensément mon visage.

— Ma femme n'ose plus sortir de la maison, me fit-il savoir. Et mes fils ne peuvent plus aller à l'école. Tout ça à cause de votre soulèvement. J'ai bien envie de croire Karanth lorsqu'il vous décrit comme une race violente et imprévisible.

Je sentis le rouge me monter aux joues.

— Si vous étiez à notre place, conquis et oppressés, n'éprouveriez-vous pas aussi le désir de protester pour améliorer votre sort ?

— Évidemment ! Mais pas de cette façon. Pas en faisant exploser des bombes, me reprocha-t-il.

— Je suis d'accord avec vous. Mais c'est hélas le comportement que vous devrez continuer de supporter si vous ne cessez de traiter mes semblables comme des citoyens de deuxième catégorie.

Si je n'arrive pas à le convaincre lui, comment pourrai-je persuader le peuple Tharisien…

— Comprenez ma démarche. Je cherche à coincer l'engrenage de la violence que nous vivons en ce moment avant que ce conflit ne finisse par nous submerger de nouveau. Afin que nous vivions en paix.

— Et vous croyez que c'est possible ? Les Humains et les Tharisiens en paix ?

— Oui, dis-je après quelques secondes. S'il s'agit d'une paix sincère et respectueuse.

Le Tharisien prolongea encore longuement son observation. Je restai figée dans l'attente d'une réaction de sa part, mon dos se couvrait de sueur, imbibant ma chemise blanche. Lanz demeurait aussi immobile que moi. Du coin de l'œil, toutefois, je voyais ses mains se crisper, comme s'il se préparait à se jeter sur le Tharisien et à le marteler de ses poings.

Ne bouge surtout pas, lui intimai-je en pensée.

Le Tharisien prit un des outils qui pendait à sa ceinture et fit un vague geste vers une machine au fond du hangar.

— De toute façon, je suis très occupé aujourd'hui. On m'a demandé de faire une réparation importante sur ce compensateur d'aéroplane.

Lanz se tourna lentement vers moi. Nous n'étions pas sûrs de comprendre ce que sous-entendait le Tharisien. Celui-ci insista en se dirigeant nonchalamment vers le compensateur.

— J'ai bien l'impression d'avoir été si absorbé par ma tâche que je n'ai porté aucune attention particulière à ce qui m'entourait, aujourd'hui.

Le Tharisien commença à travailler sur la machine. Lanz me tira doucement le bras.

— Merci, dis-je à l'intention du mécanicien.

Il ne répondit pas et se contenta de faire plus de bruit avec ses outils. Nous sortîmes du hangar et je constatai que nous pénétrions désormais bel et bien dans l'enceinte du spatioport. Lanz embrassa le complexe du regard.

– Maintenant, il nous faut trouver un engin assez simple à piloter, qui ne soit pas verrouillé par des systèmes de sécurité trop puissants…

L'endroit semblait désert, mais nous prîmes tout de même des précautions dans nos déplacements. Autant que possible, nous évitions les zones qui étaient visiblement surveillées par caméra. Lanz s'orientait facilement dans le spatioport. Évidemment, son métier de pilote l'avait souvent amené à visiter ce lieu. Nous passâmes devant de nombreux vaisseaux et Lanz les inspectait minutieusement. Hélas, chaque fois un détail dans les caractéristiques de l'appareil nous le rendait inutilisable.

– Même avec l'assistance artificielle, il faut au moins trois membres d'équipage pour faire décoller celui-là.

Un mouvement sur ma droite me fit sursauter. Réagissant à l'adrénaline, je poussai Lanz derrière l'appareil. Deux Tharisiens traversaient la place centrale inondée de soleil. Ils ne semblaient pas nous avoir aperçus.

– Nous ne sommes pas tout à fait seuls, finalement, chuchotai-je.

Je les regardai passer avec méfiance. Je ne tenais pas à tenter de rééditer l'exploit de les convaincre que je n'étais pas une dangereuse terroriste. Pas maintenant. Quand ils furent enfin hors de ma vue, je me tournai vers Lanz et m'aperçus qu'il ne prêtait aucune attention aux deux Tharisiens qui avaient failli nous découvrir. Absorbé par un appareil au loin, plongé dans son monde d'aéronautique spatiale, il en oubliait même ma présence.

– C'est lui, Seki. C'est notre vaisseau spatial : l'*Aile de Feu*.

J'observai l'engin que me pointait Lanz. Sa silhouette élancée et raffinée révélait immédiatement qu'il s'agissait d'un modèle Tharisien. Le fuselage, peint en argent et en rouge, brillait de mille feux. Posé sur le sol, on aurait dit un élégant oiseau de proie se prélassant au soleil.

– C'est un très petit vaisseau de transport qu'utilisent généralement les nobles pour se déplacer sur de courtes distances. C'est le navire idéal pour nous, Seki.

Ainsi, ce serait dans cette embarcation que je quitterais Averia pour la première fois. C'est à bord de l'*Aile de Feu* que j'accomplirais mon plus grand exploit ou que je serais réduite en cendre. J'eus la vision fugitive de l'*Aile de Feu* descendant en vrille vers Averia, se désagrégeant en une fine pluie d'étoiles filantes dans l'atmosphère.

Lanz se faufila vers le vaisseau et passa la main sur la coque en l'admirant. Je le suivis tout en m'assurant que nous étions hors de portée des deux Tharisiens que nous venions de croiser. Pendant que Lanz s'affairait à neutraliser les systèmes de sécurité du vaisseau, je me sentais anormalement détachée. Je percevais un foyer de nervosité grandir au creux de mon ventre, comme une mare dont le niveau de l'eau augmente lentement, mais je ressentais l'inexplicable impression que ces sensations appartenaient à une étrangère. Il y avait la Seki, de plus en plus terrifiée, qui se tenait aux côtés de Lanz et il y avait moi, l'autre Seki, dans un recoin de mon esprit, qui regardait les nuages dans le lointain. La masse blanche créait une espèce de barrière à l'horizon. La muraille d'une étrange citadelle flottante qui dérivait en silence.

– Seki ? C'est bon, on peut entrer, me dit Lanz alors qu'il se tenait dans l'ouverture de l'écoutille.

La Seki qui avait la tête dans les nuages et celle qui ressentait une trouille assourdissante ne firent plus qu'une à nouveau. Je montai les marches et m'engouffrai dans les entrailles de l'*Aile de feu*. Lanz me guida jusqu'au cockpit et entreprit de m'expliquer les commandes de l'appareil. Je portais davantage attention à ses mouvements et à l'énergie qu'il dégageait qu'aux instructions qu'il me donnait. Je vis qu'il était lui aussi très nerveux. En m'attardant un peu à son visage, je notai que de sombres cernes ornaient ses yeux habituellement rieurs. Il dut remarquer mon air absent, car il suspendit son geste dans l'air.

– Seki, partons. Nous ne pouvons fuir avec aucun vaisseau spatial, car la poussée requise pour décoller nous amène directement dans le rayon d'action du canon, mais nous pouvons toujours dérober un aéroplane et fuir.

– Fuir pour aller où ? demandai-je.

– Ailleurs ! Loin d'Averia. Loin de la cité. Loin des Tharisiens et de la guerre. Cette planète est si grande. On peut s'évaporer dans la nature. Se réfugier dans le désert. Vivre loin de toute cette agitation.

Je m'imaginai un instant dans la quiétude oppressante du désert, marchant sous le soleil de feu dans une longue robe qui flotte au-dessus des dunes.

– Et ignorer le sort de tous ceux que nous laisserions derrière nous ? Ignorer que la guerre ravage la galaxie à nouveau ?

– Il me semble que c'est la chose la plus sensée à faire, commenta Lanz d'une voix proche du murmure.

— Tout ce qui se passe ici est insensé, Lanz, lui répondis-je.

Il poussa un long soupir.

— Seki... tu es la petite goutte d'eau qui croit pouvoir stopper le torrent. J'ai très peur que tu sois plutôt emportée par celui-ci. Aujourd'hui, personne ne te demande de sauver le monde. Pense un peu à toi.

À travers la vitre du cockpit de l'*Aile de Feu*, je pouvais apercevoir la lointaine citadelle nuageuse. Je me sentis à nouveau détachée de ce monde.

— Tu sais, Lanz, je crois bien que ma sœur avait raison. Pendant toutes ces années, je me suis satisfaite de mon petit confort. J'ai vécu aveugle et sourde aux souffrances des gens qui m'entouraient. Je n'ai pensé à personne d'autre que moi.

Mes pensées zigzaguaient, un peu brouillonnes. Je me sentais émotive, mais je savais qu'au-delà de ce flot de sentiments vagues, je venais de mettre le doigt sur quelque chose d'important.

— Je me suis bâti une vie, un monde où nous devions nous satisfaire de notre situation sans demander notre reste, continuai-je. Pour moi, il n'y avait pas de doute possible : Myr était dans l'erreur. Sa rage ne peut qu'entraîner plus de violence sur nous et sur les Tharisiens. Mais peut-être que j'incarne l'autre extrémité... À trop vouloir éviter le conflit, j'en suis venue à me boucher complètement les yeux et le cœur. Il doit pourtant y avoir un moyen de se retrouver quelque part au milieu de ces deux extrêmes.

Je pris une pause. Lanz n'interrompit pas le cours de mes pensées. Il me laissa aller jusqu'au bout.

— Et c'est peut-être ce que j'espère accomplir aujourd'hui. Faire la moitié du chemin. Sortir de ma bulle et tendre la main à Myr. Lui donner une chance de faire la paix avec moi. Et avec elle-même. Aller vers les Tharisiens et mettre fin à la violence. Faire un pas de côté et briser cette spirale infernale...

Un long silence s'étendit dans le vaisseau.

– J'ignore pour quelles raisons le destin m'a poussé à croiser ta trajectoire, Seki, mais je peux t'assurer qu'aujourd'hui, s'il devait t'arriver quelque chose...

Il ne termina pas sa phrase. Debout devant lui, je me permis d'être une petite fille terrifiée à nouveau. Avec beaucoup de retenue, il me prit dans ses bras. Le visage enfoui contre lui, je me laissai aller à profiter de la chaleur de cette caresse réconfortante. Après un moment, il se détacha de moi, mais me frictionna tout de même doucement les bras.

– Ne pas te supplier de renoncer à ton projet me coûte énormément d'efforts, me dit-il. Je souhaite de tout mon cœur que tu aies raison d'avoir confiance...

Il me guida à nouveau à travers les diverses commandes de l'appareil.

– J'ai programmé le pilotage automatique. Tu n'as qu'à enclencher la séquence de mise à feu, puis tu t'élèveras vers les étoiles.

Il eut un air consterné.

– Et je te rappelle que ce truc n'est pas une fusée. La poussée initiale est importante, mais le reste de l'ascension sera longue. Tu seras dans le rayon d'action du canon orbital en deux minutes, mais tu ne quitteras pas l'atmosphère d'Averia avant au moins dix autres minutes.

Lanz semblait en avoir terminé avec les détails techniques, mais il ne disait plus rien. Inconsciemment, je me mis à me tortiller les mains derrière le dos. Lanz déplaça distraitement une mèche de mes cheveux. Quand il parla finalement, ses yeux contemplaient un autre visage que le mien.

— Vytsianna me faisait toujours promettre un tas de choses avant de me laisser partir avec les cargaisons illégales pour Averia. Je lui ai promis un million de fois que ce serait ma dernière livraison d'armes. Je lui ai promis un million de fois que j'allais revenir sain et sauf.

Il haussa les épaules.

— À quoi toutes ces promesses ont-elles servi, finalement ? Souvent, en prison, je me suis demandé si Vytsianna m'en voulait de ne pas avoir tenu parole. Et je me suis mis en colère contre toutes ces promesses qu'elle m'obligeait à lui faire.

Il joua encore un peu avec mes cheveux.

— Mais j'ai un jour compris qu'elle était très probablement en paix avec moi. Car au-delà des promesses futiles, à chacun de mes départs, je prenais le temps de lui dire à quel point je l'aimais. Je crois que c'est ce qui comptait le plus. Mille fois plus que les paroles dites en l'air pour se réconforter.

Il me prit une nouvelle fois par les épaules. Il eut un demi-sourire.

— Alors avant de te laisser partir, je ne te demande pas de me promettre quoi que ce soit. Je tiens seulement à te dire que, même si je ne t'ai connue que très récemment, tu es devenue quelqu'un de très important pour moi.

Je lui souris faiblement à mon tour. Je ressentais la même chose que lui, mais étant dévorée intérieurement par la peur que m'inspirait ce que j'étais sur le point d'entreprendre, je ne trouvais pas les mots pour lui répondre. C'était étrange. Je me sentais si proche de lui, mais en même temps, je n'arrivais pas à prononcer quoi que ce soit.

Lanz prit une grande inspiration, puis me laissa seule dans le cockpit. J'entendis bientôt l'écoutille se refermer derrière lui. Je jetai mon regard vers la muraille de nuage au loin et cela m'aida à trouver le détachement nécessaire pour enclencher le protocole de mise à feu des moteurs. Décortiquant mes gestes, j'arrivai à ne pas penser au résultat de mes actions.

Une chose à la fois...

Je surveillai les écrans et les indicateurs. Le moteur se réchauffait rapidement et le décollage était imminent. Un voyant lumineux m'indiqua que je pouvais désormais déclencher la combustion. Après avoir revérifié les autres écrans, j'appuyai délicatement sur le bouton de mise à feu. Quelques secondes passèrent, puis un vrombissement terrible envahit l'appareil. Des secousses agitèrent le vaisseau tout entier. Par le hublot, je constatai que je prenais très lentement de l'altitude.

Il y eut soudainement un changement dans le son qu'émettaient les puissants moteurs de l'*Aile de Feu* et je sentis que je prenais de la vitesse. Un coup d'œil sur les écrans m'informa que j'avais raison. Je m'élevais rapidement dans les cieux. C'était la première fois de ma vie que je quittais le sol d'Averia.

Le soleil pulsait, éblouissant à travers la verrière, et je pouvais sentir mon corps vibrer au rythme des impulsions du moteur qui cherchait à libérer l'appareil de la force d'attraction de la planète. Semblant avoir trouvé une vitesse de croisière, le rugissement de l'*Aile de Feu* laissa la place à un ronronnement plus doux. J'étais néanmoins persuadée qu'à l'air libre, le son du réacteur vrombissant déchirerait le ciel.

Un clignotant lumineux s'afficha sur le tableau de bord. Je recevais le signal d'une communication. Mon cœur se serra lorsque j'appuyai sur la commande. Une voix claire et déterminée retentit dans l'habitacle.

– Ici Martin Leeven, leader de la Milice coloniale d'Averia. Votre vaisseau spatial est présentement ciblé par notre canon orbital. Veuillez vous poser immédiatement ou vous en subirez les conséquences fatales. Il n'y aura pas de deuxième avertissement…

Le bruit blanc qui suivit la menace de Leeven me fit comprendre que le canal de communication n'avait pas été coupé. M'armant de courage, je lui répondis.

– Leeven ? Ici Seki. Je suis dans le vaisseau spatial.

Je pouvais aisément deviner la confusion que je venais de causer dans le poste de commandement du canon orbital. Je percevais les bruits étouffés de leur conversation.

– Seki, appela Leeven, que fais-tu dans ce vaisseau ? Est-ce que Lanz est avec toi ?

– Non, je suis seule.

– Il n'y a pas de Tharisiens à bord ? Tu n'as pas été capturée ?

– Non, Leeven, je suis bel et bien seule. J'ai détourné ce vaisseau par mes propres moyens et je suis ici de mon plein gré.

Il y eut d'autres bruits sourds.

– Dans ce cas, que fais-tu exactement ?

Je sentis dans sa voix que la patience habituelle à mon égard était en train de s'effriter. Le masque se fissurait…

— Je vais tenter d'entrer en contact avec les Tharisiens en orbite pour négocier la fin de ce conflit.

Le timbre éraillé d'Iberius résonna dans les haut-parleurs.

— Voilà l'idée la plus ridicule que j'ai entendue de toute ma vie.

Kodos ne perdit pas de temps pour ramper dans la même direction que son maître.

— Tu es désespérée et grotesque, Seki, me fit-il savoir.

— Comment peux-tu avoir le moindre espoir de réussir ? Pourquoi t'écouteraient-ils ? demanda Iberius en cachant mal son amusement.

— Vous avez fait de moi le symbole de cette rébellion. Pour eux, je représente la voix du peuple. Ils m'écouteront, plaidai-je.

— Tu te nourris de pathétiques illusions, continua Iberius. Au mieux, ils te jetteront à nouveau dans un cachot.

Leeven essaya encore une fois de me raisonner.

— Seki, cette tentative vaine te discréditera. Pose ton vaisseau pendant qu'il est encore temps. Tu ne peux plus rien faire à présent.

— Je ne comprends pas ton action, Seki. Qu'espères-tu obtenir ainsi ? m'interrogea Kodos.

D'un ton que je voulais insouciant, alors qu'en réalité je tremblais de tous mes membres, je tentai d'expliquer ma démarche aux leaders révolutionnaires.

— Voyez-vous, j'ai beaucoup observé ce qui se passait sur le réseau ces derniers temps. Et ce que vous disiez était juste. La guerre est imminente. La crise que nous avons provoquée risque bien de faire reprendre les hostilités au niveau galactique entre les Humains et les Tharisiens.

— Évidemment que nous avions raison, me coupa Iberius. Ça fait près de vingt ans que nous planifions cette revanche.

— J'ai aussi remarqué que les Tharisiens ne veulent pas d'une nouvelle guerre. L'opinion publique est horrifiée de la perte des quelque deux cents malheureux soldats que vous avez exterminés sur l'orbite d'Averia. J'ai dans l'idée qu'ils feront n'importe quoi pour éviter un nouvel affrontement à grande échelle.

— Où veux-tu en venir ? s'inquiéta Leeven.

Je pris une profonde inspiration.

— Je crois que les Tharisiens souhaiteront très certainement gagner du temps pour apaiser les relations diplomatiques avec la Terre. Et moi, Seki Jones, jeune leader populaire de la révolution, vais leur fournir l'excuse dont ils ont besoin pour écarter le conflit. Lorsque les Terriens exigeront des explications sur la situation d'Averia, ils pourront leur dire : « Regardez, nous sommes justement en train de discuter avec la leader de la rébellion afin d'en venir à une solution pacifique dans ce conflit ».

Seul le silence grésillait de l'autre côté du canal de communication.

— Ils m'utiliseront autant qu'ils le voudront, continuai-je. Comme vous l'avez si bien fait. Mais au moins, j'éviterai la guerre. Le sang ne sera pas versé au nom d'Averia. Je suis le prétexte dont ils ont besoin pour désamorcer la crise.

J'entendis Iberius lâcher un juron étouffé derrière son micro. Leeven semblait aussi perdre son calme habituel.

— Seki, je t'interdis d'aller négocier notre reddition avec l'ennemi. Tu n'en as pas le droit.

– Je n'en ai pas le droit? répliquai-je. Aviez-vous le droit de m'utiliser comme vous l'avez fait pour rallier le support de la population? Avez-vous le droit de prendre en otage tous les habitants d'Averia pour assouvir votre soif de gloire? De toute façon, ce n'est pas une capitulation que je compte offrir aux Tharisiens, mais bien une chance de préserver la paix. Je ne trahis pas ceux qui ont placé leur confiance en moi. J'ai seulement l'intention de balancer un grand coup de pied dans votre plan dément. Je vais finalement coincer cet engrenage de violence dans lequel vous nous avez tous engagés.

Iberius se mit tranquillement à rire.

– Qu'y a-t-il? demandai-je. Pourquoi ris-tu?

– Nous te voyons sur les caméras à longue portée. Ton petit vaisseau spatial qui file vers le ciel. Le canon orbital est verrouillé sur ta chétive embarcation. Je n'ai qu'une minuscule touche sur laquelle appuyer pour que soient réduites à néant tes prétentions…

J'eus l'impression que mon cœur allait cesser de battre. Depuis le début, j'avais conscience qu'il s'agissait de la phase la plus délicate de mon plan. J'étais effectivement entièrement vulnérable et soumise à leur volonté. S'ils décidaient de faire feu sur moi, je disparaîtrais à jamais…

– Iberius a raison, Seki, commenta Leeven. Pour protéger notre plan et notre mission, nous nous verrons forcés d'ouvrir le feu sur ton vaisseau spatial.

J'avalai ma salive avec beaucoup de difficulté. Mes mains étaient moites et ma bouche, pâteuse. J'avais l'impression de revivre la terreur que j'avais éprouvée lorsqu'on avait annoncé mon exécution. Cette fois, ce pourrait bien être le cas.

— Vous n'oserez pas le faire, les défiai-je.

Iberius s'esclaffa de plus belle.

— Allons donc ! Je vais me gêner !

— Si vous me détruisez, m'empressai-je d'ajouter avant qu'ils ne déclenchent le tir, vous perdrez le soutien de la population ! Ils ne voudront pas se battre pour vous s'ils savent ce que vous m'avez réservé comme sort.

La voix de Kodos, sinistre comme jamais, vibra dans l'interphone.

— Ils ne sauront jamais, Seki... Tu mourras anonyme, dispersée par le vent dans l'atmosphère. Personne ne saura que tu es morte de nos mains.

— Désolé Seki, se moqua Iberius. C'était un bon coup de bluff, mais maintenant tu as perdu.

— Je suis désolé de devoir en arriver là, mais nous n'avons plus le choix, soupira Leeven.

Ça y est. Je vais être pulvérisée d'un instant à l'autre. J'ai échoué... Je vais mourir...

* * *

Non, c'est impossible, pensai-je. Tu ne peux pas me demander ça, Seki. Tu n'as pas le droit. Tu ne peux pas me faire ça. Pas à moi, pas maintenant, pas comme ça.

Je tenais le réseau à deux mains, tremblant de tous mes membres. Laïka me pressait. De sa voix brisée, elle me disait que c'était maintenant ou jamais, que d'une seconde à l'autre il serait trop tard. Son visage, encadré de ses cheveux blonds, fondait en larmes sur mon écran. Elle chuchotait en s'étranglant.

Comment avais-tu osé ? Pourquoi étais-tu si déterminée à me faire souffrir, Seki ? Tu ne peux pas me demander de tout abandonner, de cracher sur mes rêves et d'anéantir mes espoirs.

Tu me mets dans une situation impossible. Tu me forces à choisir entre ta vie et la révolution pour laquelle j'ai tout donné. Tu me demandes de me sacrifier pour toi !

Comme tu l'as fait pour moi lorsque tu étais en prison…

Je te déteste.

* * *

— Non ! Ils n'oseront pas le faire !

C'était la voix de Laïka.

— Seki ! L'image de ton vaisseau est retransmise en direct sur le réseau. Averia au grand complet t'écoute et te regarde à présent. Ils ne peuvent plus faire feu sur toi ! Vas-y ! Parle ! Explique-leur !

— Laïka ? dis-je, abasourdie. Comment est-ce que ?

— C'est Myr, elle a…

Elle fut brutalement interrompue. Les cris entremêlés de Laïka, de Kodos et d'Iberius percèrent l'habitacle en grésillant. Un flot soudain d'émotions m'envahit. Mon bluff allait fonctionner. Je serais saine et sauve. Et Myr était derrière ça ? Des bruits inidentifiables me parvenaient encore depuis le poste de commandement du canon orbital. Je devais sans doute faire vite avant que Kodos, Iberius et Leeven ne trouvent le moyen de couper la transmission de mon image sur le réseau.

— Peuple d'Averia, voici la vraie nature de ceux qui prétendaient vous guider vers la libération. Tout comme vous, j'ai été manipulée, trahie et corrompue par ces faux prophètes.

Les bruits de la bagarre me parvenaient toujours dans l'interphone et je n'arrivais pas à me concentrer.

— Les gens qui nous ont menés jusqu'à l'insurrection nous ont menti. Ils n'ont pas à cœur le bien-être de la population d'Averia. Isolés dans leur forteresse, ils comptent se servir de nos corps et de notre sang pour glorifier leurs actions d'il y a vingt ans. Nous sommes une barricade, un bouclier humain. Ils ne souhaitent pas tant la libération de la Colonie que de déclencher une guerre qui déchaînera à nouveau son flot de misère et de souffrance sur nous tous. Nous avons été trompés !

Le sang battait dans mes tempes. Il me semblait que de l'acide coulait dans mes veines. J'éprouvais une colère monumentale contre Iberius, Leeven et Kodos. Après tout ce qu'ils m'avaient fait subir, je n'osais imaginer ce qu'ils feraient endurer à Laïka pour les avoir ainsi trahis. J'étais si enragée que je ne savais pas quoi ajouter au message que j'envoyais en direct à la population d'Averia.

Mon regard erra par le hublot et s'accrocha à la citadelle flottante de nuages. D'ici, elle était si petite. Averia au grand complet me semblait minuscule. Je distinguais à peine la cité. Je ne voyais même pas le Haut-Plateau. Je pouvais seulement contempler les grandes étendues de verdure, les fleuves, les plaines arides, le relief. J'apercevais la mer de sable qui s'étirait au sud. En admirant le paysage, je pris conscience de la violence de mon discours.

— Mais il y a une autre voie, murmurai-je après un long silence. Nous ne sommes pas obligés de nous battre et de nous entredéchirer. Il ne faut surtout pas non plus s'agenouiller et baisser la tête. La violence n'engendrera que la violence. On nous a infligé une terrible blessure par le passé. C'est une cicatrice qui met du temps à guérir. Mais tenter de défigurer les Tharisiens, vouloir leur faire subir le même mal que nous avons subi, ne nous apportera pas la paix. On ne peut pas leur demander de nous reconnaître comme des égaux en utilisant les armes. Il faut mettre fin au cycle de la violence. Nous pouvons nous tenir debout, faire table rase du passé et exiger un traitement d'égal à égal avec les Tharisiens. La galaxie est si immense… cette planète est si grande…

Seul le ronronnement du moteur me répondait.

— Nous n'avons pas besoin de faire la guerre. Nous pouvons faire la paix. Faire la paix avec nous-mêmes et avec les Tharisiens. Nous pouvons cohabiter avec eux.

Je n'entendais plus la pagaille qui régnait dans le centre des commandes du canon orbital.

— Nous ne commettrons pas à nouveau les erreurs du passé. Nous allons plutôt faire de notre mieux pour réparer les dégâts qu'a causés cette horrible guerre.

Je me rendis compte que j'étais tout à fait calme à présent. L'acide qui me rongeait les veines tout à l'heure s'était estompé. À bord de l'*Aile de Feu*, je traversais maintenant les dernières couches de l'atmosphère d'Averia. Elles se dissipaient en minces volutes bleues. Du regard, je pouvais apprécier les contours presque violets de cette énorme sphère.

— Je m'appelle Seki Jones et, au nom de tous les humains d'Averia, je vais proposer la paix aux Tharisiens.

Devant moi s'ouvraient les profondeurs de l'espace. Les étoiles se comptaient par milliers et mes yeux s'abîmaient jusque dans l'infini. Je n'avais pas été désintégrée par le canon orbital. Myr m'avait sauvé la vie en projetant mon image sur le réseau, s'assurant qu'Iberius, Leeven et Kodos ne puissent déchaîner la fureur de leur arme toute-puissante sur ma personne.

Myr, qui portait à bout de bras le combat révolutionnaire, qui chérissait la perte des Tharisiens de tout son cœur, avait rejeté la haine qu'elle éprouvait de tout son être pour me venir en aide. Ma petite sœur m'avait finalement pardonné.

Les yeux pleins d'eau, j'aperçus les vaisseaux tharisiens qui s'approchaient pour intercepter mon appareil. Le cœur léger, j'entrevis l'avenir avec beaucoup de confiance...

* * *

— Ici Charal Assaldion, toujours en direct de la Cour Exécutrice du Conseil sur Tharisia où, il y a quelques heures, dans un retournement de situation inattendu, le Moniteur Haraldion a blanchi Seki Jones, actrice de premier plan dans la crise d'Averia, des accusations de terrorisme qui pesaient sur elle.

Le journaliste se tenait à quelques pas de moi et parlait devant un caméraman couvert de pansements. Avec un sourire, je me fis la remarque que Charal était beaucoup plus beau en personne que sur le réseau. À mes côtés, Haraldion, le bras en écharpe, révisait ses notes pour la centième fois.

— Le Conseil s'est réuni dans la Chambre de Réflexion pour analyser le document fourni par l'humaine Seki Jones. Le document a été présenté à l'Assemblée comme un manifeste proférant l'égalité des citoyens humains d'Averia avec leurs comparses tharisiens et exigeant un traitement plus juste. À ma gauche, vous pouvez apercevoir les membres de la délégation diplomatique humaine, invités expressément par le Conseil à assister à cette séance extraordinaire.

La femme qui accompagnait Assaldion interrompit le journaliste.

— Ce retournement politique du Conseil constitue une rupture bien surprenante de la part de ses membres. Ils nous avaient habitués, au cours de la dernière décennie, à métisser leurs intérêts avec ceux des Amiraux et je suis réellement étonnée de les voir entreprendre une telle initiative. Cette séance est l'expression concrète de la distance que prend le Conseil par rapport aux aspirations guerrières de l'Amirauté. Je tire peut-être une conclusion hâtive, mais un tel geste de la part du Conseil me donne espoir de voir l'Alliance se rediriger vers la bonne gouvernance...

– Et cela pourrait améliorer les relations avec les Humains.

– Ah?... Oui, peut-être. Toujours est-il qu'il aurait été inconcevable qu'une telle crise puisse prendre pareille envergure sous le gouvernement des Assalia. Il apparaît comme évident à tout observateur sérieux de la situation politique tharisienne que le règne de la dynastie royale était empreint de bon sens et de...

– Je suis désolé de vous interrompre, Jorulia, mais voilà maintenant les membres du Conseil qui reviennent de leur consultation.

Le silence se fit sur la salle et un Tharisien à la stature imposante s'adressa à l'assemblée.

– La lecture du document fourni par la demanderesse Seki Jones nous a amenés à prendre conscience d'une problématique qui sévit en ce moment sur Averia. Nous avons pris la décision de soumettre au Moniteur Haraldion le mandat de rédiger un rapport sur la situation de la coexistence des Tharisiens et des Humains sur cette colonie.

» En ce qui concerne le Gouverneur Karanth, des enquêtes seront entreprises sur ses agissements et il sera suspendu de ses fonctions jusqu'à ce que nous ayons pris connaissance du résultat de ce rapport.

» Les membres du Conseil espèrent que la délégation humaine verra d'un bon oeil les résolutions prises aujourd'hui par les participants de cette assemblée. Nous suspendons toute action militaire sur la Colonie et nous proposons au gouvernement de la Terre de former un groupe commun de résolution de crise afin de résoudre les perturbations qui troublent Averia.

Le Tharisien empoigna un sceptre, le brandit solennellement dans les airs et annonça que la séance était terminée. Aussitôt, la salle se remplit des applaudissements de la foule et, par-dessus le tumulte, je pouvais entendre une voix qui m'appelait.

— Mademoiselle Seki Jones ! Par ici ! Acceptez-vous de répondre à quelques-unes de mes questions ?

* * *

Haraldion et moi marchions sur la place d'un des nombreux monuments qui décoraient Tharisia.

– Ce que tu as fait était très dangereux, Seki.

– Je sais, Moniteur.

– Tu n'avais aucune garantie lorsque tu t'es envolée dans ce vaisseau spatial.

Je ne répondis pas. Nous nous arrêtâmes sur la balustrade du monument et nous pûmes observer l'agitation urbaine d'une planète qui m'était totalement inconnue.

– Ce qui s'est dit aujourd'hui ne signifie pas que tout va rentrer dans l'ordre sur Averia, Seki. J'espère que tu en es consciente.

– Oui…

– Les injustices peuvent continuer de sévir. Les mentalités sont difficiles à changer. Peut-être a-t-on seulement réussi à gagner un peu de temps.

– Peut-être, Moniteur.

Haraldion soupira. Je brisai le silence.

– Ma mère est morte des suites de la guerre, Moniteur. Cette perte a consumé ma soeur, presque au point de non-retour.

– Et combien d'autres encore, renchérit-il.

– Éviter la guerre était la seule option possible. J'ai espoir que les choses changeront sur Averia.

Haraldion se retourna, tournant le dos au spectacle du tumulte de la capitale tharisienne.

– Et maintenant, Seki ? Que reste-t-il à faire ?

Je savourai l'odeur de l'air qui m'était étranger, la couleur du ciel qui m'était mystérieuse et le soleil lointain qui m'était exotique. Soleil qui se réfléchissait sur les immenses tours argentées qui grimpaient, arrogantes, vers le ciel.

— Et si vous m'ameniez voir le Falandrium, demandai-je à Haraldion.

Le Moniteur sourit.

— Mais Seki, c'est un endroit qui n'existe plus. Ce n'est plus qu'une légende.

— Ça m'est égal.

— Et si nous allions plutôt visiter la Terre ?

Je réfléchis quelques instants à cette idée.

— D'accord, dis-je. Mais passons d'abord par Averia. Je suis sûre que Myr voudra venir avec nous…

* * *

J'étais étendue, immobile sur mon lit, la joue écrasée contre le matelas, mes couvertures empilées dans un coin de la chambre. Si lasse et vide.

Mon réseau clignotait sur mon bureau, mais je n'en avais rien à faire.

La porte de ma chambre s'ouvrit doucement et mon père vint s'asseoir à mes côtés sur le lit. Il me caressa distraitement le dos de ses jointures. Il ne disait rien et regardait quelque chose au loin depuis ma fenêtre. Le rideau était à moitié tiré et le soleil s'abattait sur mon visage, jetant des reflets dans ma chevelure noire et me faisant plisser les yeux.

— Et si tu me racontais ce qui te tracasse…

Vraiment ? Était-ce si dur à deviner après tout ce qui s'était passé ?

— Je sais que Seki et toi n'avez pas toujours été d'accord. Vous avez eu vos différends par le passé et…

Il s'arrêta, posa sa main à plat sur mon dos et continua de me frictionner.

— Mais il n'y a pas que ça, n'est-ce pas ?…

Sa voix était un soupir. Je m'assis lentement et m'appuyai contre le mur, les genoux pressés contre ma poitrine, une lourdeur entre les yeux.

— Je ne vois pas où tu veux en venir, murmurai-je.

Ce que Seki et moi venions de subir était suffisant pour justifier mon état, non ? Contente-toi de ça, pensai-je. Ne cherche pas plus loin. Ne m'extirpe pas ce que je cache de plus hideux encore.

— Ça va passer, fis-je avec une grimace que j'essayai de maquiller en sourire. Je suis certaine que Seki et moi allons nous réconcilier.

Mon père ancrait ses yeux dans les miens. Des yeux tout aussi rougis que les miens. Des yeux fatigués, cernés, épuisés.

— Il n'y a pas que ça, répéta-t-il doucement.

J'enfonçai inconsciemment les ongles dans mes avant-bras. Je fixai mes genoux, incapable de supporter le regard de mon père.

— C'est maman, énonça-t-il.

Je me mordis les lèvres, m'appuyant sur la douleur pour étouffer mes sanglots.

Avec prudence, je hochai la tête. Mon père m'imita.

— Et c'est moi. Et Seki.

— Je… commençai-je sans être capable de poursuivre.

Sa main me frictionna doucement l'épaule.

— Nous sommes une famille, Myr. Peu importe nos faiblesses. Peu importe nos erreurs.

Erreurs ! Il s'agissait bien du bon terme. J'étais l'erreur. La plaie béante qui infectait l'organisme, celle qui attirait le malheur.

Je me retenais de toutes mes forces. C'était le moment de tout déchaîner, de livrer ma colère, de me dénuder, de me déchirer les entrailles. Sauf que je n'avais plus nulle part où fuir ensuite… Personne pour m'accueillir à présent…

— Myr… chuchota mon père. Tu n'es responsable de rien. Ce n'est pas ta faute…

— Et pourtant ! Je vous ai arraché…

Je m'étouffai, une quinte de toux, convulsée par les sanglots retenus.

— Non, Myr ! C'est faux…

J'enfouis mon visage contre mes genoux, le corps en entier vibrant d'émotion.

– Quand il y a eu les complications dans la grossesse d'Ariane… commença mon père.

Il se tut.

Longtemps.

Quand je relevai la tête, mon père m'observait, les yeux pleins d'eau, le visage fripé, mais illuminé d'une étrange lueur.

– Oh Myr… ta mère n'a pas pris cette décision seule, tu sais…

Il n'eut pas besoin d'en dire plus…

à suivre dans Annika

Remerciements

Merci à Julie, pour avoir cru en l'étincelle qui brillait derrière mes yeux.

Merci à Azdy, pour m'avoir convaincu de donner sa propre voix à Myr.

Merci à maman, papa et Martin, pour m'avoir soutenu depuis les toutes premières lignes.

Merci à Sylvie, la romancière et la complice, pour son regard (et la pile de commentaires !) sur Averia.

Merci à Annie et à Catherine, pour le coup de main au moment où j'en avais besoin.

Vous êtes tous de petits morceaux de ce rêve.

Tome 2

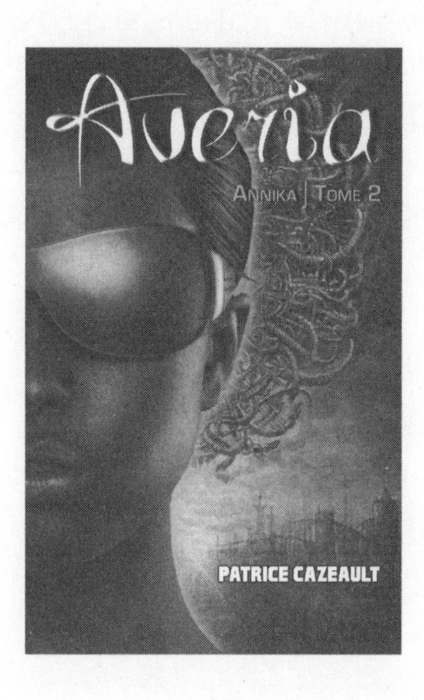

La ville s'étale, trônant avec arrogance sur un plateau rocailleux. Le soleil semble l'assécher depuis des millénaires déjà. Et pourtant, au milieu des bâtiments ocre s'élèvent de grandes tours d'argent. D'immenses structures audacieuses qui s'étirent vers un ciel couleur rouille. L'éclat de l'astre couchant jette sur ces bâtiments un reflet impérial.

Une brise mêlée de sable caresse la cité. Au sol, les voies de circulations modernes, effilées, surplombent les rues empoussiérées. Depuis les fenêtres des hautes tours métalliques, on ne distingue pas les ruelles. On ne voit que les immenses toiles rouges, déployées entre les structures, pour protéger les piétons de la chaleur accablante du soleil.

Le dédale de ruelles entraîne les passants dans un labyrinthe où s'enchaînent les maisons, les grandes places publiques et les édifices à l'allure de citadelles. Près de l'une de ces constructions semblables à une forteresse, de nombreuses silhouettes manœuvrent pour entourer le bâtiment. Et parmi elles, deux autres formes s'efforcent de se faufiler…

***

Les autorités auraient reçu, il y a quelques minutes à peine, un appel à l'aide depuis l'intérieur de l'atrium du Conseiller Shakarion. Selon ce que nous avons réussi à apprendre, des intrus se seraient introduits dans la demeure de cet éminent membre du Conseil, auraient déjoué la sécurité et tâcheraient maintenant de séquestrer le Conseiller.

Comme vous pouvez le voir, une unité d'intervention est déjà sur place. Les troupes ont rapidement encerclé la demeure et érigent un périmètre de sécurité. Au moment où je vous parle, d'autres renforts convergent sur notre position. Nous allons tenter d'intercepter un des soldats afin d'en apprendre davantage sur la situation à l'intérieur.

Monsieur ! Par ici ! Pouvez-vous nous dire quoi que ce soit sur l'identité des ravisseurs du Conseiller Shakarion ? Non, nous ne sommes pas des badauds. Je suis Charal Assaldion, reporteur de renom sur… Allons, ce n'est pas la peine de me pousser ainsi ! Je suis journaliste. Hé ! Ne touchez pas à ça ! Cette caméra vaut une fortune.

Désolé chers réseauspectateurs, il semble que, dans la frénésie de l'action, personne ne daigne répondre à mes questions. Regardez, les forces d'intervention viennent de passer la porte principale. Ils l'ont enfoncée d'un seul coup. Un grand portail ouvragé, probablement très onéreux. Oh, et mon caméraman me fait remarquer que d'autres soldats se lancent simultanément vers les entrées secondaires. Les ravisseurs du Conseiller sont bel et bien encerclés…

Bon sang ! Je ne m'imaginais pas vivre tant d'excitation pendant ma première journée sur Tharisia. Qui l'eût cru ? En effet, auditeurs, je suis arrivé il y a une semaine, mais il s'agit de ma première affectation en tant que journaliste dans notre grande capitale. Je ne m'attendais pas à couvrir ce genre d'événement…

Pardon ? Je n'ai pas bien compris. Tu vois bien que je suis en ondes... Ah bon... tu crois qu'il y a sans doute d'autres entrées secondaires ? Voilà une excellente idée...

Chers auditeurs, nous allons tenter de nous infiltrer à notre tour dans la demeure du Conseiller afin d'en découvrir davantage sur cette prise d'otage. Avec un peu de chance, vous pourrez en apprendre plus, en exclusivité et en direct, sur la nature de cette crise. Allez, viens, par ici...

Hum... À ton avis... est-ce qu'ils viennent dans notre direction pour nous expulser du périmètre ? Oui ! Tu as raison ! Cours ! Chers réseauspectateurs... nous vous reviendrons... restez à l'écoute... C'était Charal Assaldion, pour Tharisia Press...

***

— Merde! Pourquoi tu ne l'as pas fouillé avant?

— Comment je pouvais savoir qu'il traînait son réseau sur lui?

— Crétin! Maintenant tout est fichu. Ils encerclent probablement la demeure.

Je jetai un coup d'œil rapide par l'étroite fenêtre. Je distinguais de nombreux transporteurs de troupes. Le secteur grouillait déjà de soldats. Des gyrophares peignaient en rouge les ruelles qui bordaient la villa. Tout s'était passé si vite. Derrière moi, mes deux camarades se chamaillaient encore.

— Vous allez la fermer, oui... ? menaçai-je.

Nous étions dans une grande pièce adjacente à l'atrium. C'est à cet endroit que nous étions tombés sur Shakarion. Il traînait là, à se prélasser, ne donnant pas l'impression d'être spécialement occupé. Il se vautrait, simplement, dans l'opulence. Attendant que des gens comme nous viennent mettre un terme à cette mascarade.

Il avait poussé une espèce de couinement en nous apercevant. En d'autres circonstances, j'aurais eu envie d'éclater de rire. Mais aujourd'hui, je m'étais plutôt jetée sur lui.

Le Conseiller Shakarion gisait ligoté, assis sur une chaise, le visage déjà tuméfié et enflé. Il ne manquait évidemment rien du spectacle que lui offraient mes compagnons.

— Libérez-moi immédiatement, leur intima-t-il. S'il m'arrive quoi que ce soit, je vous assure que vous croupirez dans les pires prisons jusqu'à la fin de vos jours. Vous serez déportés sur Zarya et vous travaillerez dans les fosses jusqu'à en crever.

www.ada-inc.com
info@ada-inc.com

 www.facebook.com (groupe Éditions AdA)

 www.twitter.com/EditionsAdA